Gezocht wegens moord

*Lisa Scottoline bij Meulenhoff-*M:*

Op de loop voor de wet
Gezocht wegens moord

Door angst gedreven
Laatste kans
(beide verschijnen voorjaar 1997)

Lisa Scottoline

GEZOCHT WEGENS MOORD

THRILLER

MEULENHOFF-M

Voor mijn editor, Carolyn Marino,
die mij aanmoedigde uit mijn schulp te kruipen.
En voor Kiki en Peter.

Eerste druk oktober 1996

Vertaling Rosemarie de Bliek
Omslagontwerp Mariska Cock
Omslagdia Fotostock
Foto achterplat Michael Bryant

Published by agreement with Lennart Sane AB
Meulenhoff-*M is een imprint van J.M. Meulenhoff bv, Amsterdam
Oorspronkelijk verschenen onder de titel *Legal Tender*

ISBN 90 290 5306 2 / CIP / NUGI 331

1

Ik schoof naar voren in mijn bank op de tribune om niets te hoeven missen. De nieuwe vriendin van mijn gewezen geliefde, Eve Eberlein, stond op het punt midden in haar kruisverhoor publiekelijk vernederd te worden door de edelachtbare Edward J. Thompson. Ik kon wel dansen van vreugde, midden in de rechtszaal. De wraaklust van een versmade advocaat kent geen grenzen.

'Mag ik u op iets wijzen dat u blijkbaar vergeten bent, mevrouw Eberlein,' zei rechter Thompson. De rechter, een kale, zeer correcte man en bekend om zijn legendarische geduld, was tot het uiterste gedreven door Eves aanval op de getuige van rijpere leeftijd. 'Dit is een rechtszaal. Er bestaan gedragsregels. Fatsoen, manieren. Normale beleefdheid wordt bij het betreden van mijn rechtszaal als vanzelfsprekend verondersteld.'

'Maar, edelachtbare, deze getuige is niet oprecht,' zei Eve. Ze stond voor het podium met een opstandig verend bruin piekjeskapsel, perfect opgemaakt en in een rood mantelpak dat als gegoten om haar mooie lijf zat. Niet dat ik jaloers ben.

'Totale onzin, mevrouw Eberlein!' zei rechter Thompson spottend terwijl hij door een leesbril tuurde die dezelfde kleur had als zijn toga. 'Ik sta niet toe dat u belastende opmerkingen maakt aangaande het karakter van een getuige. U hebt haar herhaalde malen dezelfde vraag gesteld en ze heeft u verteld dat ze niet weet waar het Cetor-dossier is. Ze is twee jaar geleden met pensioen gegaan, als u zich dat herinnert. Wilt u uw volgende vraag stellen, alstublieft.'

'Met alle respect, edelachtbare, mevrouw Debs hield de archieven bij voor Wellroth Chemical en ze herinnert zich wel degelijk waar het Cetor-dossier zich bevindt. Ik zeg u, de getuige *liegt!*' Eve wees als een gemanicuurde Zola naar mevrouw Debs, wier gepoederde huid donkerrood kleurde.

'Mijn hemel!' riep ze uit en betastte zenuwachtig de parels om haar hals. Mevrouw Debs had een krans grijze krullen en een goudeerlijk gezicht. 'Ik zou nooit liegen voor een rechtbank!' zei ze en iedereen met een beetje mensenkennis kon zien dat ze de waarheid sprak. 'Hemel, ik heb op een bijbel gezworen!'

'Mevrouw Eberlein!' Rechter Thompson had zijn geduld verloren. 'U gaat buiten uw boekje!' Hij sloeg hard met zijn hamer. *Boem! Boem! Boem!*

Ondertussen zat Mark Biscardi, mijn ex-geliefde en nog steeds mijn zakenpartner, ostentatief bewijsstukken door te lezen aan de tafel van de raadslieden. Hij bagatelliseerde het debacle tegenover de jury maar hoorde ongetwijfeld ieder woord dat gezegd werd. Ik hoopte dat hij zich mijn voorspelling herinnerde dat Eve vandaag de mist in zou gaan, zodat ik kon zeggen: ik heb het je toch gezegd.

'Ik protesteer, edelachtbare!' riep de advocaat van de tegenpartij, Gerry McIllvaine. 'Mevrouw Eberleins gedrag jegens deze getuige is schandalig! Schandalig!' McIllvaine, een veteraan in de rechtszaal, had zich niet met het kruisverhoor bemoeid en zijn mond gehouden tot het moment dat hij voor de jury zou optreden. De rechtszaal is een schouwtoneel en alle mannen en vrouwen zijn slechts advocaten.

Plotseling richtte ik mijn aandacht op de jury. De meeste juryleden op de eerste rij wierpen Eve afkeurende blikken toe terwijl rechter Thompson zijn reprimande vervolgde. Twee juryleden achterin, evenals mevrouw Debs gepensioneerd, konden hun genoegen over Eves berisping niet verbergen en hadden een zelfvoldane glimlach op hun gezicht. Eve had het klaargespeeld de jury tegen zich te krijgen, maar het zou hun beeld van de gedaagde partij kleuren. Het ging in deze zaak om zware belangen en het ongeluk wilde dat de gedaagde een belangrijke cliënt was van mijn advocatenkantoor, Rosato en Biscardi.

Verdomme. Ik ging rechtop zitten en keek bezorgd naar Mark, maar die was nog steeds in de bewijsstukken verdiept. Hij en ik hadden R&B zeven jaar geleden opgezet en het zien uitgroeien tot een van de meest succesvolle advocatenkantoren in Philadelphia. Ik had zoveel hart voor de maatschap dat ik er niet eens van kon genieten Eve iets anders dan mijn liefdeleven te zien verruïneren. Actie was geboden.

Ik ging midden onder de zitting staan, waarbij ik vanwege mijn lengte, ruim een meter vijfentachtig, de aandacht op me vestigde zonder iets te hoeven zeggen. Het is een zeer gunstige lengte voor een advocaat, maar als tiener had ik in de buurt van zoveel punchbowls gestaan dat ik misselijk werd van de lucht. Ik was groter, blonder en sterker geworden zodat ik er nu uitzag als een golden retriever met een graad in rechten.

'Au!' zei de advocaat die naast me zat toen ik hem flink op zijn schoen trapte.

'O, neem me niet kwalijk,' zei ik met klem, bijna even luid als rechter Thompson die Eve nog steeds de les las, waarbij hij de volle aandacht van de jury genoot.

'Sst,' zei een andere advocaat.

'Sorry, sorry,' kirde ik en wurmde me uit de opeengepakte bank raadslieden vandaan, als een boerenkinkel die tijdens de tweede slagbeurt een Budweiser probeert te bemachtigen. Uit mijn ooghoek zag ik dat een van de juryleden, de Latino op het einde van de bank, met succes was afgeleid. 'Pardon! Excuseer me,' schreeuwde ik zo ongeveer.

Toen ik naast de bank stond, liep ik met grote passen langs de balie naar de tafel van de raadslieden, waar mijn ex-geliefde grote vlekken in de oksels van zijn Engelse krijtstreep zat te zweten. Mark draaide zich om naar de commotie en ik boog me naar zijn donkere golvende haar en ademde zijn dure crèmespoeling in. 'Je bent de pineut, *hombre*,' fluisterde ik, niet geheel zonder leedvermaak.

'Het is haar eerste keer in de rechtszaal,' siste hij terug. 'Ze heeft een fout gemaakt.'

'Nee, *jij* hebt een fout gemaakt. Ik heb je verteld dat ze geen pleiter is. Ze maakt geen contact, ze is te koud. Hou even een bewijsstuk omhoog zodat we in vrede ruzie kunnen maken.'

Mark pakte een bewijsstuk en dook erachter. 'Hoe zit het met de jury? Dit nekt ons.'

Ik keek heimelijk opzij. De meeste juryleden hadden nu hun blik op Mark en mij gericht. Ik kon slechts hopen dat mijn haar er niet al te radicaal uitzag. 'Kalm maar, Mark. De jury vraagt zich af of we nog met elkaar slapen. Waar is de cliënt, Haupt? Dat is de grote baas, klopt dat?'

'Ja, doctor Otto Haupt. Met die stalen bril op de eerste rij. Hoe vat hij het op?'

Ik probeerde de reactie van voornoemde heer te peilen, maar zijn gezicht was uitdrukkingsloos. 'Hij is een maatpak, geen gezicht. En geen excuses voor je nieuwe vriendin. Doe er iets aan.'

'Wat wil je dat ik doe, haar over de knie leggen?'

'Dat zou je wel willen.' Dat had hij ooit met mij geprobeerd, maar ik had de slappe lach gekregen. 'Hou haar op de achtergrond. Laat haar geen andere getuigen ondervragen.'

'Ze moet haar sociale vaardigheden bijschaven, dat is alles.'

'Ik haat die uitdrukking, "sociale vaardigheden". Wat houdt het in? Je hebt gevoel of je hebt het niet.'

Hij glimlachte me fotogeniek toe. 'Waarom ben je hier,

Bennie? Moet ik dit soort negatieve opmerkingen van je aanhoren, op dit moment? Terwijl de zaak in volle gang is?'

'Dat is het minste wat je doen kunt. Ik ga je gezicht redden. Pak het glas naast dat dossier.' Ik pakte een kan water van de tafel van de raadslieden. Het was een koude, zware kan en er zaten zelfs nog wat ijsblokjes in. Perfect.

'Waarom doe ik dit?' Hij pakte het glas.

'Herinner je je Leo Meller niet meer, de travestiet die in de Columbus Day-parade mee wilde lopen? Uit de goeie ouwe tijd toen je streed voor belangrijke zaken, zoals het recht paars te dragen op klaarlichte dag?'

Een flikkering van een herinnering lichtte op in Marks prachtige bruine ogen en hij hief zijn glas op. 'Meller! Goed gevonden, Bennie. Als je maar niet met de patentaanvraag knoeit, het is een origineel.'

'Maak je borst maar nat.' Ik pakte het glas maar het viel uit mijn uitgestrekte hand en rolde rand over bodem, als een uit de hand geglipte rugbybal. '*Oeps!*' gilde ik, dramatischer dan nodig was. Ik leunde naar voren om het glas te pakken, maar greep zo vakkundig mis dat ik de waterkan ook een zetje gaf. IJsblokken en koud water stroomden over tafel als een bergbeek, vloeiden met grote snelheid langs het verdwaalde glas in een ijskoude stortvloed en landden kletterend en klaterend op Marks schoot.

'Jezus!' riep Mark, en sprong overeind. 'Getver! Dat is koud!' Met opengesperde ogen sprong hij weg van de tafel en verbrijzelde de ijsblokjes in een wilde dans.

'O nee!' riep ik en liet vervolgens de kan op zijn voet vallen. 'O, hij viel!'

'Aau!' Mark greep zijn schoen vast. 'Godallemachtig!'

'O, sorry. Het spijt me zo!' Ik flapte met mijn armen als een babyzeehondje en probeerde er hulpeloos uit te zien, wat me niet gemakkelijk afgaat. Ik ben nog geen dag in mijn leven hulpeloos geweest.

Ondertussen brak de chaos uit. Een jurylid op de eerste rij wees verbaasd met haar vinger. De achterste rij, voornamelijk vrouwen, barstte in lachen uit. Eve had zich omgedraaid en haar gelippenstifte mond viel open. Rechter Thompson rukte zijn bril af, zijn tirade stilgevallen. 'Parketwachter! Sheriff!' bulderde hij. 'Breng een paar papieren handdoeken! Ik wil geen vlekken op mijn tafel!'

'Zeker, edelachtbare,' zei de sheriff, die al aan kwam rennen met papieren handdoeken. Hij wierp me een kwade blik toe terwijl hij de plas water die op het blauwe tapijt drupte opdepte.

'Mag ik er ook een paar?' vroeg Mark. Hij greep een handvol papier en depte zijn kruis, wat een nieuwe golf hilariteit onder de juryleden achterin veroorzaakte. Rechter Thompson zuchtte hoorbaar. 'Laten we pauzeren, dames en heren. Mevrouw Howard, wilt u de jury uitgeleide doen, aangezien de sheriff anderszins geoccupeerd is.' *Boem!* Hij verhief zich uit zijn stoel en verliet hoofdschuddend het podium.

'U hebt die rotzooi veroorzaakt, dus mag u het opruimen,' zei de sheriff geïrriteerd. 'Zorg dat er geen watervlekken ontstaan.' Hij gooide de berg papieren handdoeken op tafel en liep naar de rechtbankstenografe die haar vingers kromde en strekte.

De rechtszaal liep snel leeg, de advocaten liepen lachend en pratend naar buiten. De advocaat van de eisende partij klapte zijn aktentas dicht en vertrok, liep langs doctor Haupt, die bij de deur stond met op zijn gezicht slechts een hint van irritatie. Ik had zo goed geacteerd dat hij erin was getrapt. Het zou niet de eerste keer zijn dat ik mezelf voor gek zette voor het goede doel.

'Je wordt bedankt, Bennie,' zei Mark. Hij wreef over de enorme natte vlek die zich als slecht nieuws over zijn kruis verspreidde.

'Sorry, partner,' zei ik tegen hem, verbaasd dat ik toch een greintje spijt voelde. IJsblokjes lagen op het tapijt te smelten en Eve stapte er voorzichtig overheen om bij ons te komen.

'Gaat het, schat?' zei ze zacht. Ze wreef zo bezorgd over Marks rug dat ik bijna moest kokhalzen.

'Het is maar water,' voerde ik aan.

'Je had wel wat voorzichtiger kunnen zijn,' zei ze op bestraffende toon. 'Ik begon net op gang te komen met mijn kruisverhoor.'

Ik barstte in lachen uit. 'Geloof je echt dat dit per ongeluk was? Ik liet het water vallen om...'

'Zo kan-ie wel weer, Bennie,' onderbrak Mark met een natte papieren handdoek in zijn hand. 'Ik regel het wel.'

'O ja?'

'Ja,' zei hij kregelig.

'Dat is je maar geraden. Ik moet ervandoor, naar een nieuwe cliënt. Veel geluk, mensen.' Ik stapte over een plas heen en sloeg de mahoniehouten deuren achter me dicht. Terwijl ze sloten hoorde ik Eve lachen, even later Mark. Mannelijk, meer van harte.

Ik herinnerde me zijn lach, ik herinnerde me alles.

Nu moest ik het nog vergeten.

2

De bult die door de eerste klap was veroorzaakt was oranjerood en er liep een diepe snee over de rossige wenkbrauw van de tiener. Hij had een bloeding in zijn linkeroog gehad, het wit was donkerrood, en die kant van zijn gezicht was vlekkerig door bloeduitstortingen en verwondingen. Gelukkig was zijn voorhoofd heel, dus vermoedde ik dat het wapen een gummiknuppel was geweest, geen dienstrevolver. Iemand bij het politiekorps moet Billy Kleeb graag gemogen hebben.

De rechter had de zaak naar mij verwezen, aangezien Kleeb en zijn vriendin, Eileen Jennings, aangifte hadden gedaan van mishandeling door de politie, wat zo langzaamaan mijn specialiteit werd. Philadelphia had twintig miljoen opgehoest in rechtszaken wegens wangedrag van de politie en het meeste geld ging naar cliënten van mij. Mijn zaken besloegen het gamma van politiegeweld, machtsmisbruik, onterechte arrestatie tot en met zogenaamd 'per ongeluk neerschieten' zoals de doctoraalstudent die door een agent buiten dienst was neergeschoten omdat hij een groengebreide Eagles-pet ophad, net als een overvaller die men in die wijk de benen had zien nemen. De agent, die gedronken had, vergat tijdelijk dat iedereen in Philly Eagles-petten draagt, vooral als het team bekerwedstrijden speelt.

Dat geval had de voorpagina's gehaald, evenals de aanklachten die ik tegen het negenendertigste district had ingediend, waar een harde kern van Philadelphia's brave borsten bekende gestolen goederen te verhandelen en bewijsmateriaal in drugszaken te vervalsen, waardoor een van mijn cliënten, een zestigjarige kleermaker, twaalf jaar kreeg. Ongeacht het feit dat de kleermaker onschuldig was. Hij kreeg tweeduizend van de stad waarmee hij mijn honorarium betaalde en voor mij een mantelpak op maat maakte. Ik hield van mijn werk, het was zinvol. Zoals ik het zag hoefde ik mijn geboortestad niet te vertellen dat we een probleem hadden op het politiebureau, ze hoefde er slechts af en toe aan herinnerd te worden. Hiervoor bracht ik louter een vergoeding in rekening. Mijn honorarium om als stoorzender te mogen fungeren.

'Zeg het nog eens, Bill. Waarom heb je de politie niet om een dokter gevraagd?' Ik maakte onzinnige aantekeningen tijdens het onderhoud om niet naar zijn toegetakelde gezicht te hoeven kijken, een deel van mijn werk waar ik nooit aan had kunnen wennen. Ik krabbelde op mijn notitieblok: *Doctor, doctor, gimme the news.*

'Ik zei dat ik geen dokter nodig had. Ze hebben er ijs op gedaan. Meer hoefde niet.'

'Je had er naar moeten laten kijken. Alijd als je buiten bewustzijn bent geweest.'

'Oké.'

Ik schreef: *I got a bad case of lovin' you.* 'Hoe gaat het met je ribben? Zijn die heel?'

'Prima.'

'Doet het pijn als je ademt?'

'Nee. Kijk maar.' Hij blies een kegel sigarettenrook de lucht in.

'Indrukwekkend.' Zijn haar was vettig blond en vlekkerige sproetjes waaierden uit over een kleine neus en een gezwollen bovenlip. Bill had de onregelmatige tanden van een jongen uit een arm gezin. Wonderlijk genoeg was er geen enkele gesneuveld in het strijdgewoel. 'Geen trappen tegen je borst gehad? Geen voeten, knuppels, of zo?'

‘Er is niets met me de hand,’ zei hij chagrijnig en ik begon zelf geïrriteerd te raken. Misschien had het te maken met het verloop van de ochtend tot dusver.

‘Als het zo goed met je gaat, Bill, waarom heb je dan verklaard dat de politie geweld tegen je heeft gebruikt? En waarom wil je verklaren dat je onschuldig bent als we een schikking kunnen treffen waardoor je gevangenisstraf ontloopt?’

‘Het gaat om Eileen, mijn vriendin.’ Hij ging verzitten in zijn blauwe gevangenisoveral. ‘Ze... eh... wil dat we dezelfde aanklacht indienen. Samen zogezegd.’

‘Maar het heeft geen zin dat je verklaart dat je onschuldig bent. Eileen is de aanstichtster, zij heeft een strafblad.’ Voor incidentele prostitutie, maar het had geen zin om dat te benadrukken.

‘Ze wil dat we een gezamenlijk front vormen, of zo.’

‘Nou, dat zijn jullie niet. Jullie zijn twee verschillende mensen, jullie hebben ieder afzonderlijk je eigen omstandigheden. Daarom hebben jullie ieder een advocaat. Eileen zit meer in de problemen dan jij. Zij had het wapen.’

‘Alleen de stroomstok.’

‘Honderd volt elektriciteit, op de borst van een agent van het arrestatieteam? Denk je dat dat niet meetelt?’

Hij beet op zijn gezwollen lip. ‘Ze zal woest zijn als ik niet meega. Eileen is behoorlijk fel.’

‘Nou en? Wie heeft de ringetjes door zijn neus in deze familie?’

Hij huiverde terwijl hij zijn Salem inhaleerde. De lucht in de verhoorkamer was blauw van sigarettenrook en stonk naar een goedkoop schoonmaakmiddel. Het traliewerk voor het venster in de deur zat onder het stof en er lag een afgekauwd piepschuimen bekertje op zijn kant. Datzelfde piepschuimen bekertje heb ik in elk distictspolitiebureau gezien. Ik denk dat ze het de ronde laten doen.

'En, wat denk je, Bill? Je krijgt geen borg, dus als je schuld bekent, ga je vrijuit. Als je zegt dat je onschuldig bent, ga je zó de gevangenis in. Dat is een van de subtielere vormen van ironie in ons strafrechtelijk systeem.'

Hij keek me nog steeds niet aan.

'Goed, laten we even van onderwerp veranderen. Geef me wat achtergrondinformatie. Jij was aan het demonstreren tegen dierenmishandeling toen je gearresteerd werd. Jij vindt dat Furstmann Dunn hun vaccin niet op apen mag testen, klopt dat?'

'Ze hebben het recht niet. Wij hebben het recht niet. Ze zijn ons bezit niet, wij zijn alleen groter.'

'Gesnapt.' Sommigen van ons, in ieder geval. Het was een onontkoombaar feit dat mijn meest recente revolutionair iets aan de kleine kant was. 'Ben je lid van de PETA of een andere activistengroep voor de rechten van het dier?'

'Ik hoef geen autoriteit boven me.' Hij trok aan zijn Salem, hield hem naar beneden als een lollie.

'Ik neem aan dat je nee bedoelt.' Ik schreef op: nee. 'Dus het gaat om jou en Eileen. Zijn jullie getrouwd?'

'We hebben geen autoriteit nodig...'

'Nogmaals nee,' zei ik, en schreef dat weer op. Nee 2. 'Dus het gaat om jou en Eileen tegen de rest van de wereld. Romantisch.' Zo had ik het met Mark gevoeld toen ik jonger was en aan waanvoorstellingen leed.

'Dat zal wel,' zei hij lui. Ik kon zijn accent niet thuisbrengen, hoewel ik alle dialecten in Philadelphia ken.

'Waar kom je vandaan, Bill? Niet uit deze streek.'

'Uit West-Pennsylvania, voorbij Altoona. De rimboe. Ik ben op een boerderij opgegroeid, zo ben ik met dieren in aanraking gekomen. De 4-H heeft me verpest. Hij lachte waardoor er een laatste restje rook vrijkwam.

'Heb je de middelbare school afgemaakt?'

'Ja. Toen ben ik 'm naar New York gesmeerd en daar heb ik een tijdje in de Harley Davidsonfabriek gewerkt. Daar heb ik Eileen ontmoet. Zij werkte in het laboratorium, Furstmann Dunns laboratorium. Daar deden ze proeven met het vaccin. Zij heeft foto's genomen van hoe de apen gemarteld werden en de foto's hebben we op de borden geplakt. Ze zag hoe de apen behandeld werden. Ze werden *mishandeld*.'

Het klonk niet alsof hij dat woord van nature gebruikte. 'Heeft Eileen je dat verteld?'

'Ze gebruiken elektroden.'

'Op de apen?'

'Op nertsen. Voor nertsjassen. Stola's en dat soort dingen.'

'Nertsen? Je had het niet over nertsen vanmorgen, dus waarom hebben we het over nertsen?'

'Ik weet het niet. U begon erover.'

Ik schreef: Geen Nertsen. Was hij gewoon dom of was een conversatie met een anarchist noodzakelijkerwijs verwarrend?

'Het zijn allemaal onderdelen van hetzelfde principe,' zei hij. 'Het is allemaal verkeerd.'

'Bill, mag ik je wat advies geven?' Ik probeer de levens van al mijn cliënten te regelen, om het werk dat ik doe goed te maken met het mijne. 'Als ik zou protesteren tegen dierproeven, zou ik het niet op Furstmann Dunn gemunt hebben, omdat zij aan een AIDS-vaccin werken. Mensen willen een geneesmiddel tegen AIDS, ook al moeten er een paar aapjes aan geloven. Waarom pak je de bontindustrie niet aan? Daar kunnen mensen achter staan, zich in vinden.'

Hij schudde zijn hoofd. 'Het maakt Eileen niet uit of mensen het wel of niet met ons eens zijn. Ze wil dat er een eind aan komt. Het was haar idee om de tv-stations en de radio te bellen.'

'Je hebt nogal wat opschudding veroorzaakt, hè?' zei ik,

met een vleugje ongepaste trots. Ze hadden iedereen op de been gekregen, zelfs het journaal. Een deel van het geharrewar was dat een groep homo's een spontane tegendemonstratie hield. Een gevoelig onderwerp, maar ik was onverslaanbaar in het niet veroordelen van de politieke overtuigingen van mijn cliënten. Ik verdedigde niet wat ze zeiden, alleen hun recht hun mond open te doen zonder een klap voor hun kop te krijgen.

'En ook een heleboel pers. Dat vond Eileen prachtig.' Bill leunde naar voren om zijn sigaret uit te maken.

'Je had je niet moeten verzetten bij je arrestatie. Ze hadden een heel team en jullie waren maar met zijn tweeën. Ik zie je niet echt als vechter.' Ik keek naar Billy's armen; bleek, mager, slap.

'Nee, ik ben een minnaar van nature, geen vechter.'

Ik glimlachte. Ik wed dat hij geen van beide in bijzondere mate was, maar ik voelde sympathie voor hem. Ik bladerde door het dossier voor me, dat bijna geen tekst bevatte. Bill had geen strafblad, zelfs niet in andere districten, wat de reden was dat de officier van justitie me zo'n aantrekkelijk voorstel had gedaan. De arme jongen had in zijn hele leven één klap uitgedeeld en die had hem in deze situatie gebracht. 'Ik snap het niet,' zei ik terwijl ik het dossier dichtklapte. 'Waarom heb je die agent een klap gegeven?'

Zijn ogen werden fel. 'Omdat hij Eileen te grazen nam. Ik probeerde hem van haar af te krijgen. Hij draaide haar arm om, zodat ze neer zou gaan, of zo. Ze stond alleen maar naar hem te schreeuwen.'

'Behalve dan die stroomstok, weet je nog? Daar heeft ze de smeris mee bedreigd, en de president-directeur van het bedrijf. Ze belaagde de man in zijn Mercedes.'

'Goed, dan probeerde ze hem misschien een koekje van eigen deeg te laten proeven. Het had erger gekund. Ze wilde hem opblazen in zijn sjieke kar.'

'Wie wilde ze opblazen? De president-directeur van Furstmann?' Ik kreeg een gespannen gevoel in mijn borst. Ik had nooit aan moordzaken kunnen wennen, zelfs als mijn argumentatie in principe degelijk was, dus dat werk heb ik lang geleden opgegeven.

'Bill, heeft Eileen gezegd dat ze de president-directeur van Furstmann wilde vermoorden? Meende ze dat?'

'Ze is keihard, Eileen.' Hij keek omlaag naar zijn sigaret en kneep in de gloeiende filter. 'Daarom wil ze niet bekennen. Laat hun maar bewijzen dat we fout zijn geweest. De gevangenis in, als protest. Misschien in hongerstaking gaan.'

Ik legde mijn balpen neer. 'Bill, geef antwoord. Hebben jij en Eileen het erover gehad de president-directeur te vermoorden?'

Hij liet zijn hoofd op een schouder rusten en vermeed nog steeds mijn blik. 'Ze had het erover dat ze dat wilde en ik zei dat ze het niet moest doen. Ze zei dat ze niets zou doen voor we erover gesproken hadden.'

'Zou ze haar advocaat vertellen dat ze de president-directeur wilde vermoorden?'

'Weet ik niet.'

Ik leunde naar voren over de smerige tafel. 'Dat is niet goed genoeg, Bill. Een moord op een president-directeur, met jou als medeplichtige, kan je de doodstraf bezorgen. De officier van justitie hier eist in iedere moordzaak de doodstraf, ze wil haar mannelijkheid bewijzen. Begrijp je me?' Hij duwde de sigaret tussen de opeenhoping peuken in de blikken asbak.

'Het zou niets oplossen om die man te vermoorden, wat je vriendin ook beweert. Er staan twintig andere pakken te wachten om zijn plaats in te nemen. Ze hebben dezelfde auto, dezelfde kwalificaties. Ze worden in een rij gezet en vice-president genoemd. Jij bent slim genoeg om dat door te hebben, klopt dat, Bill?'

Hij knikte terwijl hij met een afgebeten vingernagel in de warme as prikte.

'Ik wil dat je me belooft niet zoiets stoms te doen, wat er ook gebeurt. Kijk me aan, Bill. Zeg dat je niet zo stom bent.'

Zijn goede oog ontmoette het mijne. 'Dat ben ik niet.'

'Nee. Zeg me na: "Ik ben niet zo stom."'

'Ik ben niet zo stom.' Hij glimlachte half, waarbij een gele hoektand naar buiten piepte.

'Uitstekend. Je gaat straks die rechtszaal in en je gaat schuld bekennen, is dat duidelijk? Ze bieden je de voordeligste schikking aan en daar ga jij mee akkoord.'

'Dat kan ik niet. Eileen...'

'Vergeet Eileen. Je zou wel gek zijn om te doen wat zij wil. Ze haalt jullie allebei neer, niet alleen zichzelf, en jij bent mijn verantwoordelijkheid. Jij bent degene die me zorgen baart.'

Hij schudde zijn hoofd en zuchtte. 'Hebt u kinderen, mevrouw?'

'Ja, ik heb kinderen, Bill. Jou.'

3

Van binnen lijkt het nieuwe gerechtsgebouw van Philadelphia op een provinciehuis, met matgrijze kleuren en chique ingebouwde verlichting. De vloer van de hal is ingelegd met speelse bronzen sterretjes, krulletjes en kronkeltjes en in de gangen tussen de rechtszalen staat ZANDSTRAND ZEEMEEUWEN ZEELUCHT KOELE BRIES PAARDEBLOEMEN MOSGLOOIINGEN in een lange lus. BRANDSTICHTING PROSTITUTIE MOORD IN KOELEN BLOEDE zou toepasselijker staan in een rechtbank, maar realiteit is niet altijd plezierig.

In de elegante rechtszaal voor strafzaken zitten de dealers met de crackverslaafden, de pooiers met de hoeren en de advocaten met de cliënten op zwarte designerbanken. Alleen ik zie hier enige parallellen, geloof ik. Ik zat aan de geverniste tafel van de raadslieden naast een nerveuze Bill Kleeb toe te kijken hoe rechter John Muranno de paar treden naar het glimmend notenhouten podium opliep en plaats nam in zijn leren stoel tussen de vlaggen van de Verenigde Staten en de staat Pennsylvania. Muranno, een kleine gezette rechter met een stompe neus, zette zijn gebruikelijke martelaarsgezicht dat hem de bijnaam paus Johannes had bezorgd.

'Meneer William Seifert Kleeb, bent u aanwezig in deze rechtszaal?' dreunde paus Johannes, hoewel Bill onmiskenbaar voor hem zat. Het was de gebruikelijke litanie van de presbyteriaanse rechtbank, een mis geschreven door raadslieden en rechters ter garantie van de constitutionele rechten van de aangeklaagde, zodat wij hem konden vrijpleiten of terecht laten staan. Een verdachte zou veroordeeld worden als hij arm of zwart was en vooral als hij beide was.

'Ja, edelachtbare. Ik ben aanwezig,' zei Bill, half van zijn stoel omhoogkomend. Ik gaf hem een zet in de goede richting.

'Voor ik u hoor, moet ik ervan verzekerd zijn dat u uw rechten kent en dat u dit uit vrije wil doet. Is dit uw handtekening?' Paus Johannes wuifde het formulier heen en weer.

'Ja. Jawel.'

'Hebt u dit formulier met uw advocaat doorgenomen?'

'Jawel.'

'Bent u op dit moment onder invloed van drugs of alcohol?'

'Nee.'

'Bent u op het moment onder invloed van enige medicatie?'

'Eh, nee.'

'Heeft iemand u iets beloofd of u een dreigement toegevoegd?

'Nee.'

Paus Johannes vervolgde met het reciteren van de tenlasteleggingen aan Bill en ik zag dat Eileen Jennings steeds onrustiger werd. Ze was een meter zestig en had lang, matzwart haar en een prachtlichaam, zelfs met een arm in mitella. Ze kon zich nauwelijks in bedwang houden in haar stoel aan de andere tafel. Vooral haar ogen verontrustten me. Groot, donker en rusteloos. Haar ogen knipperden terwijl Bill paus Johannes' laatste vragen beantwoordde. Ze was in genoeg rechtszalen geweest om de volgende stap te kennen.

'Begrijp ik goed, meneer Kleeb, dat u verklaart schuldig te zijn aan de aantijgingen tegen u?'

'Ja, meneer,' antwoordde Bill.

Eileen sprong uit haar stoel en riep: 'Dat is hij niet!' Haar pro deo-advocaat, een jongeman met een gekwelde blik en een ontluikende baard trok haar aan haar goede arm terug op haar stoel en probeerde haar te kalmeren. Ik raakte Billy's elleboog aan om hem gerust te stellen en hij bleef recht voor zich uitkijken zoals ik geïnstrueerd had. De mensen op de tribune begonnen onder elkaar te praten en er klonk gelach.

Paus Johannes ging verder alsof er niets aan de hand was, aangezien het niet in het misboekje stond. 'Meneer Kleeb, legt u deze verklaring uit eigen wil en zonder enige dwang van derden af?'

'Eh, ja,' zei Bill, zachter dan eerst, en Eileen sprong weer overeind.

'Bill, wat doe je godverdomme!' schreeuwde ze. De aderen in haar nek zwollen terwijl ze zich van haar advocaat probeerde los te maken. Twee gerechtsdienaars haastten zich naar haar toe en met drie man moesten ze haar op haar stoel terugduwen. Ze vloekte toen een van hen haar gebroken arm aanraakte. Het werd luidruchtig op de tribune en dezelfde man achterin lachte dwaas.

Paus Johannes reageerde slechts met een lichte zucht op de herrie. 'Als er wederom een verstoring van deze zitting plaatsvindt, zal ik gedwongen zijn de verdachte te laten boeien.'

'Dat zal niet nodig zijn, edelachtbare,' zei de pro deo-advocaat en Eileen begon geagiteerd en luid tegen hem te fluisteren, zonder acht te slaan op de gerechtsdienaars die nog achter haar stonden.

'Stilte, alstublieft. Meneer Kleeb,' vervolgde de rechter boven het lawaai uit, 'de rechtbank accepteert uw bekentenis. U wordt vrijgelaten op grond van uw reputatie. Ik begrijp uit uw dossier dat u hier niet eerder bent verschenen en ik verwacht niet dat de rechtbank u hier zal terugzien. Dank u, meneer Kleeb.'

'Jawel, meneer.' Bill ging beverig zitten, zonder Eileen of mij aan te kijken. Zijn voorhoofd was klam en hij hield zijn handen bij elkaar of ze nog in de boeien zaten. Ik hielp hem terug op zijn stoel en hij hield zijn hoofd gebogen.

'Mevrouw Eileen Jennings, bent u aanwezig in deze rechtszaal?' zei rechter Muranno.

'Ik ben onschuldig!' riep Eileen terwijl ze weer opstond en ditmaal gaf haar advocaat het op. Ze hadden duidelijk geen contact waaruit ik opmaakte dat ze hem niet over de president- directeur had verteld. 'Ik had het recht om te protesteren tegen het martelen van die dieren en die klote smerissen hebben me geslagen, edelachtbare! Ze hebben mijn arm gebroken en me in elkaar geslagen! Ze genoten ervan!'

De jongens van het arrestatieteam keken strak voor zich uit. Ze zaten in de rij achter ons, met blinkend chroom op hun blauwe overhemden. Uiteraard was Eileens beschuldiging onterecht. Ik kende de meesten van hen en slechts twee zouden haar voor de lol in elkaar hebben geslagen. Schitterend door afwezigheid was de agent die ze het ziekenhuis had in gebonjourd. Ik had vernomen dat hij er nog een dag moest blijven en een tegenclaim overwoog.

'Mevrouw Jennings,' vroeg rechter Muranno, 'wordt u vertegenwoordigd door een raadsman?'

'Ik heb deze joker,' zei ze en haar advocaat kromp ineen. Hij zag er geen dag jonger uit dan drieëntwintig aangezien justitie ze direct van de universiteit plukte en snel liet opbranden. Een pro deo-advocaat had wel vijfendertig zaken per dag en kreeg vaak dossiers pas bij aanvang van de zitting in handen.

'U wordt vertegenwoordigd door een raadsman,' zei paus Johannes, waarna hij de aantijgingen voorlas, *et cum spiritu tuo*, en ditmaal Eileen de liturgie van vraag en antwoord voorhield waarbij hij haar onbeschofte antwoorden negeerde. Hij accepteerde Eileens verklaring van onschuld, stelde een procesdatum vast waarvan iedereen wist dat die denkbeeldig was en sloeg met de hamer, *amen*, zodat de gerechtsdienaars haar naar State Road konden brengen.

Eileen keek niet om, maar Bill keek haar na en toen de deuren achter haar dichtvielen vloog hij van zijn stoel omhoog. 'Ik moet ervandoor,' zei hij met trillende stem. Hij hield zijn hoofd afgewend terwijl hij me de hand schudde.

'Je hebt gedaan wat het beste was,' zei ik, maar hij reageerde niet, draaide zich om en haastte zich langs de balie. 'Bill?' riep ik hem na, maar hij vluchtte de rechtszaal uit langs Eileens advocaat die een stapel rode dossiers met geplooide ruggen onder zijn streepjesmouw hield. Ik greep mijn aktentas en haastte me achter Eileens advocaat aan. Ik vond hem in een gang vol rechtelozen die stonden te wachten om voor de rechter gesleept te worden. ZONNIGE STRANDEN, m'n reet.

'Bent u werkelijk Bennie Rosato?' vroeg de pro deo, toen ik naast hem liep.

'Nee, die is nog groter. U hebt een aardige verzameling daar.'

'Dat zou ik ook zeggen.' Hij baande zich een weg door de menigte, terwijl hij zijn schouders van links naar rechts draaide. 'Gefeliciteerd met dat vonnis, vorige maand, ik heb het in de kranten gevolgd. Jezus, tien agenten tegen één man, in het noordoosten. De politie-adviescommissie is een farce, vindt u niet?'

'Luister, wat Jennings betreft... '

'Ik heb u altijd al willen ontmoeten. Ik weet nog dat u kwam spreken toen ik rechten studeerde. Vorig jaar, in Seton Hall.'

Ik liep snel langs een naar parfum ruikende kring tippelaarsters. 'Hebt u enig gesprek gehad met Jennings?'

'Jennings?'

'Eileen Jennings, uw cliënte.'

'Ze zit niet in mijn dossier, ik val alleen maar in.'

'Wie heeft haar dan?'

'Abrams, hij is naar een rechtszaak.' Hij keek op zijn horloge. 'Verdomme. Ik had al tien minuten geleden boven moeten zijn.'

'Ik wil dat u weet dat ik Eileen Jennings gevaarlijk acht.'

'Dat meent u niet. Ze had alleen een grote mond, gebakken lucht.'

Ik glipte langs een troep agenten. 'En de stroomstok?'

'Ha! De baas wil dat ik die uit het bewijsmateriaal achteroverdruk voor de kerstpartij op kantoor.'

Ik pauseerde tot een gezin met peuters op sleeptouw gepasseerd was en vroeg: 'Weet u of ze een pistool of explosieven in haar bezit heeft?'

'Dat is mijn zaak niet.'

Ik greep hem bij de arm. 'U hebt het dossier, dus neem de verantwoordelijkheid. U moet erachter komen of ze werkelijk gevaarlijk is, begrepen?'

'Ik zal het noteren, oké?' Hij wrong zijn arm los en snelde gedesillusioneerd weg naar de menigte bij de liften.

Ik bleef daar staan en liet de mensenmassa langs me heen stromen. De pro deo zou geen aantekening maken, en al deed hij het wel dan zou het verloren raken in de zee dossiers. De dossiers waren uiteraard mensen. Zwart en blank, krankzinning en normaal, groot en klein, zelfs degenen die op dat moment om me heen schuifelden. De meesten zeer vertrouwd met pistolen, kindermishandeling, messen, crackverslaving en safekrakers. Ze kwamen bij bosjes binnen en vulden de gangen en portalen, mensen die tot dossiers gedegradeerd waren, en uiteindelijk tot statistieken. Het leven was uit ze weggebloed, evenals hun menselijkheid.

Even voelde ik me machteloos bij de gedachte dat ik er niets aan kon doen, hoe ik ook probeerde. Zelfs niet als ik gelijk had wat Eileen betrof, zelfs niet als ik ongelijk had. Omdat er twintig anderen stonden te wachten om haar plaats in te nemen, niets liever wilden dan schieten. Ze zetten ze in een rij, net als de vice-presidenten. En ze zouden onvermijdelijk gelijke kracht tegenover zich vinden, met wapens en het gezag van de wet. Er was een ware oorlog gaande, een felle strijd. En hoe helder ik het ook zag, ik wist nog steeds niet aan welke kant ik stond.

Ik bevond me middenin, op zee. Roeiend als een razende zonder ergens kust te zien.

4

Ik liep om mijn gedachten op een rijtje te zetten over de Benjamin Franklin Parkway onder de kleurige, enorme vlaggen die aan de straatlantaarns hingen. Ze bolden als ballonfokken in de stevige bries uit de richting van de Schuylkill rivier, nog geen tien straten verderop, waardoor de kettingen waarmee ze aan de palen vastzaten rammelden. De wens om met een roeiboot op de rivier te zijn kwam bij me op. Het water zou woelig zijn, met schuimkopjes, kleine, om het spannend te houden. Misschien vanavond, beloofde ik mezelf toen ik naar de chromen monoliet liep, beter bekend als de Silver Bullet, om mijn beste vriend Sam op te zoeken en mee uit lunchen te slepen.

Ik was in de marmeren hal van het gebouw aangeland en nam de eerste lift, waardoor ik mijn maag voelde samentrekken terwijl we de hoogte inzoefden naar mijn oude advocatenkantoor, het gigantische en krankzinnig conservatieve Grun & Chase. Wij noemden het vroeger Steun & Kreun, net als ons leven als jonge associés, maar die slechte herinneringen zette ik uit mijn hoofd. Steun & Kreun had mij niet meer in bezit. Niemand bezat mij.

'Waar is dat Animaatje? Is-ie aanwezig?' zei ik tegen de jonge receptioniste toen de deuren op Sams verdieping opengingen. Ze had geen idee wie ik was, maar wist precies wie ik bedoelde.

'Hij is er. Zal ik hem zeggen wie er is?' Ze stak haar hand uit naar de telefoon, niet zeker of ik een advocaat was of een lastpak, terwijl ik in werkelijkheid een beetje van allebei was.

'Bennie Rosato, zijn favoriete Italiaanse,' zei ik en snelde langs haar onderzoekende blik. Die blik krijg ik voortdurend, omdat ik er helemaal niet Italiaans uitzie. Met enige reden.

Ik liep met grote passen langs de kostbare Amish wandkleden en grootschalige olieverfschilderijen aan de muren, langs secretaresses met dossiers in de hand om hun samenzweerderig gegiechel enig aantoonbaar zakelijk doel te geven. Ik herkende geen van hen, want alle secretaresses die ik kende waren zo slim geweest te vertrekken. 'Hallo, dames,' zei ik niettemin omdat ik een zwakke plek heb voor secretaresses. Mijn moeder deed dat werk vroeger, dat zegt ze tenminste.

'Hallo,' zei er een terug en de rest glimlachte. Ze namen aan dat ik een cliënt was, aangezien geen advocaat van Grun een secretaresse zou groeten.

Een associé haastte zich gewichtig voorbij, maar hem herkende ik ook niet. Van ons vijftienen die als associé begonnen waren, was alleen Sam gebleven en maat geworden. Sindsdien had hij de de ladder van succes beklommen tot de bovenste trede, en was de jongste maat met drie ramen in zijn kantoor, wat in belastingtermen gelijk staat aan een generaal met vijf sterren. Als ze geweten hadden dat Sam homo was, en niet slechts excentriek, hadden ze hem in brand gestoken en het iemand in rekening gebracht.

Ik was bij Sams zonnige kantoor en trok de deur achter me dicht. 'Ik ben thuis, schat!' riep ik.

'Benniieeee!' Sam keek op, met heldere blauwe ogen achter fraaie montuurloze brillenglazen. Hij was lang en slank en had een knap gezicht, met een rechte neus en mooie jukbeenderen, omgeven door roodbruin haar dat hij om de vier weken liet bijknippen. 'Hoe is het?' zei hij terwijl hij om zijn bureau heenliep om me een warme omhelzing te geven.

'Ik moet opgevrolijkt worden. Hoe is het met jou?'

'Ik ben geschift, zoals gewoonlijk, en opvrolijken is mijn

specialiteit. Pak een stoel.' Hij gebaarde naar een leren directiestoel en liep overdreven op zijn tenen terug naar zijn bureau. 'Heeeel heeel stil zijn. We jagen op komijntjes.'

Ik lachte en plofte in de stoel.

'Zie je? Het werkt al.'

'Dat wist ik. Daarom ben ik hier.' Mijn blik dwaalde over de ingelijste cartooncels die aan de muur hingen tussen Sams dubbele Harvard-diploma's. Op een tafel met glazen blad die tegen het achterste raam stond, lagen Sylvester de Kat, Foghorn Leghorn en Porky Pig in de gedaante van knuffelbeesten. Pepe Le Pew bevond zich in een pornografische omstrengeling met de Tasmanian Devil. 'Ik zie dat Pepe zich weer heeft laten gaan.'

'Zoals gewoonlijk. Dat Stinkdier is net JFK.

'Zo mag je niet over mijn Pepe praten.'

'Pepe heeft geen idee van wat belangrijk is in het leven. Daffy wel. Dat is een eend met prioriteiten.'

'Welke dan?' vroeg ik, hoewel het antwoord me in het gezicht staarde. Er stond een beeld van Daffy Duck op het bureau, hanig bovenop een berg dollarbiljetten en een plaatje met de tekst GROTER BETER SNELLER GOEDKOPER. 'Geld?'

'Geld ja, en dat hoef je niet op zo'n manier te zeggen. Daffy heeft de vinger aan de pols, Bennie. Daffy is God.'

'Hij is te hebberig.'

'Je kan nooit te hebberig zijn, *chica.* Weet je waarom ik de beste curator in deze contreien ben?

'Omdat je moreel bankroet bent?'

'Ten dele slechts. De reden is dat ik geld doorheb. Waar het heen is, waar het zou moeten zijn en hoe het terug te krijgen valt. Ik heb er een zesde zintuig voor. Jij, aan de andere kant, handhaaft het absurde geloof dat liefde belangrijker is dan geld. Wat ben je voor advocaat?'

'Een dinosaurus.'

'Uitgestorven.'

'Zo zij het. Maar Pepe Le Pew is een man naar mijn hart.'

'Ah ze l'amour. Ah ze toujours. Ah, le grand illusion,' zei Sam in namaak-Frans. *Scent-imental Romeo*, 1951. Jij hebt ook een prijs, weet je.'

'Gelul.'

'*Si*, mijn radicaaltje. Je hebt een zwak voor verliezers, in alle vormen. Hoe meer verloren, gebutst, beschadigd en uitgekotst, hoe beter. Ik heb dat ook, als ik een faillissement ruik. Wij zijn de hondenmeppers van de advocatuur.'

'Bedankt.'

Sam trok een pruillip en stak zijn onderlip uit. 'Ik vrolijk je niet meer op, hè?'

'Geeft niet.

'*What's up, doc*? Heb je het nog steeds moeilijk met Mark?'

Ik zuchtte berustend. 'Irritant, hè. Hij heeft me een maand geleden laten vallen. Ik zou er overheen moeten raken.' Ik had zin om ergens tegenaan te schoppen, maar het kantoormeubilair was grotendeels van glas.

'Dat is niet zo lang, Bennie. Jullie zijn hoelang samen geweest, zes jaar?'

'Zeven.'

'Je zult er een tijd last van hebben, ga daar maar van uit. Die trut Eve is zo nietszeggend. Ze was hier vorige week met Mark, ik ergerde me dood. Zo glad en kunstmatig. Ze is Advocaat Barbie.'

'Waarom heb je gisteravond gebeld, Samuel? Ik was te laat thuis om terug te bellen.'

Hij leunde over zijn bureau. 'Ik maak me zorgen. Ik heb een akelig gerucht opgevangen. Er wil een aantal associés overlopen, wist je dat?'

'Willen ze door het prikkeldraad, bij Grun?'

'Nee, bij R&B.'

'Wat? Bij *mijn* kantoor?'

'Dat is wat ik heb gehoord,' zei hij knikkend. 'Een collega van me in burgerlijk recht is gebeld door een van jouw associés. Die jongen zei dat hij binnenkort werkzoekend zou zijn en dat er nog iemand naar een baan zocht.'

'Wie? Welke associés waren dat?'

'Dat hebben ze niet gezegd. Wat is er gaande, Bennie? Kun jij het je permitteren twee mensen kwijt te raken?'

'Nee, niet met de hoeveelheid zaken die ik binnen krijg. Verdomme.' We hadden maar zeven associés, met Mark en ik als enige maten. Het kan niet waar zijn.'

'Waarom niet? Je weet hoe die dingen gaan, vooral de laatste tijd. De helft van de kantoren in de stad valt uiteen. Neem Wolf, Dilworth. Het is net als met tiener-zelfmoorden, het komt in golven.'

'Waarom zou een associé bij R&B weg willen? Christus, ze verdienen bijna net zoveel als ik.'

'Het zijn ondankbaren. Socialisme werkt niet, autocratie wel. Vraag het Bill Gates. Vraag het Daffy Duck.'

Ik wreef over mijn voorhoofd. 'We wilden het anders proberen te doen. Niet zoals bij Grun.'

'Wat een belachelijk gelul. Je had hier moeten blijven. We hadden samen kunnen werken, lol kunnen hebben. Je had mijn tweede huid kunnen zijn. Je had alleen maar "melkchocola" hoeven te zeggen, en alles was anders geweest.'

De herinnering aan die dag kwam naar boven. Ik was Gebeld door de Formidabele Machtige Grun. Een groep snaterende associés was naar mijn kantoor gedromd om me voor te bereiden op het Onderhoud, me te vertellen welke Vraag hij zou stellen, en Het Antwoord dat ik behoorde te geven. 'Je moet "melkchocola" zeggen,' zei ik, hardop denkend. '"Melk".'

'Je wist dat hij je een Godiva-chocolaatje zou aanbieden...'

'En zou vragen of ik puur of melk wilde...'

'Je hoorde "melk" te zeggen. Zijn favoriete smaak. Maar nee, mijn Bennie moest zeggen: "Ik hou niet van chocola, meneer Grun".' Sam schudde zo treurig zijn hoofd dat ik in lachen uitbarstte.

'Wat? Ik *hou* niet van chocola.'

'Kon je dat rotstukje chocola niet door je keel krijgen? Zou je eraan dood zijn gegaan? Zou je erin *gestikt* zijn?'

'Precies,' zei ik, zonder verdere uitleg. Sam kende mijn verleden. Ik had al zoveel rotzooi geslikt dat het in mijn keel zou zijn blijven steken, en me de adem benomen zou hebben, me verstikt zou hebben vanwege de verschrikkelijke drang om te behagen, ja te zeggen, wat je maar wilt, wat het ook kost. Ik stond op en liep naar de deur. 'Ik kan maar beter terug naar kantoor gaan. Ik wil kijken wat er aan de hand is. Bedankt voor de tip.'

'Wacht, ik heb gehoord dat je op het middagnieuws was. Omdat je die groep dierenrechten-activisten verdedigt die een rel hebben geschopt.'

'Het was geen rel en het is een stel, geen groep. Twee kinderen, de een in de war, de ander iets minder in de war.' Ik bedoelde Eileen, de laatste. Dat probleem zou ik het hoofd moeten bieden, maar ze zat nu tenminste even vast.

'Nou, deze keer sta ik aan de kant van Philly's brave borsten. Furstmann Dunn zou wel eens dicht in de buurt van een AIDS-vaccin kunnen zitten.'

'Dat weet...'

'Zeg tegen je cliënten om de volgende keer met me mee te gaan als ik boodschappen doe voor Daniel. Hij kan niet eens slikken vanwege de schimmelinfectie. Ik moet babyvoedsel voor hem kopen. Zeg dat maar tegen je cliënten.'

'Cliënt. Ik heb de goeie.'

‘De goeie? Hij kan m’n rug op!’ Sam werd rood van woede. Hij werd snel kwaad, vooral sinds hij maat was geworden. Mark had altijd gezegd dat het hem naar zijn hoofd gestegen was, maar ik was het niet met hem eens geweest. ‘Laat-ie zichzelf verdedigen! Nog beter, laat een van zijn labratten hem vertegenwoordigen, dan kijken we wel hoe goed ie het doet. Ik hoop dat de wouten hem er goed van langs hebben gegeven!’

‘Kalm maar, dat meen je niet.’

‘Dat meen ik wel. Ik geef die jongen eigenhandig een pak slaag, godverdomme! Ik en iedere nicht die ik ken! We meppen erop met onze tasjes!’

‘Tot ziens, schat.’ Ik leunde over het bureau en stal een knuffel.

‘Ik hoop dat ze zijn knieën hebben gebroken. Ik hoop dat ze zijn pik er hebben afgehakt!’

‘*Th-th-th-that’s all folks*,’ zei ik en glipte de deur uit.

5

Ik opende de gewelfde houten deur naar R&B's herenhuis en ervoer de vertrouwde gewaarwording. Ik was thuis. Mark en ik hadden het huis met geld van zijn familie gekocht toen het niet meer dan een geraamte was en het verbouwd tot advocatenkantoor terwijl we de lening afbetaalden. Ik had de hardhouten vloeren geschuurd en geboend. Mark had de droge muur opgetrokken. We verfden de muren en plinten goudgeel en ik richtte de kantoren comfortabel in, met zachte stoelen, grenen bijzettafels en opvallende aquarellen.

'Hé, Bennie,' zei Marshall vanachter het halve raampje boven de receptie. Haar donkerblonde haar was samengebonden in een vlecht en haar katoenen sweater en broek vielen ruim om haar lichaam dat zo fijngebouwd was dat ze niet in staat leek ook maar enige verantwoordelijkheid te dragen. In werkelijkheid was Marshall R&B's receptioniste, administratrice en boekhoudster, en zwaaide ze als een Stalin de scepter in het kantoortje achter het loket.

'Waarom neem je geen lunchpauze, dame?' vroeg ik.

'Het is te druk. Er is een berg telefoontjes voor je.' Ze overhandigde me een gele stapel papier. R&B was het logo van ons intern postpapier, in een hip lettertype. Mark was belast met hip, ik kon alleen knusheid creëren.

'Ga dan vroeg naar huis, goed? Vertrek om vier uur, dan zal ik zorgen dat de receptie bemand is.' Ik wilde niet dat Marshall ook zou overlopen. Buiten het feit dat ze het kantoor runde, voelde ik me met haar meer op mijn gemak dan met de associés, bij wie ik een professionele afstand bewaarde.

'Weet je het zeker? Daar houd ik je waarschijnlijk aan. Ik moet een bruidsmeisjesjurk passen.'

'Roze of turquoise?'

'Turquoise.'

'Goed zo.'

De telefoon ging en ze nam op terwijl ik wegliep, de gang door met mijn telefonische boodschappen, op zoek naar associés. De gang was leeg, dus wandelde ik nonchalant de bibliotheek in die ook dienst deed als vergaderzaal. Daar was ook niemand. De ronde, kale, neutrale vergadertafel was omgeven door rijen dikke federale vonnissen met glanzende gouden jaargangnummers. Misschien waren de associés met lunchpauze. Of op sollicitatiegesprek.

Ik verliet de bibliotheek, liep terug door de gang en ging de wenteltrap op om een kijkje te nemen in de kantoren boven. Ze waren allemaal even groot, niet één kleiner dan dat van Mark of mij en iedere associé had duizend dollar ontvangen om het in te richten. Vanwege onze aantrekkelijke cliëntèle en ons tolerante beleid trok R&B de knapste koppen van de plaatselijke rechtenfaculteiten, Penn, Temple, Widener en Villanova aan, en we betaalden ze als de halfgoden die ze dachten te zijn. Wat hadden ze in vredesnaam te klagen?

Ik liep door de gang en controleerde het ene lege kantoor na het andere. Ze hadden allerlei troep aan de muren gehangen, waarover ik geen woord had gezegd. Bob Wingates kantoor was een monument voor Jerry Garcia. Dat van Eve Eberlein was heringericht in vrouwelijke chintz. Het enige zakelijke kantoor was dat van Grady Wells, een burgeroorlogmaniak. Het was eenvoudig ingericht en de muren waren bedekt met antieke slagveldkaarten in houten lijsten. Grady had een kaartenkast met smalle laatjes in de hoek staan, maar hij zat geen kaarten te bestuderen.

Er was niemand aanwezig, waar dan ook. Ik overwoog stiekem te kijken of er ergens cv's lagen, maar besloot het niet te doen. Ik was voorstander van individuele vrijheid. Bovendien liep ik de kans betrapt te worden.

Ik ging naar mijn eigen rommelige kantoor, schopte mijn hoge hakken uit op het Indiase tapijt en schoof wat papieren opzij zodat ik me in de zachte kastanjebruine oorfauteuil achter mijn bureau kon nestelen. Een cliënt had me ooit gezegd dat mijn slordigheid het kenmerk van een ware radicaal was, maar dat was niet zo. Ik was gewoon slordig, het had niets met politiek te maken.

Ik opende een krakkemikkige bureaula en haalde er het dossier uit met computeruitdraaien van de uren die de associés maakten. Wie het hardst werkte, kon het meest ontevreden zijn. Ik las de lijst door, negeerde de gemaakte uren en lette alleen op in rekening te brengen tijd. Fletcher, Jacobs, Wingate. De meeste associés brachten tweehonderd uren per maand in rekening. Zwaar werk, dus zou iedereen er de pest in moeten hebben. Zelfs Eve Eberlein had tot dusver honderdnegentig uren achter haar naam. Ik probeerde niet voor me te zien wat voor activiteiten zij in rekening wenste te brengen.

Ik bladerde terug naar de vorige maanden. De tijden klopten, behalve bij Renee Butler die een onregelmatige aprilmaand had gedraaid in een zaak voor de rechtbank voor familierecht. Renee was Eves huisgenote sinds ze met Wingate afgestudeerd was van Penn, maar de twee vrouwen waren totaal verschillend. Renee was zwart, iets te zwaar en had zich met toewijding op gevallen van geweld binnen het gezin gestort. Zij was inhoud tegenover Eves uiterlijk vertoon. Was Renee een van de associés die wilden opstappen? Was er een mogelijkheid daarachter te komen?

Uiteraard.

Ik gooide de tijdschrijflijsten opzij en liep door de kamer naar de niet bij elkaar passende boekenplanken tegen de muur. Juridische tijdschriften en verhandelingen stonden tussen krantenknipsels en herdrukken en ik was vergeten waar ik de juridische gids had gelegd. Verdomme. Ik zocht de volle planken af. Sommige slriddervossen kunnen nog dingen vinden, ik niet. Ik kan nooit iets vinden. Het is een toevalstreffer als het lukt.

Eureka! Ik trok de gids van de plank, vond de grootste koppensneller in de stad en belde. 'Meyers Placement?' zei ik zwakjes toen een vrouw opnam. 'Eh... er is een mogelijkheid dat ik binnenkort zonder baan zit en daar wil ik iemand over spreken.'

'Een ogenblik,' zei ze, toen was er een klik en een andere vrouw kwam aan de lijn, met een professionele kalmerende stem. 'Kan ik u helpen?'

'Ja, ik bel vanuit R&B, Rosato en Biscardi. Ik geloof dat ik naar een baan moet uitkijken.'

'Met wie spreek ik?'

'Dat, eh, kan ik niet zeggen. Ik zou het besterven als mijn baas erachter kwam. Dat is een keiharde tante.'

Een verraste lach. 'U kunt ons een vertrouwelijk CV zenden. Richt u het aan...'

'Ben ik de enige van R&B die u belt? Of bent u gebeld door Renee Butler?'

'Die informatie kan ik u niet geven.'

'Maar ik ben niet de enige, hè? Ik wil geen CV insturen als ik de enige ben.' Ik hoopte dat ze zich haar exorbitante honorarium zag ontglippen.

'Nee, u bent niet de enige.'

'Is het Jeff Jacobs of Bob Wingate? Ik wed dat het een van hen is.'

'Ik kan geen van beide namen bevestigen.'

'Ik weet dat Jenny Rowlands zich hier ongelukkig voelt. Zij vindt de baas een kreng.'

'Ik kan werkelijk geen namen van cliënten prijsgeven. Ik heb drie CV's van R&B, maar dat betekent niet dat we u ook alledrie kunnen plaatsen.'

Drie CV's? Wilden drie associés de benen nemen? Dat was de halve bezetting. Het hart zonk me in de schoenen. Ik luisterde niet naar haar verkooppraatje, maar wachtte tot ze was uitgesproken, bedankte haar en hing op. *Drie*? Wat was er loos?

Ik voelde me aangeslagen. Ik moest er met Mark over spreken zo gauw hij terug was. Een kantoor van ons formaat kon zo'n slag niet opvangen, niet nu. Marks commerciële praktijk bloeide, mijn First Amendment-praktijk, mediamensen tegen lasteraanklachten, was eindelijk in het stadium waarin de zaken van wangedrag door de politie bekostigd konden worden. Mark en ik brachten ieder een miljoen aan factureringen binnen en betaalden onszelf ieder een ton, afgezien van de dertien monden die we moesten voeden. We deden het goed en we deden goed, met een ware rock 'n roll-spirit. Tot nu toe tenminste.

Ik keek achterom naar mijn bureau met stapels boodschappen, correspondentie en instructies. Dat moest ik bijhouden als we de crisis ingingen. Verdomme. Ik zette mijn zorgen opzij en begon te werken, zonder naar de geluiden van de associés die terugkwamen te luisteren. Ik hoorde gelach en grappen en vervolgens overgaande telefoons toen ze weer aan het werk togen. Twee van hen, Bob Wingate en Grady Wells, waren het in de gang oneens over een punt betreffende federale jurisdictie en ik hield mijn hoofd scheef om te luisteren.

Zeer geslepen advocaten, ik mocht ze, en vond het erg dat er drie ontevreden waren. Misschien zou ik ze het uit hun hoofd proberen te praten. Nadat ik ze eerst over de knie had gelegd.

Aan het eind van de dag schudde ik mijn werkwoede van me af en ging naar beneden. Aan het tumult te horen was Mark terug. We kwamen gewoonlijk aan het einde van de dag allemaal bij elkaar in de bibliotheek. Ik begreep dat hij daar het woord voerde en de associés onthaalde op strijdverhalen van het proces-Wellroth. Heb je die gehoord van die kan water? Ha ha.

Maar toen ik bij de open deur van de bibliotheek was, zag ik dat het niet ons gebruikelijke onderonsje was. Mark zat aan de conferentietafel met Eve, en naast haar zat dr. Haupt van Wellroth en een brede oudere man die ik herkende als Kurt Williamson, hoofd van de juridische afdeling van het bedrijf. Ik schoot naar links om hen niet te hoeven onderbreken, maar Mark ging staan en gebaarde naar me.

'Bennie, kom binnen,' zei hij joviaal, maar zijn stem had een klank die me niet beviel. Hij had zijn jasje uitgetrokken, en zijn zijden das zat los. 'Ik heb goed nieuws voor je.'

'Goed nieuws? Over het proces?'

'Nee, iets anders. Een paar zaken, in feite. Kurt brengt twee van Wellroths grootste nieuwe zaken aan, onder meer de structurering van hun joint venture met Healthco Pharma. Een zeer, zeer belangrijke overeenkomst.' In zijn ogen las ik gemene signalen, die ik interpreteerde als 'je verdiende loon' na het debacle van vanmorgen.

'Dat is fantastisch,' zei ik. Wat ik bedoelde was: dat is lucratief. 'Mark is een geweldig goede advocaat, Kurt en ik weten dat hij het prima zal doen.'

'Dat heeft hij tot dusver ook gedaan,' zei Williamson knikkend. 'Zijn mening heeft ons een geheel nieuw perspectief op de joint venture gegeven.' Hij leunde over de tafel en overhandigde me een dik pak papier.

'Goed werk, creatief,' zei ik terwijl ik voor de tweede maal de adviesbrief doornam. Er ging geen advies de deur uit voor ik het onder ogen had gehad, om mogelijke aantijgingen wegens malversatie te voorkomen. Ik had het gezien in het stadium van onderzoeksmemo, voorbereid door Eve en Renee Butler. Ik klapte het memo dicht en gaf het aan hem terug. 'Heel creatief.'

Eve glimlachte stijfjes als reactie op de lof evenals dr. Haupt, dat dacht ik althans. De kloof in het onderste deel van zijn gezicht verplaatste zich als een breuklijn.

'Daar ga ik mee akkoord,' zei Williamson. 'Een van de problemen van de farmaceutische industrie is het controleren van het product als het eenmaal ontwikkeld is, zoals u kunt opmaken uit ons huidige dispuut over Cetor. Het ontwikkelen van een succesvol product is een gecompliceerd proces, vaak met overlappende patenten. Onderling van elkaar afhankelijke patenten, meer dan een dozijn.'

'Zoveel?' zei ik, hoewel hij kennelijk geen reactie nodig had om zijn verhaal te vervolgen. Industriële cliënten doen niets liever dan over hun bedrijf praten. Luister, anders doet iemand anders het wel.

'Meer zelfs. In een joint venture gaat het erom welk bedrijf de patenten in handen heeft, mocht er een succesvol product ontwikkeld worden. Marks idee was dat beide partijen de helft van de onderling afhankelijke patenten in handen zouden krijgen. De patenten zijn dan nutteloos, behalve in combinatie met elkaar.'

'Werkelijk,' zei ik, hoewel ik het me uit het memo herinnerde. 'Zodat de patenten bij elkaar passen.'

'Als sleutels op een slot.'

'Ongelofelijk,' zei ik vol enthousiasme, hoewel die vergelijking mijn creatie was geweest. Ik had de metafoor uit het memo – waarin de patenten werden vergeleken met sleutels tot een schatkist – geschrapt. Het was te informeel voor een adviesbrief, waarvan de inhoud wordt geacht dermate droog te zijn dat ze bij niemand beklijft, laat staan dat ons kantoor ergens op kan worden aangesproken.

Williamson stond op en streek zijn seersucker jasje recht. 'Ik moet er werkelijk vandoor. Ik moet de trein halen, en mijn vrouw wacht ook niet.'

Mark en ik lachten ongelukkigerwijs tegelijkertijd. We lachen altijd om grapjes van cliënten, alleen proberen we het er niet te dik op te leggen.

'Ik loop met je naar de deur,' zei Mark terwijl hij opstond om Williamson te helpen zijn stukken bijeen te garen. Dr. Haupt stond ook op en Eve voegde efficiënt het dossier weer tot een geheel.

'Nogmaals bedankt, Kurt,' zei ik tegen Williamson. Ik schudde hem de hand toen hij wegliep en hij kromp bij wijze van grap in elkaar door de kracht van mijn greep.

'Nog steeds aan het roeien?' vroeg hij glimlachend. 'Ik heb in geen tijden geroeid. Ik word een dagje ouder.'

'Jij ook? Wat een toeval.'

Wiliamson lachte terwijl Mark hem bij de elleboog pakte bij wijze van zakelijke amicaliteit en Williamson liet zich uitgeleide doen. Dr. Haupt volgde in stilte en liet Eve en mijzelf achter in de vergaderzaal. Ik besloot aardig tegen haar te zijn. 'Gefeliciteerd met de nieuwe cliënt, Eve.'

Ze ging door met papieren verzamelen, maar fronste haar voorhoofd. 'Het zijn seksisten, zelfs dr. Haupt. Hij negeerde mij volkomen.'

'Hé, Eve,' riep een jongensachtige stem achter me. Het was Wingate, de Grateful Dead-fan met uitstekende jukbeenderen, weggezonken grijze ogen en radicaal bleek. Hij slenterde de bibliotheek in, gekleed in een Jerry-T-shirt en kakibroek en ging op de vensterbank zitten. 'Hoe gaat het met de zaak Wellroth?'

Eve liet niet merken dat ze gepikeerd was. 'Prima, in één woord,' zei ze en ik verkoos haar niet tegen te spreken.

'Gaaf.' Wingate knikte. 'Mocht je een getuige doen van Mark?'

'Jazeker. Ik heb twee kruisverhoren afgenomen en aan het eind van de dag een verzoek om uitspraak bepleit. Over bewijsmateriaal.'

'Verdomme,' zei Wingate, terwijl hij door zijn halflange haar krabde. 'Ik heb me de hele dag rotgewerkt op een conclusie. Wanneer laat hij me een proces doen? Ik heb in twee jaar tijd bijna vijftig getuigenverhoren gedaan. Ik denk dat ik er klaar voor ben, vind je ook niet?' Hij schopte met zijn zwarte sportschoenen tegen de muur, wat vegen op mijn verf achterliet.

'Wingate, hou je schoenen bij je,' zei ik.

Hij keek me aan als een gekwetst kind. 'Wanneer mag ik wat proceservaring opdoen, Bennie? Ik ben er klaar voor. Ik kan het aan.'

'Vraag maar aan Mark. Je wilde niet voor mij werken, weet je nog?'

'Het ging niet om jou, het ging om de zaken die je doet. En hij blijft me aan het lijntje houden.'

'Blijf hem erop aanspreken.'

Wingate bleef op de vensterbank mokken toen Eve ging zitten en aan haar bedelarmband begon te frunniken; een gouden slot, een zilveren sleutel, een piepklein hartje. Ik vroeg me af of Mark haar de armband had gegeven; mij had hij nooit zoiets duurs gegeven.

'Ik vond dat het heel goed is gegaan, nietwaar?' vroeg Mark, terugkerend met het air van een held. 'Eve?'

'Prima,' zei ze glimlachend. 'Het ging fantastisch.'

'Wat ging fantastisch?' vroeg Grady Wells, die de bibliotheek in kwam lopen, gekleed in een grijs pak en Liberty-das. Boven zijn brede schouders bevonden zich een bril met gouden montuur, een gulle glimlach en een bos blonde krullen die met geen mogelijkheid viel te fatsoeneren. Het was het enige weerspannige aan Grady, een grote man uit Noord-Carolina met zuidelijke manieren en een accent dat bij de raadslieden van de tegenpartij de illusie wekte dat hij traag van begrip was. Niets was verder bezijden de waarheid.

'We hebben het over het Wellroth-proces,' zei Wingate. 'Eve heeft twee getuigen verhoord. Tussen haakjes, als wat ga jij momenteel verkleed, Wells?'

Grady keek naar zijn pak. 'Als advocaat, geloof ik.'

'Maar is dit niet je Ultieme Frisbee-avond? De laatste avond van het seizoen? Het grote feest?'

'Dat zal ik moeten laten schieten, ik heb een afspraak met een cliënt.'

Wingate snoof minachtend. 'Misschien is dit je laatste Ultieme Frisbee-avond. Misschien is iedere avond je laatste. Jij bent de ster, Wells. Je zegt het maar.'

'Renee!' zei Mark stralend toen Renee Butler arriveerde, in een losvallende jurk van Kente-stof. 'We hebben iets te vieren. Wellroth heeft ons belangrijke nieuwe opdrachten gegeven, inclusief een antitrustzaak. Ik wil dat jij en Wells eraan gaan werken. Het wordt een joekel van een zaak.'

'Als je me nodig hebt,' zei Renee.

Mark richtte zich tot Grady. 'Wells, hoe sta jij ertegenover?'

'Nee, bedankt,' zei hij met het zelfvertrouwen dat hij zich kon permitteren vanwege zijn achtergrond. Als afgestudeerde van Duke was hij griffier geweest bij het Hooggerechtshof en daarvoor redacteur van *Harvard Law Review*. Het was een goede zet van R & B geweest hem aan te trekken en hij had ons gekozen omdat hij toen een vriendin in Philly had.

'Wil je er niet bij betrokken zijn?' vroeg Mark, maar Grady schudde zijn hoofd.

'Antitrust is toch aan het teruglopen,' mompelde Wingate. Het ligt al sinds de jaren tachtig op zijn gat.'

'Hallo, allemaal,' riep Jennifer Rowland vanuit de deuropening. De fijngebouwde Rowland was afgestudeerd aan Villanova en bruiste voortdurend als een bekertje Seven-up.

'Kom erin, Jen,' zei ik en schoof op om haar met onze twee overige associés, Amy Fletcher en Jeff Jacobs, ruimte te geven. De bibliotheek was zo klein dat hij aan het eind van de meeste werkdagen leek op de passagiershut in een Marx Brothersfilm, maar ik vond het niet erg. Ik luisterde graag naar de juridische problemen van de dag en de associés luchtten met plezier hun hart. Nou, deze keer hadden we echt een probleem. Ik besloot het op tafel te gooien. 'Luister, mensen, ik ben blij dat jullie er allemaal zijn, want er is iets waar we het over moeten hebben. Ik heb wat geruchten opgevangen.'

Mark draaide zich met een ruk om. 'Geruchten? Waarover?'

'Over Wells?' zei Wingate. 'Is hij echt een vrouw?'

Mark bracht hem met een handbeweging tot zwijgen. 'Wingate, als je lollig was, was het wat anders. Maar dat ben je niet, dus hou je mond.'

Wingate werd rood en ik schraapte mijn keel. 'Het gerucht gaat dat sommigen van jullie curricula laten rondgaan.'

'Curricula? Dat meen je niet,' zei Mark, terwijl hij net zo verbaasd keek als ik. Hij was ongetwijfeld pissig dat ik niet onder vier ogen met hem had gesproken, maar ik had geen zin om te wachten. Plotseling zocht hij met zijn donkere ogen de gezichten om de tafel af. 'Wie is er op zoek naar een nieuwe baan?' vroeg hij. 'Wie?'

'Mark, daar gaat het niet om. Het maakt niet uit wie er op zoek is. Ik heb het niet ter sprake gebracht omdat ik verwachtte dat iemand het ons zou vertellen.'

'Je bedoelt dat je er niet op uit bent iemand de laan uit te sturen,' zei Wingate gespannen.

'Inderdaad niet. Maar ik wilde jullie zeggen, en ik spreek

ook voor Mark, dat we niemand van jullie kwijt willen. Jullie hebben allemaal heel hard gewerkt en ik weet dat dat zijn tol eist. Dus als jullie ontevreden zijn over het aantal werkuren of wat dan ook, kom dan naar ons toe, dan kunnen we het in vertrouwen bespreken. Misschien kunnen we het oplossen en hoeft niemand bij ons weg. Nou, dat was het enige dat ik wilde zeggen, tenzij jullie nog vragen hebben.'

Jennifer Rowland stak verlegen haar hand op. 'Bennie? Ik vroeg me iets af.'

'Uiteraard. Zeg het maar.'

'We hebben wat geruchten opgevangen dat jij en Mark... je weet wel.' Ze keek ongemakkelijk van Mark naar mij en aangezien het mijn rol was de nederlaag elegant te aanvaarden, reageerde ik.

'Nou, Jenny, het is waar dat pappie en ik inderdaad uit elkaar zijn. Maar dat was niet jullie schuld en we houden net zoveel van jullie als altijd.' De associés lachten, evenals ikzelf, hoewel ik er veel moeite mee had. Mark werd rood en keek naar Eve.

Maar Jenny wuifde met haar hand om iedereen tot stilte te manen. 'Nee, ik wist dat Mark en jij uit elkaar zijn. Wat ik heb gehoord is dat dit *kantoor* wordt opgedoekt, dat jij en Mark het kantoor eraan willen geven.'

Mark trok wit weg, net als ik. 'Jenny, natuurlijk is dat niet waar,' zei ik met droge mond, maar Mark was al gaan staan.

'Mensen, ik geloof dat deze therapeutische sessie lang genoeg heeft geduurd voor een avond. Iedereen het zwembad uit.' Hij klapte in zijn handen om de associés in beweging te krijgen. 'Kom op, iedereen naar buiten.'

'Wacht even, Mark,' zei ik verbaasd. 'Ze hebben het recht dit te vragen en om te weten wat er gaande is. Het gaat om hun baan.'

'Bennie, hou op.' Hij hief zijn hand op. 'Ik weet wat ik doe.'

De associés vertrokken al. Amy Fletcher en Jeff Jacobs gingen samen weg, met Jennifer. Wingate sprong van de vensterbank en haastte zich naar de deur met Eve en Renee Butler. Grady vertrok als laatste en keek achterom naar mij met zijn grote blauwe ogen vol intelligentie, en nog iets anders. Een spoor van medeleven. Heel even maar.

Ik deed de deur van de bibliotheek dicht en keek Mark aan.

6

'Het is voorbij, Bennie,' zei Mark.

'Dat weet ik, ik heb gemerkt dat we niet meer met elkaar slapen.'

'Niet wij. R&B. Het kantoor. Het is waar.'

'*Wat?*' Ik kon mijn oren niet geloven. Mijn gezicht voelde rood aan, mijn keel dik. Er vormde zich een knoop van pijn en woede in mijn borst. 'Waar heb je het over?'

'Ik wil voor mezelf beginnen.'

'Je werkt al voor jezelf.' Ik dwong mezelf kalm te blijven en mijn stem te beheersen. Ik wilde niet dat we naar elkaar zouden gaan schreeuwen, zoals gebruikelijk. Dat had ons niets opgeleverd, alleen verwijdering.

'Ik wil opnieuw beginnen, een nieuw kantoor opstarten. Ik heb een nieuwe start nodig.' Hij begroef zijn handen diep in de zakken van zijn broek. 'Het is te moeilijk, met jou en Eve in hetzelfde kantoor.'

'Wil je even niet zo snel gaan. Je hebt het over mijn zaak, mijn broodwinning. Dat met Eve is persoonlijk. Ik ken het verschil.'

'En wat is er vandaag gebeurd, met de waterkan? Eve denkt dat je dat deed omdat je jaloers op haar bent. Ze ziet niet hoe ze kan blijven, met jou hier.'

Ik knarsetandde. 'Laat haar dan gaan, het is mijn kantoor. Jij en ik weten dat het vandaag om de zaak ging.'

Hij sloeg zijn armen over elkaar terwijl hij aan de andere kant van de vergadertafel stond. 'Ze komt over een paar jaar in aanmerking maat te worden. Ga jij haar dat aanbod doen?'

'Dat beslis ik dan wel, maar ik twijfel aan haar capaciteiten. Ik denk niet dat ze geschikt is, niet na wat ik vandaag gezien heb.'

Hij lachte opeens. 'Bennie die er een principekwestie van maakt. Altijd.'

'Absoluut, en waarom niet?' zei ik, vechtend om mijn geduld te bewaren. 'Eve is een goede bedrijfsjurist, maar in de rechtszaal brengt ze er niets van terecht, al hangt haar leven er vanaf. Ze is voor de rechter niet zo goed als wie dan ook met wie ze is afgestudeerd – Butler, Wells of Wingate.'

'*Wingate?* Dat is een luilak. Hij heeft de hersens niet, al had hij de energie! Ik kan hem niet voorstellen aan een cliënt uit het bedrijfsleven.'

'Niet zo luid,' zei ik tegen hem, voor geval de associés het konden horen.

'Eve is slim, Bennie. Dat idee voor de joint venture kwam van haar. Je hebt het memo gezien.'

'Nou en? We hebben verscheidene slimme jongeren afgewezen die maat wilden worden.'

'Ik zeg het je, ze is goed.'

'In bed misschien.'

Zijn mond verstrakte. 'Dat was niet nodig, Bennie.'

'O nee, godverdomme? Zie het onder ogen, wil je. Daarom wil je haar een voorkeursbehandeling geven, hè? Wat moeten de andere vrouwen daarmee? Of de mannen? Ze heeft gewoon het talent niet, punt uit. Maakt niet uit met wie ze slaapt.'

Hij schudde zijn hoofd. Ik het mijne. In stilte briesten we beiden van woede.

'Ik neem mijn cliënten mee,' zei Mark zacht. 'Wellroth en de andere farmaceutische bedrijven. Jij neemt jouw praktijk mee, de mediacliënten die van lasterpraktijken worden beschuldigd, en de gevallen van geweldpleging. We delen de activa en vorderingen doormidden. Ik heb de computerbestanden gekopieerd, op schijf. En ook het bestand met standaardprocedures, aangezien we dat samen hebben opgesteld, en het factureringssysteem. Eve heeft de dossiers van de drugscliënten gekopieerd.'

Hij had het allemaal gepland. En allemaal met Eve, achter mijn rug om. Ik voelde dat ik mijn geduld verloor.

'We zullen de associés verdelen. Wie met mij en Eve mee wil, kan dat, en hetzelfde geldt voor wie met jou in zee wil. Ik heb nieuwe kantoorruimte gevonden in Twentieth Street. Het is er zonnig en licht. De lease gaat over twee weken in.'

'Ga je over twee weken? Prima. *Ga.*'

Mark bleef stokstil staan. Het beeld werd plotseling scherp en ik ging door het lint.

'Nee, *ik* ga? *Je gooit mij eruit?* Krijg de kolere, Mark! Het gebouw is van jou, dus pak je mijn kantoor! Ik heb deze vloeren staan schuren, klootzak!'

'Bennie...'

'Is er nog iets wat ik hoor te weten, nu je me tegenover iedereen hebt vernederd, heb je me misschien nog iets te vertellen?'

'Je hebt het aan jezelf te wijten.'

'Klootzak!' schreeuwde ik, zonder me te bekommeren of de associés het hoorden. 'Godverdomme, waar ben je mee bezig?'

'Waar *ik* mee bezig ben? Oké, sinds wanneer treed jij op voor dierenrechtenactivisten, Bennie?'

'Wat heeft dat ermee te maken? Je hebt dit al maanden gepland, vuile hypocriet!'

'Vandaag was de druppel. Kan het je schelen dat Furstmann en Wellroth van hetzelfde moederbedrijf zijn? Je hebt niet gekeken of er sprake was van belangenverstrengeling, of wel soms, voor je zo nodig de situatie moest redden!'

Ik was zo kwaad dat ik het uit wilde schreeuwen, wat ik ook

deed. 'Ik heb die jongen verdedigd tegen een aanklacht van crimineel gedrag! Zijn aanklacht wegens mishandeling zou tegen de politie en de stad worden ingediend! Er is geen sprake van belangenverstrengeling, Furstmann is slechts de locatie!'

'Natuurlijk heb je het niet gecheckt, het kon je niet schelen. Dr. Haupt heeft het me na de lunch verteld, hij kreeg een fax tijdens het proces. Die hebben ze hem godverdomme per koerier laten bezorgen, Bennie! Jij vertegenwoordigde de groep die bij zijn bedrijf stond te posten! *Mijn partner!* Wat voor indruk denk je dat dat heeft gemaakt?' Mark streek woedend zijn haar naar achter. 'Het is een godswonder dat we die nieuwe zaken hebben gekregen! Of je het gelooft of niet, het was omdat ze Eve mogen!'

'Maar waar ligt de verstrengeling? Die jongen heeft geen belangen die tegen hen in gaan!'

'Wil je niet zo godvergeten technisch zijn? Hij helpt hun zaak naar de kloten! Het is een pr-nachtmerrie. Het is een bedaard Duits bedrijf. Ze houden zich op de achtergrond. Ze willen niet in de schijnwerpers.'

'Christus, dat maakt het nog geen belangenconflict! En jij doet wat ze zeggen, of het deugt of niet? Je danst naar hun pijpen?'

'Kijk nou! Dat is jouw houding en ik moet jou aanhouden?'

Aanhouden? Het benam me de adem, als een laars tegen het middenrif. '*Me aanhouden?*' zei ik, met hese stem. 'Ik breng genoeg binnen, hier. Ik breng evenveel in rekening als jij. *Meer*, vorig jaar.'

Hij streek over zijn kin en zuchtte. 'Ik moet vooruitkijken, Bennie. Ik wil verder gaan met farmaceutische bedrijven. Kijk wat er gebeurt met Wellroth en hun joint venture. Daar is geld te verdienen.'

'Alweer geld.'

'Is geld een vies woord? Mag ik niet meer dan een ton verdienen?'

'Vroeger vond je een halve ton meer dan genoeg.'

'Dat was toen, dit is nu. Jij mag dan geen toekomst willen, maar ik wel. Jij wilt geen kinderen, ik wel.'

Ik haalde nogmaals diep adem. Ik kende dit gevecht, iedere zet en tegenzet. Ik wilde geen kinderen, nog niet, tenminste. Het kon niet, nu mijn moeder achteruitging.

Ik wendde me van hem af en keek uit het raam. Buiten ging de zon onder. Mensen waren van hun werk op weg naar huis. De dag was voorbij. R&B was voorbij. Ik dacht aan de rivier die door de stad liep, nog geen drie kilometer van waar ik stond.

'Bennie?'

Ik draaide me om en liep naar de deur. Ik was uitgestreden. Er bestond alleen nog een zakelijke overeenkomst tussen Mark en mij en hij had het recht die te beëindigen. Laat hem gaan, laat het allemaal gaan. Ik zou het alleen doen, zoals ik toch altijd al gedaan had. Ik liep de bibliotheek uit en trok de deur achter me dicht.

Mijn roeispanen doorkliefden het water met een slag. Ik boog naar voren en trok ze tegen mijn maag met een langzame, vloeiende beweging, zo beheerst en gelijkmatig als ik kon. Naar achter glijdend op de harden houten bank met zijn geoliede rolletjes en mijn knieën tegen de vettige boorden.

Het zwarte water bood weerstand, hoewel zeer weinig. Er waren geen schuimkopjes. De wind was gaan liggen en alles was stil geworden. Ik roeide over een spiegel van donker glas.

De oppervlakte van het water reflecteerde de decoratieve verlichting die de botenhuizen langs de oostelijke oever aftekende, en vervolgens de straatlantaarns langs de weg terwijl ik van de beschaving weg roeide. Midden op de rivier, waar het pikdonker was, scheen helemaal geen licht.

De riemen raakten het water met een spattend geluid, en ik

trok ze erdoor, terwijl ik me verbeeldde dat het gladde zwarte stroop was waardoor ik mijn slagen vertraagde en me concentreerde. Ik voelde de skiff iets naar voren rollen bij de volgende slag, en de volgende. Ik deed het kalm aan en traag en zwart. Diep tot in het donkere water, waar de roeispaan bleef zweven. Het enige wat me aan de rivier bond, aan wat ook maar, was het heft van de roeispaan, ruw en splinterig onder mijn eeltige handen. Ik hield het stuk hout vast dat zich aan de wereld vasthield.

Ik draaide de riemen vlak en maakte nog een lange slag. Gleed onder de boog van de verweerde stenen brug door, waar het koeler aanvoelde, schaduwrijker, zelfs nu, om middernacht. Roeiend door het breedste deel van de rivier zodat de paar auto's aan weerskanten ver weg leken, hun koplampen speldenprikjes, niet fel genoeg om enig licht op de weg te werpen.

Ik hoorde opnieuw een spetterend geluid en voelde koud water op mijn onderarm omdat ik te hard sloeg. Kalm aan, kind. Ik boog ver voorover, over mijn tenen voor de volgende slag, elke centimeter in mijn lichaam strekkend en rekkend. Een krachtige slag, maar beheerst, altijd beheerst. Zo probeerde ik er tien te doen.

Een, twee, drie, geen krachtslagen, alleen voor de techniek. Nergens anders aan denkend dan aan techniek. De slag, de controle, de timing. De snelheid van de skiff en het geluid dat hij maakte terwijl hij door het water gleed. Het krakende tuig. De zompige lucht van het water en de groene frisheid van de bomen. De schok van het koude water, van het naar voren slingeren. De stad was ver weg. Vier, vijf, zes slagen.

Al snel het geluid van mijn eigen ademhaling, kort en snel en het zijige gevoel van zweet dat tussen mijn borsten en onder mijn armen stroomde. Ik werkte hard en ik was geen studentje meer. Zweet parelde op mijn knieën, maar verdampte terwijl de boot sneller ging en precies op de juiste hoogte in het water lag omdat ik zo goed roeide. Ik had eindelijk het ritme te pakken en er kon niets mis gaan. Zeven, acht, negen, tien.

Midden op de rivier, midden in de nacht.

7

Ik besloot niet te huilen toen ik thuiskwam. Het hielp nooit en mijn ogen zwollen ervan op als van goudvissen in een kom. In plaats daarvan nam ik een douche, droogde me af en maakte me gereed naar bed te gaan. Bear, mijn golden retriever, lag op de grond toe te kijken hoe ik van badkamer naar slaapkamer en terug liep. Ze was precies de kleur van een blokje caramel, en met zware botten, net als ik.

'Bedtijd, meid,' zei ik en ze sprong op de matras, draaide twee keer rond en ging op een plek in het midden liggen. Dat had Mark altijd geërgerd. Nu niet meer. Er kwam verbetering in de situatie.

Ik klom naast Bear in bed, schoof haar een stukje verder en knipte het licht uit. Ze gaapte theatraal en ik glimlachte terwijl ik met mijn vingers in de dikke plooien zachte vacht op haar nek krabbelde. Ze sukkelde vrijwel onmiddellijk in slaap, wat gepaard ging met een snurkend geluid, maar ik bleef krabbelen. Het zou nog even duren voor ik sliep.

In de slaapkamer onder mij, in het appartement beneden lag mijn moeder in bed, evenmin in slaap. Ik had naar haar gekeken, voor ik naar boven ging, en ze lag te woelen. Ik las haar voor tot ze in slaap viel maar ze was al weer wakker toen ik uit de douche kwam. Ik kon haar door de planken vloer heen horen. In zichzelf pratend en tegen anderen die in haar verbeelding bestonden.

Maar ook daar dacht ik niet aan. Er moest iets gebeuren. Ik zou het moeten doen.

Maar niet vannacht. Ik had genoeg om over na te denken.

'Eet ze helemaal niet?' vroeg ik Hattie de volgende morgen terwijl ik opstond om ons een kop verse koffie in te schenken. Hattie Williams was de zwarte gezinsverzorgster die bij mijn moeder woonde en haar verzorgde. Ze stond vroeg op en was zelfs op dit uur gekleed in zwarte rijbroek en een Taj Mahal-T-shirt met glitterende moskeeën. Ze was heel klein, heel dik en haar ontkrulde haar had een ongebruikelijk oranje kleur, maar niets van dat alles deed ertoe.

'Ze heeft gisteren de lunch en het avondeten overgeslagen. Zelfs geen soep gegeten.'

'Heeft ze iets gedronken?'

'Alleen een beetje water, en ze wil maar niet stil zijn.' Hattie schudde haar hoofd. 'Weer te angstig om naar buiten te gaan. Ze heeft nu in geen drie maanden de zon gezien en ze kletst nog meer in zichzelf. Heb je het gehoord, vannacht?'

'Haar onderonsje met Satan? Wanneer gaat die jongen zijn leven eens beteren?'

Maar er kon geen lachje af bij Hattie zoals anders. De huid rond haar ogen, hoewel opvallend glad voor haar leeftijd, was donkerder dan de rest van haar gezicht en was vanmorgen nog een graad dieper gekleurd. Ik wilde haar aan het lachen maken, al was het maar een ogenblik.

'In ieder geval is de tv opgehouden de baas over haar te spelen, Hat. Ik begon me echt zorgen te maken. Stel dat we die eruit hadden moeten gooien. Dan kon je niet meer naar *The Bold and the Beautiful* kijken.'

'Zo kan-ie wel weer. Zo kan-ie wel weer, hou op.' Ze wuifde me weg met een uiterst zuinig glimlachje, dus zette ik de koffiepot terug en ging weer zitten aan de keukentafel in mijn moeders rommelige appartement. De tafel was nep-vroeg-Amerikaans, de servethouder van acryl vol krassen en de koppen en schotels melamine, geschakeerd met looizuur. Het was al de rotzooi uit ons oude huis en ik had het zootje hierheen verhuisd omdat mijn moeder erop stond. Kostte me tweeduizend gulden om tweehonderd dollar aan scheikundige reacties te verhuizen.

'Waarom, Hattie?' Ik nipte van mijn koffie en schudde mijn hoofd. 'Waarom kan ik geen fatsoenlijke kop koffie maken? Het is elke morgen hetzelfde. Wat doe ik fout?'

Hattie dronk haar koffie en pauseerde. 'Te veel water.'

'Wat? Maandag zei je dat ik er te veel koffie had ingedaan.'

Ze lachte, geamuseerd. 'Je staat je mannetje tegenover een jury, voor het nieuws op de tv. Je kunt zelfs een betoog houden voor het Hooggerechtshof van de Verenigde Staten. Ik heb de veer als bewijs.' Ze bedoelde de witte ganzenveer die het Hooggerechtshof geeft aan advocaten die daar proces voeren, een soort troostprijs, in mijn geval. 'Maar je kunt geen koffie maken die niet naar bocht smaakt.'

We lachten allebei, en hielden abrupt op. 'Hattie, kijk me niet zo aan. Ik weet wat je denkt.'

'Het is zover, kind. Het lukt me niet meer om haar haar prozac in te laten nemen, de helft van de tijd denkt ze dat ik haar probeer te vergiftigen. Ze schopt me een kabaal, ze gilt de halve stad bij elkaar. Het maakt haar angstig, nerveus. Gister heeft ze de hele ochtend geijsbeerd. Ze is de hele tijd van streek door die rotprozac.'

Ik had het ook gemerkt. 'Laten we het nog heel even aanzien.'

Ze zette haar plastic beker met een klap neer. 'Niks langer aanzien. Zelfs haar dokter heeft gezegd dat we er niet onderuit kunnen en dat was twee, drie maanden geleden. Het gaat elke dag slechter.'

Ik dacht aan mijn moeders dokter, een jonge man met een vroegtijdig grijzende baard, zo nadenkend en intellectueel toen hij die dag met zachte stem elektroshocktherapie besprak in zijn spreekkamer. Hij kon het zich permitteren afstandelijk te zijn, zijn moeder zou niet aan het verlengsnoer komen te liggen. 'Maar ze weten niet eens waarom het werkt,' zei ik. 'De dokter heeft het ons gezegd, hij gaf het toe.'

'Wat maakt het uit waarom? Wie wil weten waarom? Het werkt.' Ze leunde naarvoren waardoor haar omvangrijke borsten tegen de tafel werden gedrukt. 'De dokter zei om de dag, twee weken lang, da's alles. Hij zei dat ze dan snel vooruitgaat. Ze heeft het formulier al voor me ondertekend. Het zal haar helpen.'

'*Elektroshock?* Hoe kan dat helpen? Door honderd volt door haar hersens te sturen?'

'Het is niet zoals jij het laat klinken.'

'O jawel, zeker wel. De elektriciteit veroorzaakt een hersentoeval, een grand mal. Soms wekken ze een toeval op en wil het niet ophouden. En soms sterft de patiënt.'

Haar brede gelaatstrekken rimpelden zich in een sceptische frons. 'Ik heb het formulier gelezen. Een op de hoeveel sterft er?'

'Wat maakt dat uit? Stel dat zij het is?' Het klonk niet overtuigend, zelfs niet voor mij, maar dit ging niet om kansberekening en cijfers en wetenschappelijke theorieën. Dit ging over mijn moeder. 'En bovendien, ze zal haar geheugen verliezen.'

'Kind, wat moet ze zich dan herinneren? Ze leeft in een nachtmerrie. Ze is voortdurend bang. Ze kan zo niet doorgaan. Ze *verhongert.*'

Mijn maag draaide zich om. 'Nee. Geef haar nog één dag, dan brengen we haar naar het ziekenhuis en wordt ze aan een slangetje gelegd. Vorige keer heeft dat ook gewerkt.'

'Hoe vaak denk je dat je moeder dat nog aan kan, heen en weer naar het ziekenhuis? Ze is bijna zeventig!'

'Hattie, ik verdedig een jongen die gelooft dat je dat een dier niet mag aandoen. Apen, nertsen.' Maakt niet uit. 'Hij vindt dat je daar het recht niet toe hebt.'

'Dit gaat niet om rechten, Bennie. Ze heeft rechten en ze gaat dood. Dood,' zei ze zacht en ik hoorde Georgia in haar stem, een tongval die alleen bovenkwam als ze moe of boos was.

Ik kreeg de indruk dat ze beide was en keek met nieuwe ogen naar haar gezicht. De donkere kringen, de terneergeslagen blik. Haar wangen waren meer opgeblazen, ze was aangekomen. Ze had weer last van hoge bloeddruk, waar de grote bruine fles Lopressor blijk van gaf. De zorg voor mijn moeder eiste zijn tol, en het vrat aan me van binnen. Ik had een keuze: Hattie of mijn moeder.

Ik stond op van de tafel, het minste wat ik doen kon. Bear, op haar zij, hief haar kop van haar poten op, met vragende bruine ogen. Ze bleef de hele dag bij Hattie, die naar haar soapseries zou kijken, zelfgemaakte soep zou opwarmen en mijn moeders luier zou verschonen. Op zondag zou Hattie de bus naar Atlantic City nemen, om aldaar voor steeds dezelfde gokmachines in de casino's te staan, op de knoppen te drukken en de rollen te zien draaien. Het gekletter, gerinkel en gerammel iedere andere gedachte te laten uitwissen. Ik begreep het volkomen.

Ik liep naar mijn moeders kamer met de klikkende nagels van Bear op mijn hielen. Ik opende haar deur en stond daar, terwijl ik de bekende geur van theerozen op me af liet komen. Het was mijn moeders favoriete parfum en we spoten de kamer onder om haar een plezier te doen en minder aangename luchtjes te maskeren. Ze stond ons niet toe het raam te openen, dus bleef de lucht in de kamer zwaar en benauwd achter de gesloten gordijnen.

Ik keek neer op mijn moeder in het zachte licht. Ze lag onder haar oude chenille beddensprei, na eindelijk tegen de dageraad in slaap te zijn gevallen, en haar omtrek in het bed was minuscuul. Bijna zelf een beeldje in een kamer vol beeldjes. Naakte engeltjes van keramiek, sprakeloze Hummelfiguurtjes, een kostbare Lladro. Ze had ze verzameld toen ze nog buitenkwam, dagen die ik me zelfs niet meer herinnerde.

Haar zwarte haar was grijs geworden maar nog steeds vol woeste krullen. Haar benige haviksneus was zelfs in haar slaap strijdlustig, evenals haar puntige kin. Alleen haar achternaam bond me aan haar, want ik had uiterlijk niets van haar, en alles van mijn vader. Nam ik aan, aangezien ik de man nooit ontmoet had. Zelfs nooit een foto van hem had gezien. Mijn moeder gaf niet veel om hem en weigerde met hem te trouwen. Dat was tenminste wat ze me als kind verteld had, hoewel ik iets anders was gaan vermoeden.

Zolang ik me kon herinneren, was ze bitter geweest, rancuneus. Toen veranderde de rancune in razernij en de razernij groef zich in haar en vrat haar op. Zo zag ik het als kind hoewel ze het 'zwakke zenuwen' noemden, vervolgens een 'zenuwinzinking'. Later kwam de wetenschap in beeld en de doktoren besloten dat mijn moeder een 'elektrolytische onbalans' had, alsof ze alleen maar Gatorade hoefde te drinken. We probeerden medicatie: Pamelor, toen Elavil, maar ze nam geen van beide. Ze werd ouder en moeilijker hanteerbaar. Medicatie en ons geduld en geld raakten ongeveer tegelijkertijd uitgeput.

Hoewel een oom ons van geld om van te leven voorzag, verdwenen de familieleden die ons hadden geholpen van het toneel toen ik ouder werd en trokken zich terug om verschillende redenen die allemaal op hetzelfde neerkwamen. Sommige stierven, en op een bepaald moment vroeg ik me af of dat de enige uitweg was. Maar voor ik het wist had ik er mee leren omgaan, door twee baantjes na schooltijd te hebben en hulp voor haar aan te vragen. Ik had gesprekken met doktoren, al op zeventienjarige leeftijd, en stelde uiteindelijk geen vertrouwen meer in hen omdat ze haar niets te bieden hadden, en verschoonde haar luiers zelf.

Toen vond ik Hattie en kon ik vrij ademhalen, voor het eerst. Ging met een beurs studeren, dichtbij Pennsylvania, toen rechtenstudie, met een halve beurs. Studeerde af en verdiende het geld om het beeldje in bed in leven te houden. Een klein Italiaans vrouwtje, maar taai, als een kip op leeftijd, wegkwijnend, uitgeput, maar nog altijd vechtend. Tot ik besefte dat ze tegen het leven vocht.

'Bennie, Bennie, kom gauw!' Het was Hattie, die voor de televisie in de keuken stond. Bear draaide zich ook om, met gespitste oren vanwege de toon in haar stem.

'Wat is er?' Ik sloot de deur van mijn moeders kamer.

'Kijk, op de tv. Is dat niet jouw advocatenkantoor?'

Ik rende naar de tv en verstijfde bij wat ik op het scherm zag. Er werd een zwarte lijkzak op een stalen brancard naar buiten gereden en in een zwarte lijkwagen geladen. Het decor verplaatste zich naar het bakstenen herenhuis, vervolgens een close-up van de naamplaat waarop stond ROSATO & BISCARDI. Ik zette de tv harder, maar op de een of andere manier kon ik het nieuws niet verstaan. Kon het niet verdragen.

'Mark,' wees Hattie. 'Iemand heeft hem vermoord.'

8

MOBIELE MISDAADBESTRIJDING stond er op de vierkante wit met blauwe bus die voor het herenhuis stond geparkeerd. Afzettingen van de politie en patrouilleauto's blokkeerden de gekasseide straat. Een groep verslaggevers stond buiten tegen het gele lint aan te duwen waarmee de plaats van de misdaad was gemarkeerd. Ik glipte door het kordon en baande me een weg naar de deur, terwijl ik mijn identiteiskaart omhooghield naar de agenten die me van Mark weg probeerden te houden.

Toen ik daar aankwam, was Mark allang weg, ze hadden hem meegenomen voor sectie. De gedachte eraan maakte me misselijk. Ik kon niet reageren, kon niets zinnigs zeggen toen de geüniformeerde agent me vragen begon te stellen. Mark. Ik was bij hem weggelopen. Ik had hem uitgevloekt. Dat zouden de laatste woorden zijn die hij van me had gehoord. Ik had niet eens afscheid genomen.

'Komt u mee, mevrouw Rosato,' zei de agent in uniform. 'De rechercheurs Moordzaken willen u spreken.' Hij werkte me het herenhuis in terwijl de perscamera's klikten.

Binnen was het een gekkenhuis. Marshall stond bij het loket van de receptie te huilen met haar armen om Amy Fletcher. Wingate hing in een RIDIN' THAT TRAIN T-shirt met een ongelukkige uitdrukking op zijn bleke gezicht op de bank, naast Jennifer Rowland wier wangen door tranen besmeurd waren. Renee Butler stond in de bibliotheek te praten met Jeff Jacobs en keek me vreemd aan toen de agent me meetrok door de gang. Ik voelde achter me een sterke arm aan mijn schouder trekken.

Grady Wells. 'Gaat het, Bennie?' vroeg hij. Hij was gekleed in zijn grijze pak met bedrukte das, maar zijn ogen waren enigszins rood achter zijn bril.

'Grady, Jezus.'

Hij probeerde me los te trekken uit de greep van de agent. 'Ik wil mevrouw Rosato even spreken, agent.'

De agent trok mijn elleboog de andere kant op. 'Nu niet, rechercheur Azzic wil haar spreken.'

'Dit gaat over een zakelijke aangelegenheid die door moet gaan ondanks uw onderzoek.'

'De rechercheur zit al te wachten...'

Plotseling had Grady me vrij uit de greep van de agent en voerde hij me terug langs een aangeslagen Marshall. We stormden door de deur naar haar kantoor achter de balie van de receptie en Grady deed hem achter ons op slot. 'Bennie, luister,' zei hij toen we alleen waren. 'Mark is vannacht doodgestoken. Aan zijn bureau.'

'Mijn god.' Ik zakte neer naast het schakelbord van de telefoon.

'Moet je horen, ze hebben geen moordwapen, ze hebben niets. Ze hebben de hele ochtend naar je appartement gebeld. Ze willen je vingerafdrukken, ze willen je spreken. Waar zat je?'

'Bij mijn moeder.'

'En gisteravond?'

'Ik ben als laatste vertrokken, geloof ik. Ik heb afgesloten.'

'De moord heeft rond twaalf uur plaatsgevonden, ik heb gehoord wat de assistent van de gerechtsarts zei. Waar was je rond middernacht?'

'Op de rivier, waarom?' Ik voelde me verward, bijna duizelig. Ik was aan het roeien toen Mark werd vermoord. Ik had bij hem moeten zijn. Ik zou ze hebben kunnen tegenhouden, wie het ook waren. 'Wie heeft het gedaan? Hebben ze ingebroken?' 'Nee. Er was geen spoor van braak, en er is niets meegenomen. De politie denkt dat jij Mark vermoord hebt, Bennie. Jij bent de hoofdverdachte.'

'*Wat*?' Het kwam als een schok, een naschok na een aardbeving. '*Ik*?'

'De politie wil je ondervragen, maar je kunt niet binnen zonder advocaat. Laat mij je vertegenwoordigen. Ik kan het.'

Het ging te snel. Mark weg. Nu dit. 'Grady, ik hoef geen advocaat. Ik heb Mark niet vermoord.'

Boem, boem, boem! werd er op de deur gebonsd.

'Bennie, luister. Denk na,' zei Grady, terwijl hij mijn schouder aanraakte. 'Jij bent de laatste die bij hem is geweest. Jij hebt afgesloten, dus wie terug is gekomen heeft of een sleutel of is door Mark binnengelaten.'

'Dat betekent nog niet dat ik...'

'Ze zijn de associés aan het onvervragen, ze nemen ze mee naar het bureau. Ze hebben mij al ondervraagd, ik was er vroeg. Alle associés hebben verteld over de ruzie die jij en Mark hadden. Wingate met name, hij heeft het allemaal gehoord. De politie weet dat Mark jou heeft laten zitten voor Eve en ook dat hij R & B wilde ontbinden. Jij hebt een motief en als je geen alibi hebt, hebben we een probleem.'

Ik sloot mijn ogen. Hoe was dit gebeurd? Mijn hart ging sneller slaan.

Boem, boem, boem!

'Een ogenblik!' schreeuwde Grady naar de deur. 'Bennie, laat mij je vertegenwoordigen. Je kunt niet ondervraagd worden zonder raadsman.'

'Ik kan mezelf vertegenwoordigen.'

'Ben jij gek? Jij hebt het korps een fortuin gekost, er zijn koppen gerold vanwege jou. Nee, ze staan met zwaar geschut voor je klaar. Ik verzet mijn andere cliënten, en als de politie je in staat van beschuldiging stelt...'

'Mij *in staat van beschuldiging stelt?*' zei ik terwijl de paniek mijn keel dichtkneep. 'Hoe kunnen ze me in staat van beschuldiging stellen? Wat voor bewijs hebben ze? Christus, ik heb het niet gedaan!'

'Bennie, concentreer je,' zei hij terwijl hij mijn arm beetpakte. 'Je hebt hulp nodig, je zit in de nesten. Ik heb niet veel moordzaken gedaan, maar ik ken de procedure op mijn duimpje en ik kan me in iedere rechtszaal handhaven. Ik zou geen eigenlijke getuige zijn, alles wat ik zou verklaren zou een associé kunnen bevestigen. Neem mij dus in de arm. Ik ben hier en ik ben er klaar voor.'

De deurknop draaide heen en weer, wat me met een schok tot helderheid bracht.

'We hebben niet veel tijd, Bennie. Zeg ja. Nu.'

In een oogwenk werd ik van advocaat tot cliënt. Ik probeerde te luisteren terwijl Grady met een agent in uniform ruzie stond te maken, maar ik was van mijn stuk gebracht, in een staat van shock door de moord op Mark en de aanwezigheid van politie. De laatste keer dat er een uniform in mijn kantoor was, was toen ik hem een getuigenverklaring afnam. Nu moesten ze mij hebben. Alles was omgedraaid. De wereld stond op zijn kop.

'Er is geen reden om haar op het bureau te ondervragen,' zei Grady, in een poging ene agent Mullaney, een tiran met een snor, te overtuigen.

'Het is niet mijn beslissing, meneer Wells. Dat is aan rechercheur Azzic. Hij vroeg me bij mevrouw Rosato te blijven tot hij haar mee naar de stad neemt.'

'Mevrouw Rosato moet cliënten te woord staan, ze zullen veel vragen hebben over hoe het met het kantoor en hun zaken staat. Ze kan vanochtend niet weg. Ze is het enige directielid bij Rosato & Biscardi.'

'Dat is mij opgedragen. Breng haar naar het bureau.'

'Zeg tegen rechercheur Azzic dat hij een uur heeft om haar vandaag te ondervragen. Tot ziens op het bureau.' Grady nam me bij de arm en voerde me de wachtkamer uit.

'Bennie,' riep Marshall radeloos en stortte zich bijna in mijn armen terwijl we langs snelden.

'Ik weet het,' zei ik tegen haar, terwijl ik vocht met de brok in mijn keel. Ik wreef haar over de rug.

'Het is verschrikkelijk, gewoon vreselijk,' zei ze snikkend. 'Zodra ik de deur opendeed wist ik dat er iets mis was.'

'Heb jij Mark gevonden?' vroeg ik gechoqueerd.

'Wat heb je gezien, Marshall? Hoe wist je dat?' vroeg Grady, terwijl hij haar van me losmaakte.

'De koffiepot... stond nog aan.' Ze depte haar ogen met een zakdoek en vocht tegen haar tranen. 'Die was helemaal aangebrand, het stonk. En het kopieerapparaat stond aan... en de computers op de begane grond. Alles. Ik dacht dat iemand de hele nacht had zitten doorwerken, dus ging ik naar boven.' Ze veegde haar neus af. 'Mark... lag over zijn bureau. Met zijn gezicht opzij gedraaid en ik dacht dat hij in slaap was gevallen. Weet je wel, aan zijn bureau zoals hij vaker doet?'

Ik wist het. Ik herinnerde het me.

'Dus riep ik om hem wakker te maken, maar hij bewoog niet. Toen zag ik het... bloed.' De tranen kwamen weer boven. 'De achterkant van zijn overhemd zat vol bloed!'

Ik probeerde het me voor te stellen. Mark over zijn bureau. Zijn witte overhemd. Zijn bloed dat naar buiten stroomde. Het was afschuwelijk.

Iemand van de technische recherche met zijn materiaal botste tegen me op. De gang en de bibliotheek stonden bol van politiemensen. Een politiefotograaf kwam langs de wenteltrap van de kantoren boven, misschien uit Marks kantoor. Ik kon nog steeds niet geloven dat hij hier vermoord was, in dit huis. 'Ik moet het met mijn eigen ogen zien,' zei ik nauwelijks hoorbaar.

'Wacht even, Bennie,' zei Grady, maar ik draaide me om, scheurde langs de associés en politie de wenteltrap op, langs de mensen op weg naar beneden. De trap op, mijn hele leven al, maar ditmaal was ik gedreven. Ik had de eerste verdieping bereikt, bukte onder het lint en rende de gang door.

'Mevrouw!' riep een agent in uniform me na, maar ik negeerde hem en glipte Marks kantoor binnen.

De aanblik benam me de adem. Ik leunde tegen de deurpost voor houvast. Er lag een grote, zwartgekleurde plas bloed midden op Marks bureau. De papieren en de leren onderlegger waren ervan doordrenkt. Het was over de zijkant van het bureau gestroomd dat ik als cadeautje opnieuw had gepolitoerd. Het besmeurde alles waar het mee in aanraking kwam, en bezoedelde het. Marks levensbloed.

Grady kwam achter me staan. 'Het is niet anders, Bennie.'

'Het kan niet. Dit mag niet,' zei ik ruwer dan ik bedoeld had. Ik staarde naar de plas bloed en in een flits van misselijkmakende herinnering zag ik moordscènes uit mijn oude praktijk voor me: een anoniem steegje, een geplunderde flat, het tochtige geraamte van een verlaten huis. Deze plek van misdaad was anders, obsceen. Een plek waar het om zaken ging, om de wet, om regels en statuten. Van Mark en mij.

'Hij zat waarschijnlijk te werken,' zei Grady, over Marks bureau gebogen om zijn papieren te kunnen lezen. 'Het is een contract, een overeenkomst om R&B op te heffen. Volgens mij was hij bezig het aan te passen toen hij vermoord werd. Er is een concept waarin jullie verklaren niet in concurrentie te gaan. Jij gaat ermee akkoord de komende twee jaar geen zaken te doen met enig farmaceutisch bedrijf binnen een radius van vijftien kilometer.'

'Clichégelul. Hij wist dat ik nooit zijn cliënten zou inpikken.' Ik kon mijn blik niet van het bureau losmaken. Bloed had zich verspreid over papieren die erop lagen waardoor ze waren omgekruld. Vingerafdrukpoeder bedekte de omtrek, in klontjes donker als onweerswolken.

'Ik ben daarnet al hier geweest en ik kon niets ongewoons ontdekken. Jij wel? Jij kan het weten.'

Ik probeerde het kantoor zonder emotie in me op te nemen. Erkerramen wierpen helder licht achter het moderne glanzende dressoir. Tegen de muur stonden boekenkasten van teakhout, met Marks studieboeken en naslagwerken netjes op de planken. Een bijpassende teakhouten archiefkast stond naast de boekenkast, met daarbovenop een cd-speler. 'Het ziet er allemaal precies hetzelfde uit,' zei ik verdoofd.

Grady keek naar buiten. 'Misschien heeft iemand aan de overkant gezien wat er is gebeurd.'

'Daar zijn we al mee bezig,' zei een norse stem.

Ik draaide me om, in de deuropening stond een rechercheur die ik niet kende. Hij had de lichaamsbouw van een fullback en had zich kennelijk met moeite in een blauw pak gehesen, met bijpassend wit overhemd en polyester das. 'Ik ben rechercheur Azzic,' zei hij, met uitgestoken hand en een stijve smerisglimlach. Hij had grove, Slavische gelaatstrekken en donkere spleetogen.

Ik schudde zijn hand. 'Bennie Rosato.'

'Ik weet wie u bent. Dat lint is er niet voor niets,' mevrouw Rosato, dit is mijn terrein.'

'Dit is ook mijn advocatenkantoor.'

Waarop zijn geforceerde glimlachje verdween. 'Ik weet dat u weinig respect hebt voor de sterke arm, maar we moeten ons aan de regels houden, en die regels zijn er niet voor niets.'

'Doe me een lol, alstublieft, rechercheur. Ik heb er geen enkele moeite mee dat de politie haar taak verricht. Maar als ze gestolen goederen gaan verpatsen, raak ik mijn gevoel voor humor kwijt.'

'Ik ben Grady Wells,' zei Grady, als een soort scheidsrechter. 'Ik vertegenwoordig mevrouw Rosato tijdens dit onderzoek. Ze verleent u graag alle vereiste medewerking ter opsporing van de moordenaar van haar partner.'

Azzic haalde zijn neus op. 'Is ze daarom als een gek door het lint gegaan, als u mij de uitdrukking vergeeft? In de meeste gevallen wordt er technisch bewijsmateriaal aangetroffen ter plekke van de misdaad. Zij zou het bewijsmateriaal kunnen aantasten, wat vezels en haar kunnen verliezen, of zelfs bewijsmateriaal kunnen vernietigen.'

Ik vond dat het de verkeerde kant opging. 'Laten we ter zake komen, rechercheur. Ik begrijp dat de politie denkt dat ik mijn partner vermoord heb, wat absurd is.'

Hij keerde zich met een onbewogen blik naar me toe. 'Misschien wel. Waar was u gisteravond na elf uur?'

'Meneer,' zei Grady, 'ik instrueer haar die vraag niet te beantwoorden. En als ze in verzekerde bewaring is, hebt u haar haar rechten niet voorgelezen.'

Rechercheur Azzic gnuifde. 'Koest, jongen. Ik heb het niet over arrestatie. Ik heb alleen een paar vragen. Misschien kunnen we die rit naar de stad schrappen, dan maakt het niet uit wie er rijdt.'

Ik betwijfelde het, maar gaf toch antwoord: 'Ik was aan het roeien.'

'Roeien?' Zijn smalle wenkbrauwen schoten omhoog en hij keek zo verbaasd als een rechercheur Moordzaken maar kan zijn. 'In een roeiboot?'

'Ja, een skiff.'

''s Avonds? In het donker?'

'Ik roei graag 's avonds. Het enige tijdstip dat ik tijd kan vrijmaken.' Grady, niet op zijn gemak, verschoof naast me in zijn stoel.

'Heeft iemand u gezien?'

'Niet dat ik weet.'

'Hoe bent u naar het botenhuis gegaan?'

'Te voet.'

'Rechercheur,' viel Grady hem in de rede, 'ik vind deze ondervraging onnodig. Hebt u al niet alle benodigde informatie?'

De rechercheur sloeg zijn armen over elkaar. 'Nee, ik vind dat we de ondervraging op het bureau moeten voortzetten.'

'Hoe laat?' vuurde Grady terug, en als hij teleurgesteld was, toonde hij dat niet.

'Over een uur ongeveer. Geef me de tijd wat papieren bij elkaar te krijgen. Ik moet het origineel van meneer Biscardi's testament te pakken zien te krijgen.'

'Zijn testament?' vroeg ik en Grady wierp me een discrete laat-dit-aan-mij-over blik toe.

Rechercheur Azzic keek me met een scheef hoofd aan. 'Wist u niet dat meneer Biscardi een testament had gemaakt, mevrouw Rosato? Was hij niet uw vriend en zakelijke partner?'

Grady wierp me opnieuw een waarschuwende blik toe. 'Geef daar alsjeblieft geen antwoord op, Bennie. Ik zou het testament graag zien, rechercheur.'

Ik klapte dicht. Ik worstelde om de situatie meester te blijven. Mark was vermoord. Ik was verdachte. Het was logisch dat Mark een testament had, maar we hadden het er nooit over gehad. Ik had er nooit echt over nagedacht, hij was een jonge man. Ik voelde me plotseling verontrust.

Rechercheur Azzic stak een hand in zijn borstzak en haalde een stapel papieren voor Grady te voorschijn. 'Ik heb deze kopieën laten maken voor ik het heb meegegeven. Het testament is gedateerd op 11 juli, drie jaar geleden, maar ik vermoed dat u dat niet wist, mevrouw Rosato.'

Ik hapte niet toe, maar zag hoe Grady's ogen zich onder het lezen achter zijn bril vernauwden. Het waren ongeveer tien pagina's, maar hij nam ze snel door. Zijn gezicht verried niets toen hij ze dichtsloeg en aan rechercheur Azzic teruggaf. 'Bedankt,' zei hij.

'Interressant, niet?' vroeg de rechercheur, terwijl hij beurtelings van Grady naar mij keek.

Grady nam me haastig mee naar de deur. 'We zien u op het bureau, rechercheur.'

'Wat stond erin?' fluisterde ik toen we in de gang waren. Hij wilde net antwoorden toen we de hoek omliepen en tegen Eve Eberlein opbotsten.

'O!' Ze deed een stap achteruit alsof ze dodelijk geschrokken was. Het was duidelijk dat ze gehuild had, haar ogen waren opgezet en ze had geen make-up op. Haar korte haar zat in de war en haar witte pakje was gekreukt. 'Wat is er gebeurd, Bennie? Wat is er gebeurd?' zei ze met een stem vol pijn en verwarring.

Ik wist precies hoe ze zich voelde. Ik voelde een stekende pijn van binnen. We deelden hetzelfde verlies. 'Ik weet het niet,' antwoordde ik, toen Grady me bij de arm nam en me bijna de gang door droeg.

'Ik vind het ook erg, Eve,' zei Grady. 'Tot ziens. Hou je taai.'

Ik keek nog een keer om naar Eve. Ze leunde tegen de muur en zag er als een ongelukkig hoopje uit. Achter haar, verderop in de gang, stond rechercheur Azzic. Hij stond naar me te kijken terwijl hij voor de deur van Marks kantoor een sigaret opstak en een wolk rook uitblies. Zijn ogen vernauwden zich in de rook, zijn uitdrukking was nors en veelbetekenend.

9

We stonden op de dubbele parkeerplaats achter het kantoor terwijl Grady in de zak van zijn jasje naar de sleutel van zijn motor zocht. De motor was een klassieker, zwart met kastanjebruin met een afgebiesd leren zadel en chromen pijpen waarop in reliëfletters NORTON stond. Ik stond niet te trappelen om achterop naar het bureau te rijden, maar dat was de minste van mijn zorgen op dat ogenblik.

'Wat stond er in het testament, Grady? Je pakte het uit mijn handen.'

'Sorry. Ik was brutaal, dat weet ik. Mijn moeder zou me de les hebben gelezen, maar ik heb het gedaan omdat ik niet wilde dat je het las voor de ogen van de rechercheur.' Hij vond zijn sleutel, zwaaide een been over de motor en zakte op het gescheurde zadel. 'Wil je alsjeblieft gaan zitten.'

'Eerst vertellen wat er in het testament staat.'

'Wees zo vriendelijk op de motor te stappen. Ik zal het er met je over hebben als we hier weg zijn. De pers staat voor en ik wil niet dat ze ons midden in het gesprek betrappen.'

'Ik kan niet wachten. Vertel me wat er in het testament staat.'

'Gaan we voortaan zo met elkaar om?' Hij fronste naar me met de motor tussen zijn benen. 'Ben je van plan over elk wissewasje de confrontatie aan te gaan?'

'Jij hebt me het kantoor rondgesleept.'

'Ik verdedigde je. Ik ben je advocaat.'

Ik kon niet wennen aan de klank van die woorden. 'Grady,

wees reëel. Ik ben je baas en mijn kraaienpootjes zijn ouder dan jij.'

'Ik heb er de pest aan met je te strijden, maar ik ben *jouw* baas nu. Ik ben nog geen vijf jaar jonger dan jij en ik moet de lakens uitdelen op momenten dat ik dat nodig acht. Dus adviseer ik je, puur wettelijk gesproken, om op de motor te gaan zitten. Voor ik kwaad word.'

'Word je zelfs kwaad?' Dat had ik op kantoor nooit meegemaakt.

'Zeker wel.'

'Wat gebeurt er dan? Ga je met dingen gooien? Vloek je?'

'Nooit,' zei hij zonder verdere uitleg. Hij streek zijn haar naar achter en schoof zijn hoofd in een grijze Shoei-helm. Het enige wat er van zijn gezicht te zien was, waren felle blauwe ogen en een vastberaden kin. 'Zie je de extra helm achterop? Zou je die op willen zetten?'

Ik keek naar de helm, een glanzende witte bol die op een gloeilamp leek. 'Waarom heb je een extra helm?'

'Voor het geval ik een vrouw ontmoet met betere manieren dan jij.'

Ik sloeg mijn armen over elkaar. 'Ik zet hem op als jij me vertelt wat er in Marks testament staat.'

Hij zuchtte en trok de helm naar achter, toen verschoof hij zijn bril. 'Wat denk je dat erin stond, Bennie?'

'Ik heb geen idee. Mark heeft geen familie die nog in leven is, alleen een stiefbroer in Californië...'

'Die telde niet zo zwaar als jij,' zei Grady scherp. 'Het exacte bedrag staat niet in het testament, maar Mark heeft je alles nagelaten wat hij bezat. Het kantoorpand, de bedrijfsrekeningen en zelfs zijn persoonlijke rekeningen. aandelenkapitaal en openbare obligaties, beleggingsmaatschappijen. Het testament bepaalt nadrukkelijk dat jij R&B erft en het voortzet als hij sterft.'

Mijn mond viel open. Ik was stomverbaasd door Marks gulheid en zijn liefde. Toen besefte ik waarom de politie mij verdacht. Als ik van het testament had afgeweten, was de enige mogelijkheid om R&B te behouden, Mark te vermoorden voor hij het kon opheffen. Ik zag voor me hoe de zaak van de staat versus mij vorm aannam, hoe de feiten kwamen opzetten als donderwolken voor een storm. Moordonderzoek legde een eigen gewicht in de schaal, vooral in gevallen die de aandacht trokken. De druk om een verdachte te produceren leidde onveranderlijk tot een snelle arrestatie, net op tijd voor het avondnieuws. En tot er een inbeschuldigingstelling plaatsvond, was insinuatie even schadelijk als tenlastelegging.

'Ik zit diep in de ellende, hè?' zei ik hardop denkend.

'Niet als het aan mij ligt,' Grady trok zijn helm weer goed en trapte de motor aan, die met een schor, ratelend geluid tot leven kwam.

Ik haalde diep adem en trok de gloeilamp over mijn hoofd.

Ik liep de gore wachtkamer van de afdeling Moordzaken op de eerste verdieping van het politiebureau in en werd onmiddellijk geconfronteerd met die vreselijke rij foto's. Daar was weinig verandering in gekomen, al was er geruime tijd overheen gegaan. GEZOCHT WEGENS MOORD, stond er op beide muren boven twintig koppen met een afmeting van twintig bij vijfentwintig. De gezichten hadden allemaal de matte, eigenaardig vlakke uitdrukking die slechts de diepste razernij op een menselijk gelaat teweeg kan brengen. Het ontging me niet dat er niet één blank gezicht tussen zat, en niet één vrouw. De enige blanken waren rechercheurs, en vrouwen waren helemaal niet te bekennen.

Ikzelf uitgezonderd. Ik stond naast Grady, en, opvallend als ik ben, werd ik opzettelijk genegeerd door de ongeveer tien rechercheurs in de armoedige ruimte, die geverfd was in een lelijke blauwe kleur. Sommigen van hen herkende ik als getuigen van de staat uit vroegere rechtszaken en ze liepen afstandelijk rond hun gehavende bureaus die schots en scheef geplaatst stonden. Rolgordijnen vol vochtplekken hielden de zon tegen, een raam was volledig geblokkeerd door krakkemikkige grijze dossierkasten. Ik nam het allemaal in me op alsof ik het nog niet eerder had gezien. In zekere zin was dat ook zo, nu ik verdacht werd van moord.

De telefoon op het bureau voor ons ging over. 'Moordzaken,' blafte een rechercheur in de hoorn. Het was een forse roodharige man die koffie uit een beker dronk waarop DEKHENGST stond. 'Nee, die is er niet. Ik ben Meehan.'

Meehan. De naam klonk bekend, toen besefte ik wie het was. Hij was flink afgevallen, maar de knarsende stem was hetzelfde gebleven. Ik had hem vorig jaar gehoord, in een zaak van mishandeling in het noordoosten. De aangeklaagden waren agenten in uniform geweest en Meehan was getuige geweest van de afranseling, een van de drie agenten die hadden staan toekijken. Meehan was niet aangeklaagd en had blijkbaar promotie gemaakt. Ik ontmoette zijn blik terwijl hij de hoorn aan zijn oor hield en hij keek koeltjes terug. Ik kon niet anders verwachten. Ik had hem tijdens het kruisverhoor in verlegenheid gebracht en door mij hadden zijn vrienden hun baan verloren.

'Mevrouw Rosato.' Rechercheur Azzic kwam terug en gebaarde ons te volgen.

'We komen eraan,' zei Grady. Ik trok mijn schouders recht en liep met hem de recherchekamer in, langs het kamertje ernaast waar op de openstaande deur OPSPORINGSTEAM stond. Binnen zaten twee rechercheurs voor moderne computerschermen. Het was de enige plek op de afdeling Moordzaken die eruit zag of hij in dit decennium thuishoorde.

'We zitten in verhoorkamer C,' zei rechercheur Azzic.

Verhoorkamer C was zoals ik me herinnerde van vroeger, net zo klein als de wachtkamer en even goor. Er hing een doorkijkspiegel aan de muur, tegenover een tafel met een kantoorstoel ervoor. Een andere stoel, van zwaar staal, was aan de andere kant van de tafel aan de vloer geklonken.

'Ga zitten,' zei de rechercheur terwijl hij zijn lange postuur in de stoel voor de tafel liet zakken. Hij keek naar mij en wees naar de stalen stoel, en ik ging zitten. Grady ging naast me staan en een lange rechercheur met dunne lippen, wiens bruine jasje los om zijn knokige schouders hing, voegde zich bij ons. Hij stelde zich voor en leunde tegen de muur, met zijn zool plat achter zich. De politie ondervroegen altijd met zijn tweeën in moordzaken. Ik zei altijd tegen mijn cliënten dat ze op die manier slechte smeris en slechte smeris konden spelen.

'Bezwaar als ik rook?' vroeg rechercheur Azzic, terwijl hij een Merit uit een kort wit pakje schudde.

'Ja,' zei Grady en Azzic pauseerde voor hij opstak.

'Geintje?'

'Nee. Waar ik vandaan kom, rookt iedereen. U was beleefd genoeg om het te vragen, en ik heb het liever niet.'

Azzic glimlachte flauwtjes en liet het pakje in zijn borstzak glijden, met de ene sigaret in zijn hand, onaangestoken. 'Wel, mevrouw Rosato, we hebben u hier laten komen omdat u misschien informatie bezit die ons zou kunnen helpen begrijpen wat er met meneer Biscardi is gebeurd.'

'Ze zal geen verklaringen afleggen, rechercheur,' zei Grady.

Azzic keek naar hem op. 'Het zou helpen als ze kon toelichten wat er gisteravond tussen haar en meneer Biscardi is voorgevallen.'

'Dat begrijp ik, maar zoals ik zei, op die manier zal ze het niet doen. Ze legt geen verklaring af. Wilt u zo vriendelijk zijn haar een vraag te stellen.'

Azzic leunde zo dicht naar me toe dat ik de tabakslucht die aan zijn jasje hing kon ruiken. 'Mevrouw Rosato, vele getuigen hebben er meer aan gewoon hun verhaal te vertellen zonder dat advocaten ertussen springen.'

Ik moest bijna lachen. 'Ik ben advocaat, rechercheur en ik zit er al midden in.'

Grady's vingers boorden zich zo hard in mijn jasje dat ik het door mijn schoudervulling heen voelde. 'Ze wordt vertegenwoordigd, rechercheur. Wilt u alstublieft uw eerste vraag stellen.'

'Prima. We doen het op uw manier om te beginnen.' Azzic sloeg zijn benen over elkaar waardoor de rand van zijn enkelholster zichtbaar werd. Hij bedekte hem met zijn broekspijp maar dat deed geen afbreuk aan de intimidatiefactor. 'Mevrouw Rosato, u bent ongetwijfeld op de hoogte van het strafrecht en politieprocedures, maar het is mijn plicht u op uw rechten te wijzen. U zult in stilte moeten lijden.'

'Steekt u maar van wal.'

Hij las me mijn rechten voor. Ik had het als routine ervaren wanneer ze werden voorgelezen aan mijn cliënten, maar het kreeg ditmaal een griezelige bijklank nu ik in de stoel zat die aan de vloer was geklonken. Ik probeerde me te ontspannen en in gedachten een spelletje te spelen, waarbij ik Azzics accent moest raden. Het was grof, uit een arbeidersmilieu, met die geprononceerde *o*, typerend voor Noord-Philadelphia. Ik dacht Juniata Park, of anders Olney.

'Laten we verder gaan waar we gebleven zijn,' zei Azzic. 'Waar ging uw ruzie met meneer Biscardi over?'

'Het was geen ruzie,' kwam Grady tussenbeide. 'Het was een discussie.'

Azzic knikte bijna gracieus. 'Wat was het onderwerp van uw *discussie* met meneer Biscardi?'

Ik schraapte mijn keel. 'Mark wilde onze maatschap ontbinden.'

'Maar dat wilde u niet.'

'Bennie...' zei Grady, maar ik wuifde hem weg.

'Ik was verbaasd, maar ik had geen keus. Beide maten mochten de maatschap ontbinden.'

'U was er niet blij mee, wel? U en hij waren het kantoor samen begonnen en gingen vele jaren met elkaar om, tot hij het met mevrouw Eberlein aanlegde.'

Grady kneep me in de schouder. 'Rechercheur, ik instrueer haar die vraag niet te beantwoorden, als dat een vraag is. Gaat u alstublieft over tot de volgende vraag.'

Azzic zuchtte. 'U hebt tegen meneer Biscardi geschreeuwd tijdens die discussie, nietwaar? U was boos.'

Grady kneep weer. 'Gevraagd en beantwoord, rechercheur. Er heeft een discussie plaatsgevonden over het ontbinden van het partnerschap en ze waren het oneens, maar beide partijen besloten het te laten rusten. Volgende onderwerp of ik ben bang dat we moeten vertrekken.'

Azzic rolde de onaangestoken sigaret rond zijn vingers. 'Mevrouw Rosato, wist u dat u twintig miljoen dollar zult erven volgens meneer Biscardi's testament?'

'Wat?' flapte ik er gechoqueerd uit. *Twintig miljoen dollar?*

'Rechercheur,' zei Grady rustig, 'ze heeft u al verteld dat ze niet wist dat meneer Biscardi een testament had.'

Mijn hoofd tolde. Het bedrag was zo gigantisch dat ik misselijk werd bij de gedachte aan de positie waarin ik daardoor gebracht werd. Het was bijna onmogelijk *niet* te geloven dat ik Mark had vermoord, voor zoveel geld. Ik gaf toe aan een paniekerige drang de zaken uit te leggen. 'Ik wist dat Marks familie geld had maar ze leefden er niet echt naar. Ze hadden een huis met een garage eronder, een stationcar. Het is nooit bij me opgekomen...'

'Bennie, alsjeblieft,' zei Grady, zijn vingers grepen me als klauwen beet.

Azzic keek me recht aan. 'Dus u zegt dat u geen idee had dat meneer Biscardi het grootste deel van dit geld van zijn ouders had geërfd?'

Mijn mond moet zijn opengevallen, omdat Grady zei: 'Dat beweert ze, rechercheur.'

'Bent u naar hun begrafenis geweest met meneer Biscardi?'

'Eh, ja.' Het was een gespannen dienst geweest, met zeer weinig mensen, aangezien de familie zo klein was. Mark had vrijwel geen enkele emotie getoond, zelfs niet op het kerkhof. Zijn ouders waren samen omgekomen bij een auto-ongeluk, maar Mark was opgegroeid op katholieke kostscholen en langdurig van hen vervreemd. 'Het was geen hechte familie.'

'Heeft hij aangegeven dat er een erfenis was?'

'Nee.' Ik keek naar de doorkijkspiegel aan de muur en zag tot mijn ontzetting dat ik er van streek uitzag. Nerveus. Wie zat er aan de andere kant van de spiegel? Meehan? 'Niets.'

'En u hebt niets gevraagd?'

'Nee, het is nooit ter sprake gekomen.' Het leek vreemd, achteraf gezien. Maar het was Marks zaak en ik respecteerde altijd zijn vrijheid inzake familieaangelegenheden. God wist dat ik die zelf nodig had.

'Eén ding begrijp ik niet, mevrouw Rosato. Ik begrijp dat meneer Biscardi u tijdens uw discussie zei dat hij meer geld wilde verdienen. Waarom wilde hij meer geld als hij al zoveel had? Kunt u me daarbij helpen?'

'Rechercheur,' zei Grady, 'u vraagt haar te speculeren over de geestesgesteldheid van meneer Biscardi.'

'Ze was zijn vriendin, niet? Misschien hebben ze het besproken.'

'Bennie, ik instrueer je niet te antwoorden.'

'Nou, mevrouw Rosato?' Azzics ogen boorden zich weer in de mijne.

'Ik weiger te antwoorden op grond van het feit dat het tegen me kan pleiten,' zei ik, met de woorden zuur in mijn mond, als een leugen. Mark was altijd met zijn vader, een selfmade zakenman, in competitie geweest, en hij wilde net zo'n succes worden als zijn vader was geweest. Ik had geen idee dat zijn vader miljonair was, ze hadden als paupers geleefd.

Rechercheur Azzic speelde met zijn sigaret, die hij aan weerskanten om en om aandrukte. 'Dus u wist niet af van het bestaan van het testament, hoewel het was opgemaakt door een zeer goede vriend van u?'

'Gevraagd en beantwoord, rechercheur,' zei Grady.

'Wie heeft het opgemaakt?' vroeg ik.

'Bennie!' riep Grady geïrriteerd, maar ik kon me niet beheersen. Ik was gewend aan de rol van advocaat, niet die van cliënt.

'Wie was het, rechercheur?'

'Sam Freminet,' zei Azzic.

Sam? Het schokte me. Sam had nooit iets gezegd.

'U bent bevriend met meneer Freminet, nietwaar, mevrouw Rosato? Goed bevriend?'

Grady stapte naar voren in mijn gezichtsveld. 'Ik instrueer mijn cliënte niet te antwoorden.' Hij legde zijn handen op zijn heupen en duwde zijn jasje naar achter in een gebaar dat niet dreigender kon ten zuiden van de Mason-Dixon-grens. En niet tegenover de politie, maar tegenover mij.

'Ik weiger te antwoorden op grond van het feit dat het tegen me kan pleiten,' zei ik gehoorzaam. Maar ik dacht nog steeds: *Sam*? Hij deed faillissementen, geen erfenissen.

Azzic schudde zijn hoofd. 'Is Sam Freminet niet advocaat bij Grun en Chase, waar u en meneer Biscardi vroeger hebben gewerkt?'

'Ik weiger te antwoorden op grond van het feit dat het tegen me kan pleiten.'

'Wanneer hebt u meneer Freminet voor het laatst gesproken?'

Ik had Sam voor dit verhoor vanaf het kantoor gebeld, maar had hem niet aan de lijn gekregen. Zelfs dat zou me nu in een verkeerd daglicht plaatsen. 'Ik weiger te antwoorden op grond...'

'Mevrouw Rosato,' zei Azzic, met steeds luidere stem, 'was u niet jaloers op Eve Eberlein?'

Ik zei mijn zinnetje. Ik weiger te antwoorden op grond van het feit dat het het beeld van de geslagen hond alleen maar meer bevestigd zou kunnen worden.

'Hebt u geen kan water naar meneer Biscardi gegooid in de rechtszaal? Gisterochtend nog, de dag dat hij vermoord is? Omdat u zo jaloers op mevrouw Eberlein was?'

Godverdomme. 'Ik wei...'

'Rechercheur Azzic, deze ondervraging is ten einde,' zei Grady abrupt. 'Ik laat niet toe dat u mijn cliënte lastigvalt.' Hij nam me bij de arm en ik stond op, verbaasd dat mijn knieën knikten.

Azzic stond ook op. 'Ga je je verschuilen achter het Vijfde Amendement, Rosato? Net als het tuig dat je vertegenwoordigt?'

'Genoeg!' kondigde Grady aan. Hij wilde me de kamer uitwerken, maar ik was woedend en niet in beweging te krijgen.

'U hebt geen enkel bewijs tegen me, rechercheur, omdat ik mijn partner niet vermoord heb. Het is simpele logica, maar misschien niet simpel genoeg voor u.'

Rechercheur Azic keek me aan. 'Ik neem zelf deze zaak op me, en zo gauw ik het bewijs heb, ziet u me weer.'

'Ik hoop dat dat geen dreigement is, rechercheur,' zei Grady, maar ik koos voor een minder fatsoenlijke reactie die ik met mijn gebruikelijke bravoure leverde.

10

De pers was massaal op het trottoir samengedromd, over de stoeprand heen, tot de parkeerplaats van het bureau op. Grady en ik baanden ons een weg terwijl we van alle kanten werden belaagd. Ik had dat spervuur ontelbare malen met cliënten doorstaan, je kon het slechts het hoofd bieden en doorlopen, net als in het leven.

Camera's met rubberen zonnekappen doken op bij mijn gezicht, videocamera's zoemden in stereo aan mijn zij, en verslaggevers van het tv-nieuws duwden microfoons tegen mijn lippen. Iedere verslaggever riep zijn eigen versie van mijn naam. 'Bernadette, kijk eens naar deze kant!' riepen ze. 'Belladonna, één foto maar! Benefaci, hierheen!' riepen ze. Ik keek recht voor me, mijn hersencellen klikten op maat van de camera's. Ik wist hoe dit zou verlopen. Ik zou het hoofdverhaal op het plaatselijke middagnieuws zijn, en op CNN en Court-TV. De politie zou de details over Mark en mij laten uitlekken, inclusief het testament en tegen de avond zou ik als mogelijke moordenares bestempeld worden. Mijn mediacliënten zouden me laten vallen met de snelheid van het geluid. Mijn cliënten die door de politie waren mishandeld zouden een advocaat nodig hebben die boven alle verdenking stond. Ik zou niet meer voor spreekbeurten worden gevraagd, betaald of anderszins. Mijn carrière had een duikvlucht genomen. En de moordenaar van Mark was op vrije voeten.

Plotseling zag ik op het trotttoir aan de overkant van de menigte een stel dat ik kende. De vrouw had haar arm in een mitella en de man was rossig blond. Het waren Bill Kleeb en Eileen Jennings, samen. Ze waren in gezelschap van een forsgebouwde man met achterovergekamd haar en een bronskleurige aktentas en hielden een taxi aan.

'Mevrouw Rosato, hebt u het gedaan? Mevrouw Rosato, één vraag maar! Alstublieft! Hierheen!'

Hoe was Eileen vrijgekomen? Wat deed ze met Bill? Toen herinnerde ik me de doodsbedreiging van de president-directeur. 'Bill!' riep ik over de zee van camera's heen, aangezien ik qua lengte in het voordeel was. 'Bill Kleeb! Hierheen!'

Bill draaide zich vaag in mijn richting juist toen er achter hem een gele taxi stopte. De man met de Haliburton liet Eileen instappen en verdween in de duisternis naast haar.

'Bill!' schreeuwde ik terwijl ik me tevergeefs boven het lawaai van de verslaggevers uit verstaanbaar probeerde te maken. Ik zag dat Bill zijn blik over de menigte liet gaan, maar hij zag me niet. Ik zwaaide wild terwijl de cameras zoemden, hoewel ik wist dat het gebruikt zou worden. 'Bill!'

'Ben je gek geworden?' vroeg Grady met wilde blik. 'Waar ben je mee bezig?'

Ik probeerde een leven te redden. 'BILL!' schreeuwde ik, maar Bill stapte in de taxi, trok het portier dicht en werd weggereden.

Voor de deur van mijn afgesloten kantoor waren politie in uniform en mensen van de recherche R&B centimeter voor centimeter aan het opmeten en fotograferen, in een poging bewijsmateriaal tegen me te verzamelen. Je zou denken dat ik de voordeur had kunnen barricaderen, maar ze hadden een nieuw bevel tot huiszoeking wat ze mij en Grady voorhielden voor het oog van de paar associés die nog aanwezig waren. Wingate had beschaamd naar de grond gekeken en Renee Butler was de voordeur uitgerend en verdwenen tussen de menigte verslaggevers waar ik maar niet vanaf kon komen, als een ordinaire infectie.

'Met Bennie Rosato, ik heb juist met hem gesproken. Kunt u me doorverbinden?' Ik stond met de telefoon aan mijn oor midden in het rampgebied dat ooit mijn kantoor was. De politie had het doorzocht en het grootste deel van mijn dossiers in beslag genomen, de rest hadden ze op een hoop op de grond gegooid. Met de rotzooi kon ik leven, maar ik kon niets doen aan de inbreuk op de vertrouwelijkheid van het contact met mijn cliënten.

'Blijft u even aan de lijn,' zei een raspende stem die ik herkende als zijnde van Meehan. Ik zette een casuslijst die van de planken was gerukt terug. De vloer en de tafels waren bezaaid met papieren. Een bleekgroene plant was omvergelopen en de aarde lag op de grond gemorst. Overal lag vingerafdrukpoeder. Wat dachten ze te vinden? Vingerafdrukken van mij en Mark? Wat zou dat bewijzen?

'Ik weet niet waar je mee bezig denkt te zijn,' zei Grady uit de oorfauteuil voor mijn bureau. 'We waren overeengekomen dat ik deze zaak zou leiden.'

'Dat is ook zo. Ik heb je toch gezegd dat dit iets heel anders is.'

'Een criminele aangelegenheid?'

'Zoiets.' Ik zette de plant terug, pakte de losse aarde op en gooide die terug in de pot.

'Kun je me niet iets meer vertellen?'

'Nee.' Voor ik belde had ik de gedragscode voor advocaten nagetrokken, wat geen wassen neus is. Ik kon de politie vertellen wat ik wist, maar niets over een associé, vriend of het bedoelde slachtoffer. Ik zag trouwens het nut er niet van in Grady in te lichten. Hij zou me alleen maar tegen proberen te houden. 'Vijf minuten, oké?'

'Je bedoelt dat je me weg wilt hebben?'

'Sorry,' zei ik met mijn hand op het mondstuk. 'Ik moet dit telefoontje plegen.'

'Naar Azzic? Ben je je verstand verloren?'

'Vertrouw me nou maar. En ga alsjeblieft even weg. Ik zal jou de volgende machtsstrijd laten winnen, dat beloof ik.' Grady fronste zijn voorhoofd en liep de kamer uit, net toen Azzic opnam. Eerst het belangrijkste. 'Rechercheur, met Bennie Rosato. Jullie hebben het leuk voor elkaar in mijn kantoor. Waarom zijn mijn dossiers meegenomen?'

'Die maakten deel uit van het eerste bevel tot huiszoeking.'

'Alle dossiers van negentientachtig tot nu?' Volslagen overdreven. 'Als u er dat bij mij had proberen door te drukken zou ik geen toestemming hebben gegeven.'

'O, werkelijk?'

'Mijn cliënten staan hier volledig buiten, en hun vertrouwelijke informatie is meegenomen. Als ik hoor dat ze bezoek of telefoon van u of uw mensen krijgen...'

'Ik heb geen tijd voor deze onzin, Rosato. Ik hang op.'

'Wacht, ik moet u spreken, het is belangrijk.'

'Nu wil je praten? Twintig minuten geleden zei je dat ik je rug op kon.'

'Het gaat niet over mij.' Ik schoof mijn juridisch naslagwerk soepel terug met een doffe dreun. 'Een van mijn cliënten, Bill Kleeb, is gisteren gearresteerd omdat hij bij Furstmann Dunn protesteerde tegen dierenmishandeling. Ik heb reden om aan te nemen dat zijn medeplichtige, Eileen Jennings, die samen met hem gearresteerd is...'

'Ik weet van niets, Rosato. Ik doe moordzaken, geen beesten. Als je met de beesten wil praten, die zitten in de cel.' Hij lachte en blies hoorbaar uit. Ik nam aan dat hij stond te roken, wat zijn warme, welwillende aard naar voren bracht.

'Dit gaat om moord, rechercheur.'

'Daar weet jij wel het een en ander van, hè, Rosato?'

'De president-directeur van Furstmann Dunn loopt waarschijnlijk gevaar. Eileen Jennings heeft hem gisteren met een stroomstok bedreigd.'

Hij lachte. 'Dat is heftig. Misschien vindt-ie dat wel lekker, wie weet, dat soort kerels.'

'Ik maak geen grapjes. Ik zou alleen bellen als ik dacht dat er iets achter stak, ik stel nota bene het vertrouwen van mijn cliënt in de waagschaal. Pak Jennings op voor ondervraging en geef de president-directeur bescherming, of geef hem tenminste een seintje.'

'Vertel mij niet wat ik doen moet. Ik word doodziek van jouw bevelen aan dit bureau, Rosato. Je denkt te weten wat we doen, maar je hebt het mis. Je wilt ons procedures uitleggen, maar daar heb je geen kaas van gegeten. Je denkt dat je ons kunt manipuleren, maar deze keer heb je de verkeerde te pakken.'

Weer een Almachtige. Daar zat het vol mee en iedere keer pakte ik ze verkeerd aan. 'U hebt de keus, rechercheur. Pak haar op of verklaar later waarom u het niet heeft gedaan, zelfs niet na een waarschuwing.'

'Waarschuwing? Het was toch niet meer dan een loos dreigement?'

'Ze is beschuldigd van zware mishandeling. Ze heeft tegen haar vriend gezegd dat ze die man zou vermoorden en de vriend denkt dat ze daartoe in staat is.'

'Maar ze heeft niks gedaan, niet eens genoeg om de aanklacht staande te houden, wel?'

'Ze hebben een nieuwe advocaat. Ik denk dat hij borg staat.' Ik had het over de man met de Haliburton.

Azzic zweeg een minuut, om rook uit te blazen. 'Rosato, uit welke hoek waait de wind? Probeer je me af te leiden? Me te manipuleren? Wat?'

'Jezus, ik heb het over moord! Waarom probeer je niet een ogenblik te beschermen en te dienen? Ik zal het niet aan de andere jongens verklappen, ik zweer het je.'

'Vertel me niet dat ik mijn baan niet doe, ik heb het ook

over moord! Ik heb het over een dame die haar vriend zou vermoorden voor twintig miljoen. Daar heb ik het over, dus excuseer me als ik geen tijd heb voor jouw onzin.'

'Het is geen onzin. Ze is in staat tot moord!' riep ik, maar Azzic had al opgehangen.

11

Het stond bol van verslaggevers achter de politiebarricades buiten, het herenhuis was in staat van hightech-beleg. Grady en ik negeerden ze, deden althans een poging daartoe, en ruimden de kantoren op de eerste verdieping op, behalve dat van Mark dat met politietape was verzegeld. Niet dat ik emotioneel in staat was daar naar binnen te gaan, overigens. Het was al een opgaaf te moeten functioneren na wat er was gebeurd, maar ik kon me niet aan verdriet overgeven, ik moest proberen R & B te redden.

Geen van de associés behalve Grady was op kantoor, wat ik ze niet kwalijk kon nemen. Ik vroeg me af hoeveel er nu zouden blijven, aangenomen dat er nog sprake was van een advocatenkantoor. Ik stelde een brief aan mijn cliënten op waarin ik uitlegde dat hun zaken tijdens deze tragedie behartigd zouden worden, en belde om ze gerust te stellen. Slechts dertig wilden me te woord staan en enkelen waren al benaderd door een rechercheur, wiens naam ze niet wilden prijsgeven. De meesten zeiden me openlijk dat ze voor hun juridische zaken een advocaat in de arm zouden nemen die niet onder verdenking van moord stond, en hen kon ik ook niets kwalijk nemen. Door toedoen van rechercheur Azzic en de pers had ik de status van paria bereikt.

De telefoontjes waar ik het meest tegenop zag waren die aan de farmaceutische bedrijven die Mark vertegenwoordigde. Ik belde de hele dag Williamson en Haupt bij Wellroth Chemie, maar kreeg ze niet te pakken. Ik dicteerde een verzoek tot uitstel van het Wellrothproces, en probeerde aan het eind van de dag een laatste maal Haupt aan de lijn te krijgen. Ik had zijn toestemming nodig voor ik contact met de rechtbank kon opnemen.

'Mevrouw Rosato,' zei dr. Haupt zo afstandelijk als ik had verwacht. 'Het verbaast me van u te horen.'

'Ik heb verscheidene boodschappen achtergelaten.'

'Ik heb het gezien, maar ik vond het niet gepast terug te bellen. Ik heb begrepen dat u van moord wordt beschuldigd,' zei hij met zijn geprononceerde accent.

'Nee, dat is niet zo. Ik weet dat dit vreselijk voor u is, voor mij is het dat ook. Maar ik word niet van moord beschuldigd en ik heb zeker Mark niet vermoord. Ik wil dat u dat weet.'

'Ik wens hierover niet in discussie met u te gaan, mevrouw Rosato. Ik vind deze situatie tamelijk... afschrikwekkend. We hebben Mark gisteren nog gezien. Hij was meer dan een advocaat voor mij, hij was mijn vriend.'

'Dat besef ik. Ik bel u om te zeggen dat ik een verzoek tot onbepaald uitstel van het Cetor-patent-proces heb opgesteld.'

'We willen geen onbepaald uitstel van het proces, mevrouw Rosato.'

'Ik ben bang dat er geen andere mogelijkheid is. Ik ben niet in een positie de zaak voor te laten komen.'

Hij schraapte zijn keel. 'Mevrouw Eberlein is volledig bereid het proces voortgang te laten vinden. Dat willen wij ook, zodat er snel een uitspraak komt. Ze heeft de rechter al om een week uitstel verzocht en hij heeft ingestemd, met het oog op de omstandigheden.'

'Wat zegt u? Hoe weet u dat?'

'Ik heb telefonisch contact gehad met mevrouw Eberlein. Ze is thuis. Ze is erg van streek, uiteraard, maar zo gauw ze zich beter voelt gaan we met haar in zee. Ik moet nu werkelijk ophangen. Belt u alstublieft mij of Kurt niet meer op.'

'Maar doctor Haupt...' zei ik, en toen was de verbinding verbroken. Ik legde langzaam de hoorn neer. Eve, zelf met de zaak voor de rechter? Ik probeerde die informatie te verwerken toen de deur van mijn kantoor openvloog. Het was Grady, wiens bedrukte das over de schouder van zijn blauwkatoenen overhemd was gewapperd, met wetboeken, notitieblocs en kopieën bij zich. Zijn ogen waren helder van opwinding achter zijn metalen montuur. 'Moet je kijken,' zei hij terwijl hij een papier over het bureau naar me toeschoof. 'Het testament, Marks testament.'

'Hoe ben je daaraan gekomen?'

'Van de politie, met nog een heel dun dossier. Dat was alles wat ze prijs wilden geven tot nu toe. Maar kijk eens naar het testament! Weet je wie Mark als executeur heeft aangewezen?'

'Wie dan?' Ik bladerde door de bladzijden, op zoek naar het antwoord, en vond het op hetzelfde moment dat Grady zei: 'Sam Freminet.'

'Nou en?' Ik las vluchtig de bepalingen door, standaard op het eerste gezicht.

'Nou dit! Als executeur krijgt Sam twee procent van de erfenis als honorarium en hij heeft ook de macht de advocaten voor de afhandeling te kiezen en zichzelf aan te wijzen. Op die manier krijgt hij het advocatenhonorarium bovenop dat van de executeur, ook twee procent, wat meteen kan ingaan als hij dat wil. De klap op de vuurpijl is dat het testament een trust opzet met Sam als trustee, zodat hij ook nog eens het honorarium van trustee vangt, één procent *levenslang*. Dat is net zoiets als een annuïteit. Hij hoeft nooit meer te werken.'

'Ik ben in de war.' Eén helft van me was in gedachten nog bezig met mijn conversatie met doctor Haupt.

Grady stond ongeduldig over me heen gebogen. 'De omvang van de erfenis in aanmerking genomen, betekent dat dat Sam *een miljoen dollar* aan honoraria opstrijkt, en dat van de trustee houdt nooit op. Dat is dubbel, drievoudig kassa en daarbovenop maakt-ie ook nog eens een goede beurt bij Grun als de verantwoordelijke advocaat! Denk je niet dat-ie een bonus in de wacht sleept als-ie zo'n erfenis binnenhaalt?'

'Dus?'

'Bennie, volg je me niet, of hoe zit het?' Twee rimpels ontsierden Grady's gewoonlijk gladde voorhoofd. 'Sam wordt rijk van Marks dood. Zegt dat je iets over motief?'

'Dat is absurd, Grady!' Ik was kwaad, beledigd namens Sam. 'Dat is gewoon absurd!'

'O ja? Wees alsjeblieft objectief. Ik ken Sam Freminet niet, ik heb hem één keer ontmoet, maar geld is een zeer krachtige stimulans.'

'Sam zou Mark vermoord hebben?' Ik schudde mijn hoofd. 'Vergeet het maar. Sam en Mark waren vrienden. We zijn alledrie bij Grun begonnen na onze rechtenstudie. Bovendien, Sam heeft het geld niet nodig, noch de goede naam. Hij is maat bij Grun, hij neemt waarschijnlijk meer dan drie ton per jaar mee naar huis.'

'Weet je dat zeker? Hoe staat het met zijn cliëntenlijst, weet je dat?'

'Sam is advocaat in faillissementszaken en iedereen gaat failliet. Ik neem aan dat hij genoeg te doen heeft.'

'Je neemt aan, maar weet je het ook? En zijn bankrekening? Rijke mensen zijn hebberig, dat is de aard van het beestje.'

'Kom nou, Grady, Sam heeft al het speelgoed dat zijn hartje begeert. Letterlijk.' Ik glimlachte, omdat ik aan zijn zijn opgezette Tasmanian Devil en Pepe Le Pew dacht. Toen herinnerde ik me Daffy Duck en zijn geldzakken en mijn glimlach verdween.

'Bennie, gebruik je verstand.' Grady leunde op mijn bureau, met gestrekte armen. 'Sam wist dat Mark een testament had, blijkbaar was hij de enige met die kennis. Jij zegt dat jullie drieën vrienden waren, maar Sam is dikker met jou, nietwaar? Ik heb de indruk dat Sam meer zakelijk met Mark omging, en een persoonlijke band met jou had. Klopt dat?'

'Ja, misschien wel.'

'Zou Sam Mark vermoord kunnen hebben om het hem betaald te zetten dat hij jou in de steek heeft gelaten? Waarbij hij een fortuin zou vangen op de koop toe?'

'Ondenkbaar!' Ik leunde achterover in mijn stoel. 'Sam Freminet is de zachtaardigste mens van het heelal. Je kent hem niet. Vergeet het. Goed geprobeerd, verkeerde theorie.'

Grady hield zijn hoofd scheef. 'Heb je Sam verteld dat Mark R & B wilde ontbinden?'

'Je bedoelt nadat Mark het me had verteld? Ik ben meteen naar de rivier gegaan.'

'Weet je waar Sam die avond was?'

'Ik weet nooit waar hij 's avonds is. Hij gaat vaak uit.'

Toen schoot me mijn ontmoeting met Sam in zijn kantoor, die dag, te binnen. 'Maar hij vertelde me dat enkele van onze associés wilden opstappen. Wist jij daar iets van?'

'Alleen dat Wingate ontevreden was, maar dat was duidelijk. Denk je dat Mark aan Sam heeft verteld dat hij R & B wilde ontbinden?'

'Nee. Sam zou het me verteld hebben.'

'Maar hij heeft je ook niet over het testament verteld, en ook niet dat hij Marks executeur was. Misschien weet je niet zoveel over hem als je denkt.'

'Ik weet genoeg om te beseffen dat deze hele discussie absurd is.'

Grady ging zitten, niet uit het veld geslagen. 'Ik zou Sam graag bellen om erachter te komen waar hij die avond is geweest.'

'Dat doe je niet.'

'Bennie, we houden een race tegen de klok, je hebt Azzic gehoord. Hij stelt je in staat van beschuldiging *du moment* hij ook maar iets heeft om het te staven. En waar sta jij dan? Op moord staat geen borgtocht in Philly. Je gaat recht de gevangenis in.'

Ik dacht aan de vrouwengevangenis in Muncy. Daar was ik geweest om cliënten te bezoeken en was altijd opgelucht als ik de poort achter me kon sluiten op weg naar buiten. 'Probeer je me soms bang te maken, Grady?'

'Zeker weten.' Hij glimlachte, ik niet.

'Oké, prima. Maar als iemand met Sam moet praten, doe ik het.'

'Dat zou ik willen doen, als je advocaat.'

'Jij kent Sam niet. Het is een schat van een man, hij doet vrijwilligerswerk voor ACTION AIDS. Hij was kwaad op me omdat ik een cliënt verdedigde die AIDS-onderzoek wilde tegenwerken. Hij...' Ik stopte midden in mijn zin. Bill Kleeb. Eileens dreigement aan het adres van de president-directeur. Ik was het helemaal vergeten. Ik keek op mijn horloge. Zeven uur. Ik vroeg me af waar Bill en Eileen waren, of ze thuis waren. Als ik rechercheur Azzic niets duidelijk kon maken, kon ik hen misschien te pakken krijgen. Ik stond op en liep snel naar mijn aktentas voor hun dossier.

'Bennie? Wat doe je in godsnaam?' vroeg Grady stomverbaasd terwijl ik heen en weer rende.

'Ik moet nog iemand opbellen.' Ik vond het telefoonnummer dat Bill me had gegeven en toetste in.

'*Nu*? Wie? We zitten midden in een gesprek.' Ik hief een hand op toen ik de stem van Bill Kleeb hoorde. 'Kun je me vanavond om acht uur treffen? Het is heel belangrijk,' zei ik tegen hem. Bill stemde met tegenzin toe en ik noemde een plek waar we elkaar konden ontmoeten, waarna ik neerlegde, met een onprettig gevoel.

'Wie was dat?' vroeg Grady.

'Een cliënt.' Ik legde het dossier terug en ritste mijn canvas aktentas dicht. 'Ik moet ervandoor. Laat jij me uit?'

'Welke cliënt? Waar ga je heen?' Hij stond op.

'Naar een cliënt, van die dierenrechten, oké? Misschien ook naar zijn vriendin.'

'Waarom?'

'Het moet.'

Grady zette zijn handen in zijn zij. 'Bennie, ik ben je advocaat. Ik zou graag evenveel van je weten als de politie en de pers. Bovendien, je hebt gezegd dat je me de volgende keer zou laten winnen.'

Hij had gelijk. Ik zou een cliënt die zich net zo slecht gedroeg als ik een klap hebben verkocht. 'Ik wil alleen op de hoogte blijven, kijken hoe het met hem gaat. Meer kan ik je niet vertellen, het is vertrouwelijk en ik wil je er niet in betrekken.'

'Je maakt je druk om een cliënt terwijl jij voor moord wordt doorgelicht?'

Onze blikken ontmoetten elkaar, en ik was niet geheel op mijn gemak onder zijn blik. 'Ik maak me druk om al mijn cliënten. Je hebt me gezien. Ik heb tig telefoontjes gepleegd vandaag.'

'Waarom verdient deze cliënt een persoonlijk bezoek?'

Omdat ik wil zien of hij en Eileen porselein of explosieven hebben uitgezocht, maar dat kon ik Grady niet vertellen. 'Hij is jong, een kind nog. Hij heeft wat hulp nodig. Extra hulp.'

'Goed. Ik ben extra behulpzaam, ik ga met je mee.' Hij pakte zijn jasje van de stoel en zwaaide het over zijn schouder, met een vinger in de kraag.

'Je kunt niet mee. Jij moet hier aanwezig zijn.' Ik opende de deur van mijn kantoor, maar Grady hield de deur met een hand tegen.

'Ik snap het niet,' zei hij, met eerlijke blauwe ogen achter brillenglas. 'Ik weet hoe het je ter harte gaat de moordenaar van Mark op te sporen, maar je hebt vandaag allesbehalve dat gedaan. En nu ga je ervandoor. Probeer je het niet te vermijden?'

'Ik moet een aantal zaken regelen,' zei ik hoewel ik voelde dat hij gelijk had. Op de een of andere manier was het dreigement tegen de president-directeur van Furstmann een dringende aangelegenheid voor me. Misschien was het een moord die ik kon voorkomen in tegenstelling tot die waarvan het me niet was gelukt. Of misschien was het gewoon te moeilijk voor me om Marks dood te accepteren.

'Hallo?'

'Grady, als alles goed gaat vanavond, lossen we dit samen op. Je hebt mijn hulp nodig, dat zie ik.'

Hij lachte. 'O, zeker heb ik je hulp nodig. Ik snap niet hoe ik het zonder je gered heb al die tijd. En ga jij Sam Freminet bellen of ik?'

'Ik doe het wel.'

'Zul je ook denken over wie er nog meer een motief had Mark te vermoorden? Was er iemand kwaad op hem? Cliënten uit het verleden, bijvoorbeeld?'

'Ja, meneer.'

Hij grinnikte. 'Zo mag ik het horen.'

'Raak er maar niet aan gewend.'

'Geen kans. Bel me hier of thuis als je iets nodig hebt, na je afspraak of wanneer ook maar. Ik ga alibi-onderzoek doen. Ik wil weten waar de andere associés gisteravond waren, rond het tijdstip dat Mark vermoord is.'

Dat kwam als een schok. 'Onze associés? Christus.'

Plotseling scheen er een fel wit licht door de ramen mijn kantoor binnen. De jupiterlampen van de televisie, uit op archiefmateriaal. Grady draaide zich naar de ramen waar het leek of de zon scheen, ondanks de toenemende duisternis.

'Zouden ze de telelens op ons hebben staan?'

'Waarschijnlijk. Kom, we zeggen even goeiedag.' Ik liep naar het raam en Grady volgde me.

'Niet je middelvinger opsteken, deze keer,' zei hij.

'Met jou kun je ook niet lachen.' Ik keek door het raam, en beschermde mijn ogen tegen het felle licht. Verslaggevers dromden bijeen in de straat beneden, en vormden silhouetten tegen de ronde lampen als mannetjes op de maan.

Grady liet zijn blik over de menigte gaan. 'Het Eerste Amendement in actie.' We glimlachten.

'De helft zijn cliënten van me in lasterzaken. Ik verdedig hun recht precies datgene te doen waar ze nu mee bezig zijn. Ik doe mijn werk te goed.'

'Wees voorzichtig met je wensen, hè?'

Precies. Ik staarde in het schelle witte licht en vroeg me af of de volgende scène in de spotlights mijn arrestatie op verdenking van moord zou zijn.

12

Ze hadden papieren bekertjes leidingwater voor zich, en zagen er hongerig uit. Als je met vegetariërs gaat eten doe het dan niet bij McDonald's. Ik weet niet waar ik met mijn gedachten was toen ik deze plek uitkoos. Misschien bij Marks dood, rechercheur Azzic en de Muncy-gevangenis.

'Ik kan friet voor jullie halen,' zei ik zwakjes.

'Hoeft niet,' zei Bill. Er was een kleine ruimte tussen hem en Eileen. Als ze het hadden goedgemaakt was het een ongemakkelijke wapenstilstand. Hij droeg een effen wit T-shirt en spijkerbroek, en zijn verwondingen waren nog niet weggetrokken. De bult op zijn voorhoofd was weg, maar de snee was er nog en het wit van zijn linkeroog was nog steeds bloedrood.

'Filet-o-Fish misschien? Dat is geen vlees.'

Eileen trok haar wipneus op. Ze was één brok nerveuze energie, met ogen die voortdurend door het restaurant dwaalden, en wiebelende voeten in witte Candies-sandalen. 'Geen vis. Het heeft een gezicht.'

'Niet meer,' zei ik en niemand lachte. Jezus, ik bracht er niets van terecht. Ik nipte van mijn koffie. Die was in ieder geval heet. 'Ik eet geen kalfsvlees,' probeerde ik, maar Eileen keek weer de andere kant op. Ze had me niet één keer aangekeken, ongetwijfeld nam ze het me kwalijk dat ik Bill had overgehaald akkoord te gaan met een schikking.

'Je zou eens moeten lezen over bio-industrie,' zei ze. Van koeien, en varkens, het is niet anders dan kalfsvlees. Ze laten ze in kooien staan en voeren ze antibiotica en groeihormonen.'

'Groeihormonen?' Ik schoof mijn halfopgegeten Big Mac weg. Als ik ook maar iets groter werd, zou ik Alice in Wonderland zijn.

'Het is vergif en dan zijn er nog de bacteriën. Dingen groeien in vlees. Dingen die je niet kunt zien.' Ze schudde viltstiftzwarte ponylokken uit haar gezicht, dat knap zou zijn ware het niet zo hard. Haar ogen waren zwaar opgemaakt en haar stretchjurk was opvallend. Ze had haar arm nog in een mitella, maar dat was de enige zichtbare herinnering aan haar vechtpartij met de politie.

'Bill heeft me alles over het lab verteld, Eileen. Je moet vreselijke dingen gezien hebben.' Ik wilde de conversatie een draai geven naar haar doodsdreigement zonder Bills vertrouwen te beschamen.

'Dat klopt.'

'Zijn de labs van Furstmann erger dan andere?'

Ze krabde onder haar gips. 'Wat kan het jou schelen? Je bent niet eens onze advocaat.'

'Is die kerel met die dure aktentas mijn vervanger?'

'Wat zou je denken?' zei ze met een snugger lachje. Haar blik dwaalde door het restaurant, dus keek ik rond. Het was er leeg met uitzondering van een oude man die in een hoek zat te kettingroken. De avondspits was voorbij, er kwam niemand binnen. Waar keek Eileen naar? Toen besefte ik dat Eileen niet wilde zien, maar gezien wilde worden.

'Hoe ben je aan die advocaat gekomen, Eileen?'

'John Celeste? Hij heeft mij gevonden. Hij zag me op het nieuws. Ik was op alle kanalen, zelfs op de kabel.'

'Is hij degene die een borg voor je heeft gestort?'

'Hij wil de politie en de stad aanklagen. Hij zei dat we vijf ton kunnen krijgen.'

Bill verschoof op zijn gladde stoel. 'Hij zei dat hij ons ook zal helpen de proeven te laten ophouden. Dat is wat we willen.'

Eileen knikte. 'Een eind eraan maken.'

Ik voelde een rilling en leunde naar voren. 'Eileen, je kunt op geen enkele manier een einde maken aan de proeven. Er is te veel druk een geneesmiddel voor AIDS te vinden. Ik heb Bill gezegd dat jullie je op de bontindustrie moeten gooien in plaats van op de farmaceutische industrie. Weet je nog, Bill?'

'Uhhu,' zei Bill knikkend.

'Hoezo?' vroeg Eileen.

'Mensen hebben op het ogenblik geen interesse in dierproeven. Gooi het op bont. Dan heb je de beroemdheden achter je.'

'Beroemdheden? Wie dan?' Eileen schoof op haar stoel naar voren en voor het eerst schitterde er een glimp interesse in haar ogen.

'Eh, Elle MacPherson.'

'Ik mag Elle. Ze speelt in films, net als Rene Russo. Wist je dat ze model was voor ze die film met John Travolta deed? Ze wordt veel gevraagd voor films.'

'O ja? Jij hebt veel zeggingskracht, omdat je op alle tv-kanalen bent geweest en zo. Waarom hou je die niet gaande en richt je je op de bontindustrie? Ik weet niet of Bill het je verteld heeft, maar ik vertegenwoordig veel radicalen, en veel mensen die protesteren.'

'Ook beroemdheden?'

Christus. 'Nee. Geen beroemdheden. En zij, mijn cliënten, maken altijd gebruik van de pers als ze de kans krijgen. Het helpt ze mensen aan hun kant te scharen, veel volgelingen te krijgen.

'Volgelingen?'

'Jazeker.'

Ze was even stil. 'Ik moet je wel iets vragen.'

'Wat dan?'

'Heb je echt je vriend vermoord?'

Ik voelde een steek, diep in mijn borst. 'Nee.'
'O,' zei ze. Met wiebelende voet.

'Jij, een moordenares? Hoe komen ze erop?' zei Hattie. Ze was opgebleven, als een Havanasigaar in haar badjas gehuld, met roze schuimrubber krulspelden in haar haren. Ze zag er uitgeput uit, haar huid was vet en haar donkeromrande ogen waren weggezonken. 'Hoe kunnen ze zoiets denken?'

'Politieagenten. Die kunnen alles denken.' Ik krabbelde Bear die onder de tafel lag te slapen achter zijn oren en roerde in mijn zoveelste kop koffie.

Ik was ook moe, maar voor het moment tevreden dat Eileen de president-directeur was vergeten.

'De politie is boven geweest, weet je. Ze hebben je appartement ondersteboven gehaald. Ze zouden de deur hebben ingetrapt als ik ze niet had tegengehouden.'

'Verdomme. Ik had je moeten waarschuwen toen ik belde.'

'Ze hebben er een puinhoop van gemaakt! Ik heb geprobeerd het wat op te ruimen, maar je moeder raakte van streek.'

Mijn hart zonk me in de schoenen. 'Hebben ze haar lastiggevallen? Heeft ze ze gezien?'

'Ik heb haar gekalmeerd.' Hattie gaf me over de tafel heen wat papieren. 'Hier is een lijst van wat ze hebben meegenomen. De rechercheur zei dat ik die aan je moest geven.'

Ik schoof de papieren opzij. 'Welke rechercheur?'

'Ik weet het niet. Gemene kop, rare naam.'

'Azzic?'

Ze knikte.

'Vertel eens hoe het met mam gaat?'

'Ze ligt in bed, vanaf tien uur. Ze heeft geen oog dichtgedaan. Weten ze niet wat ze je aandoen?'

'Dat kan ze niks schelen. Heeft ze gegeten?'

'Het moet ze wel kunnen schelen! Het was hier een gekkenhuis vandaag! Die rechercheur, met zijn gevraag. Ze hebben zelfs naar je auto gezocht, om die te doorzoeken. De hond blafte, je telefoon stond de hele dag roodgloeiend. Toen kwam een van de meiden met een doos spullen uit je kantoor en die hebben ze mee naar boven genomen. Zwarte meid.'

'Renee Butler?'

Ze knikte nogmaals en wreef geïrriteerd over haar voorhoofd. 'Wat een dag. Verslaggevers aan de deur terwijl we zaten te eten. Ik ben naar buiten gegaan en heb ze weggejaagd! Ze noemden jou een moordenares!'

'Dat blijven ze me noemen tot ik kan bewijzen dat ik dat niet ben.'

'Jij ook met dat roeien! Daardoor heb je je in de nesten gewerkt!'

'Niet helemaal...'

'Ik heb je toch gezegd dat je daarmee op moest houden. Je luistert niet naar me. Je luistert naar niemand. Belachelijk stom, in zo'n rotboot te gaan roeien!'

Hatties bloeddruk steeg bijna zichtbaar. 'Waarom ben je zo van streek? Door mijn moeder? Dat hoeft niet, ik heb een trust voor haar opgezet. Als mij iets overkomt is er genoeg om haar te onderhouden en jou...'

'Mij?' Plotseling gaf Hattie me een klap, midden in mijn gezicht. Ik sprong overeind. 'Hattie, Jezus, waarom deed je dat?' Ik was meer geschokt dan dat het pijn deed en Hatties gezicht was vertrokken van pijn om haarzelf.

'Idioot! Hoe kan zo'n slimme meid zo verdomd stom zijn?! Ik maak me druk om *jou*! Niet om mij! Niet om je mama! Om jou!' 'Benedetta?' riep een stem geagiteerd, uit de kamer van mijn moeder. 'Benedetta!'

'Ma?' Ik liep langs Hattie naar mijn moeders kamer, reagerend op de automatische piloot. Ik opende de deur en de weeë lucht van rozenwater vulde mijn neusgaten. Het was verstikkend, een aanval op de zintuigen. Ik voelde me plotseling angstig. In paniek. Ik haastte me naar het raam en gooide het open. De koele avondlucht bolde de lichte gordijnen.

'Doe het raam dicht!' zei mijn moeder. 'Doe het raam dicht!'

'Sst, het blijft open. Er is niemand. Kalm maar.' Ik ademde vrijer in de frisse lucht. 'Maak je niet druk. Alles is in orde.'

'Heb je afgewassen? Was af, Bennie.'

'De afwas is gedaan.'

'Doe de afwas. Doe de afwas.'

'De hele afwas is gedaan, ma. Hattie heeft het gedaan.' Ik liep naar haar bed en pakte haar hand, die slap en warm aanvoelde in de mijne. Ik veegde een verdwaalde krul van haar voorhoofd, dat vochtig aanvoelde.

'Doe de afwas. De borden liggen in de gootsteen.'

'Hattie heeft afgewassen. De borden liggen in de kast. Alles is gedaan. Hoe voel je je?'

'Het is donker.' Ze probeerde rechtop te zitten en viel weer terug op haar kussen. 'Het is laat. Je moet naar huis. Ga naar huis. Ga naar huis.'

'Ik ben thuis. Hattie heeft me verteld dat je wat soep hebt gegeten vandaag. Dat is goed.'

'Het is donker. Het is donker. Doe de afwas. Doe de afwas. Pak een Kleenex voor me.'

'Hoe gaat het met je?' Ik ging op het bed zitten, dat luid kraakte. Nog iets wat ze me niet liet vervangen.

'Pak een Kleenex voor me. Ik heb een Kleenex nodig.'

'Je hebt geen Kleenex nodig, denk niet aan Kleenex. Heb je vanmiddag iets gegeten? Wat soep?'

'Ik heb het nodig. Ik heb het nodig. Het is donker.' Haar stem werd luider en ijl van angst. 'Ik heb het nodig. Ik heb het nodig. Ik heb het nodig.'

'Goed dan, kalm maar.' Ik trok een Kleenex uit de doos op

haar nachtkastje en ze graaide hem uit mijn hand, kneedde hem tot een bal en kneep hem als een kloppend hart. Zo meteen zou ze hem uit elkaar trekken en de stukjes in haar vingers omdraaien, waarna ze de snippers in de zakken van haar ochtendjas zou proppen. De rest zou ze onder haar chenille sprei verstoppen en in haar kussensloop. 'Is dat beter, ma? Ben je nu gelukkig, nu je je Kleenex hebt?' Ik kon de irritatie in mijn stem niet verbergen. Ze jaagde er een doos Kleenex per dag door, zelfs al kocht Hattie een gezinsverpakking. We hadden gezinsverpakking voor gekken nodig.

'Lees me voor. Lees me voor. Lees me voor.'

'Kalm maar. Er is niets aan de hand, ma. Ga rustig liggen, dan lees ik voor.' Het was niet zo dat ik het licht aandeed of zelfs maar de moeite nam een boek te pakken, dat had geen zin. Ik vertelde haar wat voor dag ik had gehad, van A tot Z, iedere avond. Ik heb geen idee waarom ik dat deed, noch maakte ik mezelf wijs dat ik tot haar doordrong. Ik vertelde het haar gewoon alsof het een roman was en dan werd ze rustig, en sluimerde weg. Ik had dit iedere avond gedaan vanaf het moment dat ze totaal van de wereld was geraakt, wat bijna zo lang was als ik me kon heugen. Genoeg Kleenex geleden om het Grote Noordwesten te herbebossen.

'Lees me voor. Lees me voor. Lees me voor.' Ze begon de Kleenex stuk te scheuren. 'Nu. Nu. Nu.'

'Nou, vandaag hoorde ze dat de man van wie ze hield vermoord was,' zei ik en vertelde het hele verhaal. Ze kletste de hele tijd, luisterde naar geen woord en om de waarheid te zeggen, ik luisterde ook niet naar haar.

Ik dacht aan Hattie.

Later stond ik midden in mijn woonkamer met Bear en luisterde naar Sams bezorgde stem op mijn antwoordapparaat. Hij had vijf keer gebeld om te horen hoe het met me ging, zijn boodschappen werden afgewisseld door die van verslaggevers, maar ik kon hem nog niet terugbellen. Ik nam de schade aangericht door orkaan Azzic in ogenschouw.

Mijn appartement was een veel grotere rotzooi dan zelfs ik prettig vond. Boeken waren van hun planken gerukt en op het tapijt gegooid. De inhoud van een la was op de koffietafel voor de tv gesmeten en de stapel cd's was geplunderd. De kussens van de bank lagen ondersteboven op de vloer naast de afstandsbediening. Ze hadden tenminste de afstandsbediening gevonden. Die moest tussen de kussens zijn gegleden. Hij ligt altijd tussen de kussens.

Ik stapte door de rommel naar de keuken, met Bear aan mijn zijde. Overal lagen potten en pannen. Een geopend pak muesli lag op zijn kant en de keukenlades hingen open. Vingerafdrukpoeder lag als roet op het aanrecht en de kastdeuren. Bear snuffelde in het rond, zoals de politie vóór haar. Wat hoopten ze te vinden? Mark had hier zelfs nooit gewoond, hij had altijd zijn eigen huis aangehouden. Waarom deden ze dit? Omdat ze ertoe bevoegd zijn.

De slaapkamer was er het ergst aan toe. Ik stond in het portaal en keek naar binnen. Het beddengoed was van het bed getrokken en op de matras was een oude menstruatievlek zo groot als een kalfslever te zien. Christus. Ik zag de lol van de smerissen voor me.

Ik liep naar mijn bureau. De la van mijn ondergoed was in totale wanorde, ongeziene handen waren binnengedrongen. Mijn foto's van Mark waren weg, evenals zijn liefdesbriefjes en Valentijnkaarten uit onze beginperiode. Zelfs mijn pessarium was verdwenen. Geweldig. Bewijsstuk A. De andere laden waren ook doorzocht. Truien lagen met T-shirts overhoop. Panty's en sokken lagen verstrengeld, half op de vloer. Roeikleding lag op de grond.

Ik stapte over de puinhoop op de vloer naar de kast, waar ik meer van hetzelfde aantrof. Pakken waren tegen de grond geslingerd, zelfs mijn zijden jurken waren op de grond beland. Mijn schoenen lagen op een hoop. Het was een nachtmerrie, zelfs voor een sloddervos.

Ik zuchtte, schopte mijn schoenen uit en liep de badkamer in. Een pot vochtinbrengende crème van Lancôme was geopend, een smerige vinger had eraan gezeten, en de tandpasta was uitgeknepen in een turquoise sliert. De deur van het medicijnkastje stond open, de deksels van de aspirine en andere pillen waren losgedraaid, vermoedelijk waren ze onder de loupe genomen.

Ik plofte neer op het deksel van de wc en haalde de papieren uit de zak van mijn jasje: een bevel tot huiszoeking, een lijst van wat er was meegenomen en een attest van vermoedelijke grond. Ik had zulke attesten vroeger herhaaldelijk onder ogen gehad. Nu stond mijn naam in de kop.

Bear ging op de koele tegelvloer liggen en keek vragend op, dus las ik hardop: 'Brieven en correspondentie, computer en diskettes, kantoorbenodigdheden, dossiers met huishoudrekeningen en dergelijke, kledingstukken.' Ik nam aan dat daarmee gedoeld werd op wat ik aan had gehad op de dag dat Mark vermoord was, voor vezelmonsters. Verder ook alle vuile was uit de mand, aangezien politie dat behalve als bewijs graag gebruikt om te choqueren. Je vuile was wordt letterlijk buiten gehangen. De lijst ging verder. 'Schoenen en sportschoenen, jassen en overjassen, en de volgende sieraden,' waarna een opsomming volgde van alle sieraden die ik bezat, de meeste van mijn moeder. Ze hadden zelfs haar verlovingsring meegenomen, een diamantje van een man die de bruiloft niet had afgewacht.

'Godverdomme,' zei ik en gooide het papier op de vloer waar het naast een grote zwarte vlek terechtkwam. Meer vingerafdrukroet. Ik volgde het vlekkenspoor naar de badkuip, waar de politie meer vingerafdrukken had genomen, en waarschijnlijk specimens van mijn hoofd- en schaamhaar. Heerlijk. Op dit moment wist de politie meer van mijn voortplantingsorganen dan ikzelf. Ik zat met mijn kin in mijn hand geleund. De denker. Op de plee.

Bear banjerde naar me toe, draaide zich om en liet haar zware kont op mijn teen zakken. Vervolgens legde ze haar hoofd in haar nek en glimlachte naar me, bijna ondersteboven. Wat een hond. Op een dag zou ze erachter komen dat het gemakkelijker is iemand te zien als je recht tegenover hem staat. Ik aaide het toefje geelbruine vacht achter haar oren, en ze gleed slaperig terug op de vloer, met haar hoofd tussen haar poten genesteld en uitgestrekt als een badmat. Alleen haar ogen bleven op mij gericht, bruine knikkers die vroegen: En, ga je opruimen of zwelgen in zelfmedelijden?

'Ik ga opruimen, oké?'

Tevredengesteld sloot Bear haar ogen.

Ik kwam omhoog van de wc-deksel, vond de cd-speler, zette Bruce Springsteens *greatest hits* op en toog aan het werk. Even later schalde ik mee met Bruce, en ging volledig op in wat ik deed, maar toen kwam er een lied waardoor ik ophield met zingen, en werken. Een lied dat me op mijn knieën bracht, om onder ogen te zien wat er gaande was.

Moord BV.

Mark was dood. Iemand had hem vermoord. Diep van binnen was leed, maar buiten was zijn moordenaar. Iemand die ademhaalde terwijl Mark dat niet meer deed. Het was onrechtvaardig. Obsceen. Ik wist wat ik moest doen.

Ik moest Marks moordenaar vinden.

13

De volgende ochtend vroeg ging ik langs mijn moeder en stond voor de deur met mijn aktentas in de hand, alsof het een normale dag was en ik nog een advocatenkantoor had. Hattie stond de koffiepot in de gootsteen uit te spoelen, aangekleed maar met haar krulspelden nog in. Later zou ze haar haar met een antieke krultang bewerken en de scherpe lucht zou zich door de flat verspreiden en mijn moeder van streek maken en mij twee dozen Kleenex kosten. Ik plaagde haar daar altijd mee, maar deze ochtend niet.

'Ik heb nagedacht over wat je zei. Ik heb besloten dat je gelijk hebt wat mam betreft,' zei ik tegen haar. 'Wil je dat ik de dokter bel?'

'Nee, dat doe ik wel.' Ze bleef de pot uitspoelen, met haar rug naar me toe. Op haar sweatshirt stond I'M A WINNER! en op haar schouderblad waren rode dobbelstenen geborduurd. 'Ik heb er de tijd voor.'

'Nee, het is oké.'

'Jij hebt het druk. Je moet je flat in orde brengen.'

'Ik heb gisteravond opgeruimd.'

'Alles? Ik heb de muziek gehoord, maar ik ben in slaap gevallen.'

'Het is allemaal gefikst.'

'Ik bel voor je moeder. Ik wil het doen.'

'Weet je 't zeker?'

'Absoluut.'

Het ging niet om het telefoontje, we legden het bij. Of probeerden dat in ieder geval, hoe gemakkelijk dat ook was zonder het uit te spreken, of elkaar zelfs maar aan te kijken. 'Als het alleen maar 's morgens vroeg kan, hoe wil je dat dan doen? Dan zul je haar vroeg op moeten laten staan.'

'Ik ben toch op. Maakt niks uit.'

'Ik zal je helpen haar uit bed te krijgen.'

'Dat kan ik ook. Ik heb het voor het ziekenhuis gedaan, ik kan het ook voor de elektroshock,' zei ze terwijl ze eindelijk het water uitdraaide en de glazen pot in het koffiezetapparaat plaatste. Haar rug was nog steeds naar me toegekeerd en ik wilde weg voor ze zich omdraaide. Ik wilde haar niet aankijken want ik had een brok in mijn keel en merkte dat ik de noodzakelijke woorden niet kon zeggen. Maar ze draaide zich plotseling om met donkere, verdrietige ogen en zei tegen me: 'Succes vandaag.'

Bedankt dat je me gisteren een klap hebt gegeven, Hattie. Ik heb nog nooit een klap gehad. Niemand had door hoe stom ik kan zijn, of hoe achteloos mijn woorden.

'Jij ook, Hattie,' zei ik en vertrok.

Ik begon de dag in Steun & Kreun, en wel zo vroeg dat de receptioniste op Sams verdieping nog niet aanwezig was. Ik liep snel langs de lege werkplekken van de secretaresses, en negeerde de associés die voor dag en dauw aanwezig waren en opvallend rondliepen om geprezen te worden. Ik zou het nooit bij Grun gemaakt hebben. Als ik vroeg ben, werk ik graag. Sam ook, die volop bezig was toen ik zijn kantoor binnenwandelde, en in zijn maatpak van Engelse snit over financiële uitdraaien zat gebogen.

'*Bennie*! Waar heb je gezeten? Hoe gaat het met je?' Hij sprong als een speer op toen hij me zag en kwam naar me toe om me te omhelzen.

'Sam,' zei ik. Zijn omhelzing was een troost, ook al was hij zo modieus mager.

'Ik heb geen oog dicht gedaan,' zei hij zacht, met een laatste kneepje. Van dichtbij waren zijn ogen roodomrand en zijn huid bleek. Hij zag er van streek uit, ongezond. 'Kun jij geloven dat Mark dood is?'

'Niet echt.'

'Ik heb je de hele avond gebeld, Ben. Waarom heb je me niet teruggebeld? Ik was zo bezorgd. Ik ben thuisgebleven om te wachten.'

'Het spijt me, ik moest opruimen.'

'Ga zitten en vertel,' zei hij terwijl hij me in de leren directiestoel tegenover zijn bureau duwde en zelf in die ernaast ging zitten. Hij wuifde naar een Sylvester de Kat-beker. 'Zal ik wat koffie voor je halen?'

'Nee, bedankt.' Grun-koffie was nog erger dan die van mij.

'Het is nog steeds niet tot me doorgedrongen.' Sam schudde zijn verzorgde kuif. 'Mark vermoord en jij als verdachte. Maar maak je geen zorgen, ik heb een heel plan opgesteld. Ik stop om twaalf uur vanmiddag met werken, en ga er een paar dagen tussenuit. Ik heb al mijn afspraken afgezegd, alles. Ik wil helpen.'

'Dank je.' Sam zou er voor me zijn, als altijd. Soms dacht ik dat we alleen elkaar hadden, een vriendschap tussen buitenbeentjes.

'Geen dank. En nu, luister. Ik heb al met iemand over juridische bijstand gesproken. Ken je Rita Morrone? Ze is een taaie en jullie zouden het prima vinden.'

'Ik heb een advocaat, Sam. Ik neem Grady Wells.'

Hij knipperde met zijn ogen. 'Ken ik die naam?'

'Hij is een van onze associés. Griffier van het Hooggerechtshof.'

'Die blonde waarmee je op de tv was? Hij ziet er goed uit, maar is hij goed in strafrecht?'

'Ja, en laat zijn uiterlijk buiten beschouwing. Hij had een

vriendin toen hij hier kwam wonen.'

'Verdomme. Alle goeie zijn getrouwd of hetero.'

'Gedraag je.' Ik glimlachte ondanks mijn stemming en hij ook.

'Wat kan ik doen? Kan ik je helpen met je cliënten? Ik kan nog steeds een conclusie schrijven, geloof ik.' Hij streek met een smalle hand door zijn gelaagde kapsel, maar er was niet genoeg haar om een warhoofd te creëren.

'Ik heb geen cliënten. Mijn cliënten willen geen moordenares als advocaat. Ze zijn zo conventioneel. Ik ben bijna werkloos.'

'Wat?' Sam keek ontzet. 'Geen R & B?'

'Je weet hoe concurrerend de advocatuur in deze stad is. Ik heb gezwolgen in zelfmedelijden gisteren, maar vandaag ben ik weer aan de slag.'

Hij schudde zijn hoofd in ongeloof. 'En Marks begrafenis? Hoe zit het daarmee?'

'Daar heb ik vrijwel de hele nacht over gepiekerd. Dat moet jij misschien regelen, als Eve het al niet heeft gedaan. Ik denk niet dat ik veel kan doen, in mijn positie.'

'Ik doe het, geen zorgen. Een gepaste rouwdienst. Geloof me, ik kan een rouwdienst regelen.' Hij glimlachte bedroefd met hangende schouders. 'Heb je erover gedacht wie... het gedaan kan hebben?'

'Daar ben ik mee begonnen.' Ik herinnerde me waarom ik hier gekomen was. 'De politie denkt dat ik het ben vanwege Marks testament. Waarom heb je me niet verteld dat hij een testament had, Sam?'

'Sorry, dat kon ik niet. Het was vertrouwelijk.' Hij slikte een brok weg, waardoor zijn adamsappel zichtbaar in zijn slanke nek bewoog.

'Bovendien dacht ik dat Mark het je zou vertellen. Dat hoorde hij te doen.'

‘Maar waarom heb jij Marks testament opgesteld?’

‘Dat vroeg hij.’ Sam leunde achterover in zijn stoel. ‘Toen R&B begon te groeien, ging Mark vooruitdenken. Vlak nadat zijn ouders waren gestorven, zei hij tegen me dat hij een testament wilde maken. Hij noemde het bedrag waar het om ging en vroeg me of ik goede procureurs kende bij Grun. Uiteraard zei ik dat ik het voor hem kon doen.’

‘Ik wist niet dat je ook erfenissen deed, en zulke omvangrijke.’

‘Zeker wel. Erfenissen, wat belasting, zelfs wat bedrijven. Ik heb graag zoveel mogelijk factureringen lopen, en zulke grote erfenissen kom je niet vaak tegen.’

Ik dacht aan Grady’s verdenkingen. ‘Maar had je dat echt nodig, Sam? Ik dacht dat je meer dan genoeg cliënten had.’

‘Dat is ook zo, maar ik kan altijd meer gebruiken. Ik heb mijn eigen praktijk ontwikkeld. Een kantoor binnen een kantoor, een kleine praktijk. Ik vertegenwoordig ze vanaf het opstarten van hun bedrijf tot en met het faillissement – de wieg tot het graf en ik ben procureur voor de grote bazen.’

‘Is dat lucratief?’

‘Zeker weten. Ik ben de gemeenste, gewiekste, stoerste macho-man die ooit de Rio Grande over kwam – en ik ben geen minkukel. *Bugs Bunny Rides Again*, 1948.’

‘Wist je dat Mark jou als executeur zou aanwijzen?’

Zijn glimlach vervaagde. ‘Vervloekt, Bennie. We zijn vrienden, dus bewaar ik mijn geduld en vraag ik wat je suggereert. Zijn we op komijntjes aan het jagen, of hoe zit ’t?’

‘Ik suggereer niets. Ik vraag alleen maar.’

‘Beschuldig je me van moord, ondanks het feit dat we god weet hoe lang al vrienden zijn?’

Ik voelde me schuldig. ‘Natuurlijk beschuldig ik je niet, Sam. Maar ik moet er met je over praten.’

‘Met mij? Waarom?’

'Grady verdenkt jou. Hij zou je bellen, maar ik wilde het doen.'

Sams gezicht werd rood en zijn mond vertrok in een bittere streep. 'Denkt Grady dat ik een van mijn beste, oudste vrienden heb vermoord? Gaan we met iedereen op die toer? Voor wie heeft-ie godverdomme gegriffierd? Clarence Thomas?'

'Hij is slim, Sam, en hij probeert te helpen.'

'Zo slim is hij niet. Waarom zou ik Mark vermoorden, in godsnaam?'

'Voor het executeurshonorarium? Om wat je in rekening kunt brengen?' Ik voelde me een trut dat ik het nog ging uitleggen, zo perplex zag Sam eruit.

'Kom nou, vriendin! Ik heb net zo hard geld nodig als iedere andere advocaat, maar daar zou ik Mark niet om *vermoorden*. Daar zou ik *niemand* om vermoorden!'

'Volgens Grady krijg je ook een honorarium als trustee. Een miljoen dollar in totaal.'

'Nou en? Vraag je 't me serieus?' Zijn ogen vernauwden zich, maar ik dwong mezelf de koers uit te rijden.

'Laten we er nog even geen conclusies aan verbinden, Sam. Als we vrienden zijn is geen enkel onderwerp taboe.'

'We zijn vrienden, dus kun je me beledigen? Bennie, luister, ik heb het geld niet nodig, ik heb meer dan genoeg. "Ik ben rijk! Ik ben vermogend! Ik ben in goede doen," zoals Daffy Duck zou zeggen. Ik hoef mijn vriend niet te vermoorden voor een honorarium.'

'Dat dacht ik ook,' zei ik, gas terugnemend, maar hij leunde kwaad naar me toe.

'Je wilt details, die kun je krijgen. Ik ben eigenaar van mijn appartement in het Manchester. Mijn eerstgeborene, de Porsche Carrerra, is een jaar oud volgende week en ik heb hem contant betaald. Ik ga maar twee keer per jaar op vakantie, naar South Beach, en ik heb geen naaste familie, met uitzondering van die Cubaanse ober in The Harvest. Ik was bij hem op de avond in kwestie, tussen haakjes. Hij is een zeer heet alibi. Als je het wilt natrekken, zal ik je zijn nummer geven.'

'Nee, Sam, ik bedoel het niet persoonlijk...'

'Wat mijn activa betreft, wat Ramon mijn mooiste kant vindt, ik neem driehonderdduizend mee naar huis, dit jaar, afgezien van de bonus van het Eerste Federale bankroet. Dat zit in elf beleggingsmaatschappijen en enkele bijzonder vrolijke techno-aandelen.'

'Oké, Sam. Ik heb het door.'

'Maar, ik moet iets opbiechten.' Hij hief een hand op. 'Ik beken dat ik aan Microsoft verslingerd ben, maar ik doe een moord voor Bill Gates. Kun je me dat kwalijk nemen?'

'Sam...'

'Behalve dat haar. Als hij het af en toe zou wassen, zou ik zo in Redmond zitten.'

'Luister, het spijt me. Echt. Genoeg geluld. Sleep me voor de rechter. Schiet me dood.'

'Verontschuldiging geaccepteerd,' zei hij kortaf. Hij viel terug in zijn stoel, maar hij had zijn normale doen nog niet hervonden. Of misschien keek hij me niet zo aan als anders.

Ik vroeg me af of hij dat ooit weer zou doen.

14

Grady hield me in mijn kantoor opgesloten met een verbazend goede kop koffie en het grote uitwisbare bord dat we voor bewijsstukken voor de jury gebruiken. Op het bord, dat op een ezel rustte, stonden de namen van al onze associés, met links een marge voor aantekeningen met viltstift. Ik zag in één oogopslag wat Grady had vernomen, maar hij wilde het me toch uitleggen.

'Luister je, Bennie?' vroeg hij. Met een lange aanwijsstok met rubberen punt, in zijn das met viooltjes en schone, witte overhemd leek hij eerder een onderwijzer van een kleuterklas dan een advocaat.

'Natuurlijk luister ik,' zei ik, maar dat was niet zo, omdat ik al een eigen kaart in mijn hoofd had. Ik had hem nodig voor het juridische deel, niet hiervoor. Ik was degene die Marks moordenaar moest vinden.

'Je wekt niet de indruk te luisteren.'

'Wel waar. Ik zal een goede verdachte zijn, dat beloof ik.' Ik glimlachte naar ik hoopte overtuigend en nam nog een slok koffie. Ik voelde me sterker sinds ik het had goedgemaakt met Hattie en Sam als verdachte had geëlimineerd, en de koffie smaakte steeds beter. 'Wie heeft hem gemaakt? Heel goed.'

'Ik, ik heb ze allemaal telefonisch een kruisverhoor afgenomen. Het laatste gesprek was met Renee Butler, om halftwee. Alleen naar Wingate ben ik toegegaan. Hij is erg van streek.'

'Waarom? Hij mocht Mark niet eens. Maar ik bedoelde de koffie. Wie heeft die gezet?'

'Ik. Kijk.' Hij wees naar de naam van Jennifer Rowland.

'Jenny zegt dat ze thuis aan het werk was op de avond dat Mark vermoord is, een gedeelte van de conclusie in de zaak-Latorno aan het bijwerken was. Ze zei dat het voor jou was en volgende week af moest zijn. Klopt dat?'

'Ja. Heb je Maxwell House gebruikt?'

'Wat er was.' Hij zette een keurig v-tje met de viltstift in de ruimte onder ALIBI. 'Ik wil Jenny's tijdschrijflijsten zien, hoewel ze daar ook op heeft kunnen liegen.'

'Ze zou niet de eerste advocaat zijn die fictie schreef.' Ik wilde hem vragen hoeveel water hij had gebruikt maar dat zou niet helpen. Het koffiezetapparaat op het werk was een Bunn, thuis stond een Krups, en het zou nooit vertaald kunnen worden, van Engels naar Duits. Niet als ik de taal sprak.

'Amy,' zei hij terwijl hij naar de regel wees waar AMY FLETCHER stond, was die avond bij Jeff Jacobs. Dat klopt van beide kanten. Ze hebben een relatie, wist je dat?'

'Ja.'

Hij vinkte FLETCHER en JACOBS af. 'Ze kunnen natuurlijk allebei tegen me liegen, maar dat denk ik niet. Wingate zegt dat hij on-line was in de nieuwsgroep van de Grateful Dead. Weet je dat hij naar jonge kinderen stapt en ze vertelt dat hij Bon Jovi is?'

'Perfect. En ik betaal die jongen?'

Grady schudde zijn hoofd. 'Hij zei dat hij om twee uur 's morgens heeft uitgelogd, de nacht van Marks moord. Ik zou de registratie willen natrekken, maar Wingate heeft twee huisgenoten en zij kunnen voor hem hebben uitgelogd.' Hij zette een vraagteken in de ruimte bij WINGATE, naast een WW bij die van Renee Butler.

'Wat betekent WW, bij Renee?'

'Weight Watchers. Ze wilde het me eerst niet vertellen. Ze heeft Eve meegenomen, om haar uit huis te krijgen. Eve heeft het heel moeilijk met Marks dood, weet je. Ze is ervan overtuigd dat jij het hebt gedaan.'

Ik negeerde het knagende gevoel dat die woorden veroorzaakten en nam grote slokken brouwsel. 'Wat voor filters gebruik je, Grady?'

Hij zuchtte en keek naar de namen op de kaart. 'Dat zijn ze allemaal. Ze hebben allemaal een of ander alibi, maar Wingate moet ik nog natrekken.'

'Met uitzondering van de secretaresses en Marshall. Heb je Marshall gebeld?'

'Marshall? Verdenk je Marshall?' Hij keek verbaasd vanachter zijn brillenglazen.

'Nee, ik verdenk nog niemand van hen. Ik zal niet gauw met mijn vinger wijzen, vooral nu. Welke filters? Wedden dat je de bruine gebruikt hebt?'

Hij sperde zijn ogen open in gespeelde ergernis. 'Allemachtig, wat ben je toch een rare! Ik kon geen filters vinden, dus heb ik een stuk keukenrol gebruikt, oké?'

'*Een stuk keukenrol?* Kan dat?'

Hij liet zijn aanwijsstok vallen, dus hield ik mijn mond over de koffie en liet hem zijn verhaal vervolgen, en alles herhalen met zijn aanwijsstok op de kaart gericht. Toen hij uitgeoreerd was, ging hij kijken of Marshall al gearriveerd was. En ik ging naar de kern van de zaak.

De computer.

Recht voor me, naast mijn getraumatiseerde plant. De politie zou de computers waarschijnlijk meenemen wanneer ze terugkwam, vandaag, als ik moest afgaan op wat ze uit mijn appartement hadden meegenomen, dus ik had niet veel tijd.

Ik zat stil, met mijn vingers in positie boven het bleke toetsenbord. Zoals ik het bekeek, moest ik weten waar Mark zich de laatste tijd mee bezig had gehouden om te begrijpen waarom iemand hem had willen vermoorden. Ik dacht dat ik het wist, maar dat was kennelijk niet zo, aangezien ik geen benul had gehad van zijn wens R&B te ontbinden. Maar de computer wist het wel.

Ik toetste BESTANDEN in. R&B's bestanden – tijdschrijflijsten, correspondentie, memo's, instructies, cliënteninformatie en onze persoonlijke bestanden – verschenen op het beeldscherm. De politie had de diskettes van R&B's cliënten- en tijdschrijflijsten meegenomen, en ik kon ze opnieuw uitdraaien, maar dat was niet nodig. Mark hield zijn eigen cyberdagboek bij in een verborgen bestand en produceerde daaruit een gekuiste versie van zijn tijdschrijflijsten. Het was weggeschreven onder zijn geheime wachtwoord: Mook. Zoals zijn vader hem altijd noemde. Goddank voor bedgeheimen.

Ik typte het in en de geheime bestanden kwamen te voorschijn: KALENDER, DAGKALENDER, CHEQUEBOEK. Dezelfde directories als altijd, hij had ze nog niet veranderd. Ik had Marks intiemste informatie onder mijn vingers en ik hoefde mijn kantoor niet uit. De detective die vroeger voor ons werkte, zei altijd dat wie beweerde dat speurwerk met een vergrootglas begint, achterloopt. Het vindt plaats voor microscopen en computers, in laboratoria en reageerbuisjes. Je zou cellulitis kunnen krijgen van detectivewerk, vandaag de dag.Ik ging met de balk op KALENDER staan en drukte op ENTER. Er verscheen een raster op het scherm, de lopende maandkalender, met de afspraken. Mark gebruikte onze oude Grun-code: OU stond voor overleg buiten kantoor; OI voor overleg op kantoor; KV voor klantenvoortgang; TO voor telefonisch overleg. Registraties met notities vulden de dagen, met een abrupte leegte op de dag dat Mark vermoord werd. Ik probeerde het uit mijn hoofd te zetten en keek naar de eerste week van de maand.

Wellroth Farmaceutica-proces.

Ik ging een week terug. Wellroth Farmaceutica-proces.

Een maand eerder, en het beeld veranderde. Ik keek naar het scherm. Veel OU's bij Wellroth, veel OI's met dr. Haupt en

E. Eberlein en een scala aan plaatselijke farmaceutische bedrijven. SmithKline, Wyeth, Rohrer, McNeil Labs en Merck. Ze waren er allemaal, in vergaderingen van gewoonlijk een uur. Blijkbaar had Mark ze overdag proberen te verleiden en ze 's avonds mee uit eten genomen om ze in te pakken. Het zou veel klanten hebben aangetrokken, maar het was niet bedoeld om R&B te verrijken. Het was bedoeld voor Marks nieuwe kantoor.

Ik leunde achterover en probeerde me niet verraden te voelen. Hij had er met geen woord over gerept, noch het op zijn officiële tijdschrijflijsten gezet waar ik het zou hebben opgemerkt. Ik beet op mijn lip en sloeg de PAGE UP-toets aan, in woede de pagina's afrollend.

Ik stopte bij een volgende verrassende registratie. OU G. Wells. Had Mark een overleg buiten kantoor met Grady? Het stond op het schema van de vorige maand. Ik doorzocht de andere kalenderpagina's op Grady's naam. Er verscheen nog een OU de week voor Mark was vermoord, maar er stonden geen verklarende notities bij. Ik kon me niet voorstellen waarom Mark een afspraak met Grady zou kunnen hebben. Ze werkten nooit samen. Grady werkte voor mij en de high-tech cliënten die hij zelf aantrok. Hij had een groeiende praktijk als bedrijfsjurist bij de nieuwe softwarebedrijven die aan Route 202 gevestigd lagen, in de buitenwijken.

Mijn koffie stond onaangeroerd koud te worden. Waarom had Grady afspraken met Mark? Een uur lang, aan het eind van de dag, buiten kantoor? Ik tuurde naar Grady's bord. De naam Wells stond er niet op. Waar was hij de avond dat Mark vermoord werd? Ik vertrouwde Grady, maar het zat me dwars.

Ik had geen tijd om het uit te puzzelen. Ik ging het KALENDER-bestand uit en liet het printen, vervolgens drukte ik op PRINT voor de andere geheime bestanden. Ik had er de pest in een uitdraai te maken van iets waarvan alleen ik het bestaan wist, maar ik kon er niet op rekenen de computers nog maar een minuut in bezit te hebben.

Toen kreeg ik een ingeving. Met wat voor geld trok Mark al die cliënten aan? Dat moest duizenden dollars kosten, en toch was ik geen ongewone dingen in de boeken of memo's van Marshall, die erover ging, tegengekomen.

Ik ging op Marks CHEQUEBOEK-bestand staan en er kwam een nieuw menu te voorschijn: R&B account en PRIVÉ-ACCOUNT. Ik ging eerst R&B binnen. Er verscheen een kasregister op het scherm, met posten in vlekkeloos computerschrift. Niets ongewoons. Ik liep door de geldopnames van de huidige maand. Niets ongebruikelijks: DHL, FedEx, Staples, Bell Tell, Biscardi Enterprises, de holding die eigenaar was van het gebouw. Alles was in orde, volstrekt kosjer. Marks testament schoot me te binnen met een steek van pijn. Op mijn geld was hij niet uit geweest. Ik zette mijn emoties opzij en ging het R&B-bestand uit, waarna ik PRIVÉ-ACCOUNT intoetste.

De posten behelsden Acme Markets, Bell Mobile en dergelijke. Kleine bedragen, zuinige bedragen. Mark gaf nergens geld aan uit, waardoor ik nooit had geweten dat hij het bezat. Toen zag ik het. Betalingen aan American Express en Visa in bedragen van drie- en vierduizend dollar, ongeveer tegelijkertijd met het begin van het aantrekken van klanten. Dus het was waar dat hij dat zelf bekostigd had. Naast de betalingen aan de creditcardmaatschappijen stonden betaalde rekeningen van een plaatselijke drukkerij en een grafisch ontwerper, ongetwijfeld voor nieuwe kaartjes en een hipper logo. Ik ontdekte een betaling aan Philoffice makelaardij, in de orde van twintigduizend dollar. Serieus geld voor mijn zonnige, nieuwe kantoorruimte.

Toen viel mijn blik op een andere post. Contant. De opname was tweeduizend dollar, vorige week. Onder het hoofd advocatenhonorarium.

Wat? Sam? Contant?

Ik scrollde terug naar vorige maand. Een lijst routine-registraties, en nog een bij Sam. Contant, tweeduizend dollar. Drie weken voor Mark vermoord was. Wederom onder advocatenhonorarium.

Ik leunde achterover, en voelde hoe mijn maag zich verkrampte. Waarom betaalde Mark Sam? Wat voor honoraria en waarom contant? Ik kwam er niet uit. Ik printte de chequeboek-bestanden en sloeg een andere toets aan.

WILT U DEZE BESTANDEN WISSEN, JA OF NEE? vroeg de computer.

Ik drukte op ja. Ik zou 'zeker weten godverdomme' hebben ingedrukt als dat gekund had. De bestanden bevatten de oplossing tot deze puzzel en die wilde ik voor mezelf bewaren. Binnen vierentwintig uur zou het systeem ze automatisch van de back-up wissen. Ik zou de enige kopiën bezitten.

Kopieën? Verdomme! Dat was ik vergeten. De kopieën die ik had laten printen. Die zouden uit de laserprinter in het domein van de secretaresses gespuugd worden, in het volle zicht van de eerste de beste smeris die toevallig in de buurt stond. Ik sprong uit mijn stoel, rukte de deur open en rende het kantoor uit.

'Mijn instructie!' gilde ik voor de show, maar het was al te laat.

15

Op het kleed naast de laserprinter hurkte een criminaliste in een donkerblauwe overal van de Mobiele Misdaadbestrijding en raapte de laatste pagina van de grond. Ze hield een dik pak al geprinte pagina's tegen haar borst gedrukt en ik twijfelde er niet aan of ze had ze één voor één terwijl ze te voorschijn kwamen gelezen. Verdomme.

'Sorry, dat is mijn instructie,' zei ik.

Ze ging staan. 'Ik zag de pagina's eruitvallen en ik dacht, laat ik helpen.' Ze was nauwelijks opgemaakt en ze had een kort, eenvoudig kapsel.

'Bedankt. Voor de hulp.' Ik keek naar de papieren in haar armen en voelde hoe het zweet me uitbrak. Ik zou ze hebben opgeëist, maar als ze zich niet van hun belang bewust was, wilde ik mijn hand niet overspelen en een nieuw bevel tot huiszoeking riskeren.

'U was zeker vergeten dat u op print had gedrukt, hè? Dat overkomt mij voortdurend. Je begint aan iets anders en je vergeet dat je aan het printen bent.'

'Heel goed. U bent zeker rechercheur,' zei ik en we lachten beiden nietszeggend.

'Nee, maar dat wil ik ooit worden. Ik ben maar van het forensisch onderzoek, tweedejaars, maar je moet ergens beginnen.' Ze hield mijn papieren tegen een zwart naamplaatje waarop PATCHETT stond en knikte in de richting van de lege papierbak. 'Het ziet ernaaruit dat de printer geen papier meer heeft.'

'Natuurlijk. Dat overkomt mij altijd. Altijd als je iets snel nodig hebt, is het papier op.' Ik wilde niet printen terwijl zij stond toe te kijken, dus maakte ik geen aanstalten om de voorraad te vervangen. We stonden aan weerszijden van de laserprinter en negeerden de knipperende groene lichtjes.

'Hebt u daar ook niet de pest aan?' vroeg ze. 'Als mensen zien dat de papiervoorraad opraakt maar er niets aan doen?'

'Net als wanneer je wc-papier opraakt. Niemand wil de laatste zijn. Daar heb ik de pest aan.'

'Precies. Gaat u het papier nu niet bijvullen?'

'U weet wel, ik durf het niet te bekennen, maar ik heb geen idee hoe je papier bijvult.' Dat was een leugen, uiteraard. Ik kon dat apparaat repareren als het moest. 'De secretaresses doen het altijd voor me.'

'Ik geloof niet dat de secretaresses er al zijn, maar ik zal wel helpen. Ik weet hoe het moet.' Ze zocht naar de papiervoorraad, maar ik schoof naar links zodat ze de massa papier op de tafel niet zag.

'Ik kan wel wachten met de rest,' zei ik toen ik voetstappen achter me hoorde. Het was Grady, die me met een niet-begrijpende glimlach aankeek.

'Je verbaast me, Bennie. Het is gemakkelijker dan je denkt, papier vervangen. Kijk maar hoe ik het doe.'

'Nee, dat hoeft niet.'

'Alsjeblieft, het is geen moeite.' Grady greep naar het papier achter mij, vulde de bak bij en schoof hem terug met een metalen klik op zijn plaats. 'Druk op reset als je in de problemen komt.'

Ik had hem kunnen vermoorden. 'Het is zo fijn een seksist in je buurt te hebben.'

'Ik ben geen seksist, ik ben een heer.' Grady glimlachte beleefd naar de criminaliste. 'Ik zou u dit niet moeten vertellen, maar ze kan ook geen koffie zetten.'

Ha. Ha. 'Zo kan ie wel weer, Rhett. Mevrouw Patchett, ik

neem die papieren van u over.' Ik trok mijn pagina's uit de greep van de criminaliste terwijl de printer een volgende maand van Marks kalender uitspuugde. Ze keek toe hoe ik het weggraaide. 'Hartelijk dank voor uw hulp.'

'Tot uw dienst,' zei ze met getuite lippen. 'Dus zo ziet een instructie van een advocaat eruit? Als een kalender?'

'Ja, het is de appendix.'

'Instructie?' zei Grady, toen veranderde zijn gezicht omdat hij het doorhad. 'Heb je die instructie voor het Third Circuit bijna af, Bennie?'

'Helemaal klaar. Dit is de appendix, met de kalenders.' De printer spuugde nog meer pagina's uit, die ik onmiddellijk opraapte. 'Ik hoop dat u niets van mijn instructie hebt gelezen, mevrouw Patchett. Het bevat vertrouwelijke informatie van mijn cliënt en valt ook onder raadsman-cliëntimmuniteit.

'Uiteraard niet.' Ze glimlachte vals.

'Goed.' Ik glimlachte terug, net zo vals. Ik speculeerde hoeveel tijd het haar zou kosten een bevel tot huiszoeking te bemachtigen.

En vroeg me af of het zou gebeuren voor Marks bestanden voorgoed waren gewist.

'Voor wie heb je eigenlijk gegriffierd?' vroeg ik Grady, toen we veilig in mijn kantoor waren. 'Zeg dat het niet Thomas was.'

'Kennedy, en geen slecht woord over hem. Wat was dat allemaal? Je bent helemaal geen instructie aan het schrijven. Wat was je aan het printen?'

'Aantekeningen,' zei ik in een razendsnel besluit. Ik dacht aan de OU Wells op Marks kalender en besloot Grady niet in vertrouwen te nemen, tenminste niet tot ik zijn geheime ontmoetingen met Mark had uitgevogeld. 'En probeer de volgende keer eerst na te denken voor je een criminaliste in nood een handje helpt.'

'Wat voor aantekeningen?'

'Gewoon een paar zaken.' Ik raapte een rood dossier met geplooide rug op en liet de kopieën erin glijden, waarna ik het dossier in mijn aktentas achter het bureau gooide.

'Wat voor zaken?'

'Van die activisten voor dierenrechten, hùn zaak.' Ik verzon het ter plekke en te oordelen naar de uitdrukking op Grady's gezicht niet bijzonder geloofwaardig.

'Tweehonderd pagina's voor een activist voor dierenrechten? Wat is het, een manifest? Hij vouwde zijn armen over elkaar. 'Ik vraag het nog een keer. Wat was je aan het printen, Bennie?'

'Eerst moet je mij wat vertellen.'

'Moet alles een onderhandeling zijn?'

'Absoluut.' Ik besloot hem een kruisverhoor af te nemen, en naar zijn reactie te kijken. 'Grady, waar was jij de avond dat Mark vermoord werd?'

Zijn mond viel licht open, en sloot zich in een amicale glimlach die iets verborg. Gekwetstheid. 'Meen je dat?'

'Het spijt me. Ik moet het serieus nemen. Het stond niet op de kaart die je hebt gemaakt.'

'Ik had een afspraak,' zei hij kalm.

'Met wie?'

'Mijn ex-vriendin. We zien elkaar van tijd tot tijd.'

'Hoe laat was die afspraak?'

'Tien uur. Ik heb haar bij haar thuis opgehaald. Ze woont in Hopkinson House.'

'Hoe laat ben je van kantoor weggegaan?'

'Na de bibliotheek. Ik heb mijn spullen gepakt en ben vertrokken.' Zijn antwoorden waren glad en zelfverzekerd en hij maakte een weloverwogen hoewel gepikeerde indruk. Het klonk als de waarheid en zag er ook zo uit, dus misschien was het die ook. Maar toch.

'Wanneer ben je bij haar vertrokken?'

'Ik geloof niet dat je daar iets mee te maken hebt.'

'Ik denk van wel, als je een cliënt wilt behouden.'

Zijn mond verstrakte. 'Ongeveer zeven uur 's morgens, toen ben ik naar mijn appartement gegaan.'

'In Old City?'

Hij knikte. 'Ik ben vroeg gaan werken om wat in *Micro-MAXel* te ruimen, en toen was de politie er al. Toen het me duidelijk werd dat ze achter jou aan zaten, heb ik geprobeerd je te bereiken. Omdat ik wist dat je onschuldig was.'

Ik negeerde de beschuldiging in zijn stem. 'Grady, waar werkte je voor Mark aan?'

'Niets. Ik heb al twee jaar niets voor Mark gedaan. Niet na mijn eerste jaar hier.'

Hmmmmm. 'Waarom niet? Werkte je niet graag voor Mark?'

Grady's uitdrukking veranderde een heel klein beetje, zijn voorhoofd plooide zich in verwarring. 'Wat maakt het uit? De man is er niet meer, Bennie. Ik werk graag aan mijn eigen zaken, dat is alles.'

'Dat is niet alles. Waarom?'

'Oké, oké, je bent genadeloos.' Hij gleed op een stoel als een basketbalspeler die aan de kant moet gaan zitten. 'Ik vond Mark egoïstisch. Onvriendelijk. Hij had niet graag dat ik mijn eigen praktijk ontwikkelde, vooral niet met de softwarebedrijven. Dat vond hij bedreigend.'

'Hoe weet je dat? Heeft hij dat gezegd?'

'Nee, maar de boodschap was duidelijk. Mark voelde zich beter op zijn gemak met iemand die onder hem stond, zoals Eve. Hij wilde een permanente tweede plaats naast zich, geen eerste. Hij wilde absoluut geen gelijke.'

Ik had nog steeds een antwoord voor de OU Wells nodig. 'Heb je hem daarmee geconfronteerd? Hebben jullie het uitgevochten?'

'Gevochten? Hemel, nee. Ik heb al in eeuwen niet meer met Mark alleen gesproken. Dus, wil je me nu vertellen wat je aan het printen was? We hebben een overeenkomst.'

Grady loog. De kalender bewees het tegendeel.

'O, een privé-bestand,' zei ik zoekend naar een verklaring. Ik kon hem niet de waarheid vertellen, niet nu. Ik kon hem niet meer vertrouwen en hij was mijn advocaat.

'Een privé-bestand?'

'Liefdesbrieven, aan Mark. Van zeven jaar, in een geheim bestand. Ik wilde ze niet meer in de computer,' zei ik quasi nerveus, wat me makkelijk afging. Had Grady werkelijk Mark vermoord? Vertegenwoordigde hij mij om mij erin te luizen? Buiten in de gang klonken stemmen en rumoer. Mijn huis, vol vijanden van me. Nu Grady. Ik voelde me paranoïde, niet op mijn gemak.

'De criminaliste zei dat het een kalender was.'

'Ze heeft mijn dagboek gezien. Dat heb ik ook geprint, omdat ik er aantekeningen in maak. Ik wilde het privé houden, omdat de politie mijn eigen computer mee heeft genomen.'

Zijn voorhoofd ontspande zich en hij scheen tevredengesteld. 'Heb je de bestanden van de harde schijf gewist?'

'Ja.' Ik herinnerde me dat Grady een computergenie was. Wist hij hoe je gewiste bestanden kon terugvinden, zelfs in de back-up? 'Zou de politie gewiste bestanden kunnen terughalen, als ze op tijd bij de computers waren?'

'Als ze een hacker in dienst hebben.'

'Hoe goed zou die hacker moeten zijn? Zo goed als jij?'

'Zo goed als Marshall.' Hij fronste zijn voorhoofd. 'Ze is vertrokken, weet je dat?'

'Vertrokken?'

'Dat kwam ik je vertellen. Ik ging naar haar toe om haar naar haar alibi te vragen, maar ze was er niet. Ik belde naar haar huis en een van haar huisgenoten zei dat ze gisteravond niet thuis is gekomen. Ze is verdwenen.'

16

Tegen een uur of tien waagde ik me uit mijn kantoor om te zien of Marshall was opgedoken. Ik had haar gebeld en boodschappen ingesproken, maar er nam niemand op. Ik wist niet wat ik moest denken van haar verdwijning, zo snel na de moord op Mark. Ze zat in de problemen of ze was ervandoor. Een kwestie waarin niet te winnen viel. Kon ze iets met de moord op Mark te maken hebben? Wist de politie dat ze verdwenen was? Het leek onvoorstelbaar dat ze de moordenaar was en ik was niet van plan haar erin te luizen om mijzelf vrij te krijgen.

Ik hoopte dat een van de associés wist waar ze was. Ik liep door de gang van de eerste verdieping, vermeed de blik van een andere criminalist en klopte op Renee Butlers deur. 'Renee? Ben je daar? Ik ben het, Bennie.'

Even later ging de deur open en daar stond Renee, in een wijde spijkerbroek en een grijs sweatshirt, me op te nemen met een koele blik. 'Wat is er?'

'Weet jij waar Marshall is? Ik heb haar gebeld, maar er neemt niemand op.'

'Nee,' zei ze. Ze draaide zich zonder een woord te zeggen om, liep terug naar haar bureau, en ging zitten. Ik zag met ontzetting dat het kantoor bijna volledig was ontruimd. Op de vloer stonden kartonnen dozen opgestapeld en dossiers en boeken waren in draagtassen gepakt.

'Ik denk dat we moeten praten, vind je niet?' Ik gebaarde naar de stoel tegenover haar bureau, maar ze schudde haar hoofd.

'Nee, ik heb je niets te zeggen. *Latorno* is bijna af, ik trek de citaten nog een keer na. Het ligt morgen op je bureau. Samen met mijn ontslagbrief. Vandaag ben ik hier voor het laatst.'

'Vandaag?' Ik ging toch zitten in wat er van haar kantoormeubilair over was. Alleen haar altaar voor Denzel Washington stond er nog, in de hoek: een poster van de donkerogige ster in een shirtje, met knipsels uit fanbladen ernaast. Ik was aanvankelijk tegen de uitstalling geweest, maar Renees cliënten, veel slachtoffers van geweld binnen het gezin, vonden het prachtig en hadden behoefte aan luchthartigheid. Ik ook op het ogenblik. 'Weet je zeker dat je weg wilt, Renee?'

'Ja.'

'Wat ga je doen?'

'Voor mezelf werken. Ik begin van huis uit, over een week of twee. Er is genoeg ruimte en Eve vindt het oké.' Ze streek over haar stijve haarknotje dat haar hartvormige gezicht accentueerde. Renee was knap, haar huid was even diepbruin als haar ogen, en ik had het nooit lelijk gevonden dat ze te dik was.

'Waarom blijf je niet? Ik doe mijn best het kantoor draaiend te houden. We kunnen je goed gebruiken.' Dat was waar. Ze was een van de slimste advocaten bij R&B, waar ze een intuïtieve intelligentie tentoonspreidde ondanks een jeugd in de volkswijken en onderwijs op openbare scholen.

'Het kan me niet schelen of er wel of geen kantoor is, ik wil niet met je werken. Ik weet dat je Mark hebt vermoord.'

Dat kwam hard aan. 'Dat is niet waar. Waarom denk je dat ik hem vermoord heb?'

Ze leunde naar voren, haar blikken vol walging. 'Jij moest toezien dat Mark bij je wegging en R&B meenam. Je hield van hem en van het kantoor, en je zag het je allebei ontglippen. Daar moest je een eind aan maken. En je bent groot en sterk genoeg om ertoe in staat te zijn en je hebt geen fatsoenlijke verklaring voor waar je op dat moment was.'

'Dat zijn allemaal indirecte aanwijzingen. Niets van dat al bewijst iets. De politie heeft me niet eens in staat van beschuldiging gesteld.'

'Het maakt me niet uit of ze dat wel of niet doen. Ik weet dat jij het gedaan hebt. Ik weet hoe kwaad je van binnen bent.'

'Wat moet dat betekenen?'

Ze schoof weer naar achter in haar stoel. 'Wat maakt het uit? Ik had met mezelf afgesproken het er niet met je over te hebben, en dat doe ik ook niet. Onze connectie bestaat niet langer. Ik heb die boeken die je me geleend had teruggebracht. Ik heb de politie verteld wat ik wist.'

'Wat heb je ze verteld? Wat weet jij? Er valt niets te weten!'

'Ik heb ze verteld over die dag dat we trappen in Franklin Field op en af renden,' zei ze, met een overtuiging in haar stem die me woedend maakte.

'Welke dag? Wat deed ik dan?'

'Het ging om wat je zei.'

'Wat ik *zei?* Probeer je me te laten hangen om iets wat ik gezegd heb? Ik heb je aangenomen, op weg geholpen en nu wil je me laten hangen? Weet je niet dat je met mijn leven speelt?'

Ik stond op en zij ook.

'Ik hoef niet voor je te liegen omdat je me toevallig een baan hebt gegeven!'

'Hoezo, liegen? Waar heb je het over?'

'Mijn kantoor uit! Ik heb geen behoefte aan je geschreeuw.'

Ik moest bijna lachen, maar het was te pijnlijk. 'Nee, Renee, ik ben nog altijd de eigenaar van dit kantoor. *Jij* kunt vertrekken. Leg je papieren op mijn bureau. Over een uur ben je weg.'

Ik liep haar kantoor uit, beende de gang door en ging mijn kantoor in en sloeg de deur dicht. Ik stond even te trillen. Wat had Renee de politie verteld? Waar had ze het over? Ik kon me alleen herinneren dat ik haar een keer had meegenomen om hard te lopen. Ze was aan een nieuw dieet begonnen en had mij om hulp gevraagd. Wat was er in Franklin Field gebeurd? Ik moest het weten.

Ik haalde diep adem. Er was maar één mogelijkheid om erachter te komen. Nalopen waar ik geweest was. Gaan hardlopen. Ik moest mijn stress de baas worden. Mijn hoofd stond op barsten en ik had geen lichaamsbeweging genomen sinds de ellende begonnen was. Goed zo. Ik trok het korte broekje en het haltertopje aan dat ik in mijn kantoor had liggen, stopte een tiendollar-biljet en mijn sleutels in mijn broekzakje en verliet het pand via de achterkant, de verslaggevers die de achterdeur ontdekt hadden, negerend.

'Commentaar, mevrouw Rosato?' 'Hebt u het gedaan?' 'Hoe zit het met het testament?' 'Gaat u hardlopen?' 'Mevrouw Rosato, mevrouw Rosato, alstublieft!' Ik sprintte weg met achterlating van de verslaggevers en ik zag hem pas toen ik de hoek omsloeg.

Rechercheur Azzic. Hij zat te roken in een donkerblauwe auto die op Twenty-second Street geparkeerd stond. Hij was nauwelijks verborgen, dus moest hij gewild hebben dat ik wist dat hij me in de gaten hield. Hij verwachtte dat ik bang zou worden.

Daarentegen nam ik een sprint langs de rij geparkeerde auto's tot ik bij de Crown Vic zonder nummerplaat was.

'Hé, kanjer,' zei ik terwijl ik mijn hoofd door zijn open raampje stak, 'wat is je sterrenbeeld?'

'Leo de Leeuw.' Hij drukte zijn Merit uit in een overvolle asbak, met vertrokken mond. 'Als ik mijn tanden ergens inzet, laat ik niet meer los.'

'Klinkt sexy. En, hoe laat hou je op?'

Zijn ogen staarden keihard door de resterende rook heen. 'Vind je het grappig, Rosato?'

'Nee, ik vind het lastigvallen, Azzic. Heb je niets beters te doen? Verdachten in elkaar slaan? Smeergeld aannemen?'

'Ik doe wat routinesurveillance. Mocht je de behoefte voelen naar het bureau te komen om met me te praten, is dat te allen tijde mogelijk.'

'Is dat een invitatie? Wordt het een feestje van hoge pieten? En heb je dan die maffe stropdas om?' Ik wees naar zijn paisley Countess Mara.

'Als jij praat, zal ik luisteren. Laat het wonderkind thuis, ik denk dat je het best zelf aankunt. Het verbaasde me dat je bevelen accepteerde, zo'n topadvocaat als jij.'

Ik glimlachte. 'Je probeert mijn Ierse temperament uit te dagen, rechercheur, maar ik ben niet Iers. Geloof ik.'

Zijn brede schouder boog voorover toen hij de enorme achtcilindermotor van de auto startte. 'Weet je, ik heb me altijd afgevraagd waarom advocaten als jij doen wat ze doen. Nu kan het me gewoon niet schelen.'

'Smerissen als jij houden mij aan het werk.'

'O, doen *wij* dat?' Hij snoof verachtelijk. 'Niet de moordenaars, de verkrachters, de griezels wier geld je aanneemt.'

'Bedoel je mijn cliënten? Die hebben rechten, net als jij. Het recht op een eerlijk politiekorps. Het recht op een eerlijk proces. Ik heb het nog nooit zo goed begrepen als nu.'

Hij liet de schorre motor draaien. 'Weet je wat jouw probleem is, Rosato? Voor jou bestaat er geen goed en kwaad. We krijgen geen bekentenis door jou, we krijgen geen veroordeling wegens jou. Jij komt op tv, in de kranten en je verklaart alles van tafel. Ik, ik was priester voor ik bij de politie ging.'

'Ik was serveerster voor ik advocaat werd. Nou en?'

'Ik ken het verschil tussen goed en kwaad.'

'Ik snap het, dit is de wet van God die je mij oplegt. Je hebt persoonlijk contact met de opperrechter. Hij heeft jou gekozen, uit alle absurde stropdassen.'

Azzic schudde zijn hoofd. 'Jij gelooft niet in God, hè, Rosato?'

'Dat is nogal persoonlijk,' zei ik, om hem te ergeren, maar het antwoord was nee. Ik hield op te geloven toen ik besefte dat mijn moeder in een nachtmerrie leefde, iedere dag van haar leven. Met spoken in haar hoofd en doodsbang, iedere seconde van haar leven.

'Oké, geef geen antwoord, kan me geen reet schelen. Zo staan de zaken ervoor. Ik heb twintig andere zaken liggen, maar deze gaat voor.'

'Komt het door mijn parfum?'

'Laat ik je iets zeggen, grapjas. Het landelijke aantal opgeloste moordzaken is ongeveer vijfenzestig procent. Mijn team doet vijfenzeventig procent. Ikzelf doe het nog beter. Weet je wat dat inhoudt?

'Dat je een zeven gemiddeld had? Daarmee kun je nooit rechten studeren, vriend.'

'Het betekent dat ik je achterna zit, waar je maar bent, tot de dag dat ik je achter de tralies zet.'

'O ja? Zie dan maar dat je me te pakken krijgt, rechercheur.' Ik trok mijn hoofd uit het raampje terug en rende weg.

De motor raasde toen Azzic van het trottoir wegreed, maar ik schoot de weg over en ging er in tegengestelde richting vandoor. Na twee straten, op de hoek van Spruce- en Pine Street, had ik de plaatselijke dienstklopper achter me gelaten en was ik ontsnapt.

'Een, twee, drie, inademen. Een, twee, drie, inademen.

Franklin Field omvat een voetbalstadion en een renbaan aan de oostkant van Penn's campus, omgeven door open tribunes en een muur van rode baksteen. Ik had de trappen één keer per week op- en afgerend, om mijn longinhoud te vergroten en kracht op te bouwen om te roeien. Het elektronisch scorebord was deze tijd van het jaar donker en het stekelige kunstgras leeg, maar de trappen waren open voor iedereen die gek genoeg was om ze op- en af te rennen.

Een, twee, drie, inademen. Ik zwoegde van tribune naar tribune, van bank naar bank. Recht omhoog in een gradiënt van vijftig graden. We noemden het de trappen op- en afrennen, maar dat zou gemakkelijk zijn geweest vergeleken bij de banken op- en afrennen, die verder uit elkaar lagen. Ik begon te zweten in de vochtige, heiige middag. Hou je knieën hoog. Een, twee, drie, inademen.

Bovenaan stonden oude houten banken die grijs verweerd en gebutst waren. Hier en daar was een nieuw stuk triplex ingezet en zware bouten, zwart van ouderdom en aanslag, vielen uit de toon door het nieuwe hout. Ik speelde een spelletje terwijl ik over het middenpad tussen de banken rende, over de bouten heen, en mijn gedachten de vrije loop liet. Het was de enige manier om het in mijn herinnering terug te brengen. En dat was nodig.

Een, twee, drie, inademen. Land op de bal van je voeten. Ik rende naar boven, met dreunende stappen, en bereikte de duizelingwekkende hoogten van het stadion. Ik sprong uit de zon naar het hoogste plankier onder de geverfde ijzeren balken die het bovenste deel van het stadion ondersteunden. Het was winderig hier, donker en koel. Toch, naar boven, verder en verder. Zweet stroomde over mijn voorhoofd. Ik had die dag hard gerend met Renee, zoals nu. Ik probeerde het in gedachten te reconstrueren.

De zon is heet voor de tijd van het jaar. Renee draagt een donkerblauwe korte broek en een T-shirt dat te dik is. Ze zweet, haar borst gaat op en neer, en een zilveren ketting met een sleutel danst om haar nek onder het rennen.

Ik had de bovenste bank bereikt en pauseerde een ogenblik hijgend, toen draaide ik me om en rende naar beneden. Een, twee, drie, naar beneden. Moeilijker dan het leek, naar beneden gaan, proberen je evenwicht niet te verliezen, op vijfentwintig meter hoogte, met een hoofd duizelig van inspanning. De geribbelde zool van mijn sportschoenen zette zich stevig op het hout van de banken en ik veerde verder en verder naar beneden, van de ene naar de volgende springend.

Een, twee, drie, inademen. De onderste vijftien banken waren van schreeuwerig rood en blauw plastic, en daar ging ik recht opaf, langs de houten banken, naar beneden, langs het plastic. Toen ik de grond bereikt had hijgde ik net lang genoeg om me om te draaien en weer opnieuw naar boven te gaan, een Ivy League Sisyfus.

Een, twee, drie, inademen. Ik ademde hoorbaar. Probeerde mijn evenwicht te bewaren. Probeerde me te herinneren. Renee, zo'n vijftien kilo te zwaar, kan me niet bijhouden. Ze stopt en rust uit, hijgend en puffend onder de balken boven in het stadion. Het is er fris, koel als onder de promenade. Het voelt ook privé, bijna geheim. Ze staat stil om op adem te komen en ik houd haar gezelschap. We beginnen te praten.

Ik snelde de rood met blauwe banken op en bereikte de houten. Er stonden nummers opgeverfd, wit gesjabloneerd; 2, 4, 6, 8. Ik zag ze toen in een waas, net als nu.

Renees conversatie verandert van onderwerp: van werk, kleren, naar mannen. *Ik had een vriend*, zegt ze. *Maar hij heeft me laten zitten.*

Ik rende de trappen op, langs de witte vlek van nummers, met de zon prikkend op mijn rug en schouders. Een, twee, drie. Inademen, kind. Er waren in totaal eenendertig banken. Of dertig. Ik probeerde ze te tellen maar iedere keer was het een ander getal. Mijn gesprek met Renee kwam in stukjes en beetjes terug, als de doordringende ruis van een radiosignaal.

Komt me bekend voor, zeg ik tegen haar. Onze blikken ontmoeten elkaar en we weten allebei dat ik het over Mark heb.

Hij zei dat ik kon vertrekken, zomaar, midden in een sneeuwstorm. En we zouden samen een huis kopen. We zitten in de koele schaduw onder de balken met onze rug tegen de korrelige bakstenen muur. *Niet dat ik zo gekwetst was, eigenlijk, ik was vooral kwaad. Verdomme, wat was ik kwaad.*

Ik ook, zeg ik terwijl ik aan Mark denk.

Herinner je. Denk. Ik was bovenaan gekomen en stond in de schaduw, met op- en neergaande borst en bonzend hart. De wind wervelde om me heen. Mijn spieren tintelden, mijn aderen waren gezwollen van bloed. Ik voelde me sterk, goed. Ik wilde me herinneren, ik was het aan mezelf verplicht. Ik hief mijn armen de lucht in, en strekte mijn vingers naar de blauwe lucht. De herinnering oproepend, met mijn armen naar het topje van de wereld gestrekt.

Ik hoopte dat hij dood zou gaan, in een auto-ongeluk, zegt ze tegen me, met een ondeugend lachje. *Ik las iedere dag de overlijdensadvertenties en bad dat hij erin zou staan.*

Echt?

En elke keer als ik zag dat een jonger iemand dan hij was gestorven, dacht ik, verdomme. Dat was mijn kans. Ze knipt met haar vingers.

Je had hem gewoon moeten vermoorden, zeg ik. Dat zou ik doen. Waarom zou je het aan het toeval overlaten? We lachen allebei hartelijk omdat we allebei weten dat ik een geintje maak.

Maar zo zal het niet klinken als het naverteld wordt. Aan Azzic. Of voor de jury.

17

Marshalls rijtjeshuis stond in een opgeknapte wijk van West-Philadelphia, niet ver van Franklin Field, met een opzichtige veranda, in drie verschillende Cape May-kleuren. Ik klopte in mijn vochtige haltertop en korte broek op de groengeverfde voordeur tot er eindelijk werd opengedaan. Belletjes aan de binnenkant van de deurknop maakten een rinkelend geluid.

'Wat moet u?' zei de vrouw die opendeed. Ze was een langharig verwaarloosd kind in een lange, doorzichtige rok, die blijkbaar met Marshall haar politieke overtuiging gemeen had, maar niet haar zachte aard.

'U bent zeker een van Marshalls huisgenoten. Ik ben...'

'Ik heb u op het nieuws gezen. U bent Marshalls baas.'

'Ja. Ze is vandaag niet op haar werk geweest.'

'Dat weet ik.'

'Ik zou haar graag willen spreken.'

'Ze is er niet.'

'Waar is ze dan?'

Haar enige antwoord was een schouderophalen, met uitstekende schouderbladen in het tie-dye T-shirt.

'Wat betekent dat? Weet je het niet of zeg je het niet?'

'Wat wilt u?'

'Ik wil dat je een boodschap aan Marshall voor me doorgeeft, het is belangrijk. Zeg haar dat ik het niet heb gedaan. En zeg haar dat ik hoop zij ook niet.'

Ze sloeg de deur voor mijn neus dicht en de belletjes rinkelden luid.

Ik jogde terug naar het kantoor over de South Street Bridge en rende de stad in op een tijdstip waarop iedereen wegging. Verkeer kroop in de richting van de Schuylkill Expressway. De zon stond laag, een oranje brandbol achter mijn linkerschouder. Automobilisten deden hun zonnekleppen naar beneden als ze de top van de brug bereikten.

Ik ademde regelmatig en dacht aan Renee en Marshall. Aan Renee kon ik niets doen, en jammer genoeg evenmin aan Marshall. Ze was kennelijk niet in gevaar, te oordelen naar de reactie van haar huisgenoot. Daardoor bleef er nog een mogelijkheid over. Had Marshall iets te maken met Marks moord? Ze was de enige op kantoor die het computersysteem tot in details kon bespelen. Misschien had ze Marks geheime bestanden ontdekt. Of waren er andere cybergeheimen waar ik het bestaan niet van kende?

Ik nam lange soepele passen naar Lombard Street, tegen het verkeer in, en rende met dreunende passen Twenty-second Street in langs de Griekse pizzeria, een videowinkel en de chiquere herenhuizen. Ik vertraagde mijn tempo tot wandelpas toen ik in de buurt van kantoor kwam, vanwege de commotie.

De straat stond vol patrouillewagens, met flitsende rood-wit-blauwe lichten als stille waarschuwing. Afzettingen van de politie hadden de straat voor verkeer afgesloten en agenten bliezen op fluitjes om de automobilisten te laten doorrijden. Ik voelde me alert, gespannen. Er ontstond een oploop en ik bleef aan de buitenkant staan, naast een oude vrouw die met vlezige armen over hangborsten gevouwen stond te kijken.

'Wat is er aan de hand?' vroeg ik. 'Een ongeluk?'

'Ik weet het niet precies,' antwoordde ze terwijl ze me door dikke Woolworth's-brillenglazen aanstaarde. Haar sterk vergrote ogen hadden een gestoorde uitdrukking. Naast haar aan een lijn stond een witte straathond vol klitten met blauwige staar in zijn ogen.

'Leuke hond,' zei ik. Ik hou van alle honden, zelfs lelijke.

'Buster heet-ie. Hij is blind.'

'Blind? Bijt hij?'

'Nee.'

Ik boog voorover om de hond over zijn kop te aaien, maar hij viel naar me uit met de twee tanden die hij nog bezat. 'Hé! U zei toch dat hij niet beet?'

'Hij hapt, maar hij bijt niet.'

Soms haat ik de stad.

'De politie zoekt iemand,' zei ze.

'Wie dan?'

'Weet ik niet. Ik heb het zelf net gehoord. Het ging om drugs. Dat zat er achter die bomaanslag.'

'Welke bomaanslag?'

'Die man. Ze hebben hem koud gemaakt.' Ze duwde haar bril omhoog. 'Een bom in z'n auto, vanwege AIDS.'

'*Wat*?'

'AIDS. Het was op het nieuws.'

'Wanneer?' Was het de president-directeur van Furstmann? Was dat mogelijk? Hoe?

'Ze zoeken de vrouw die het heeft gedaan. Dat heb ik gehoord.'

'Welke vrouw?' Eileen? De politie had haar adres al.

'Een terroriste heeft het gedaan. Werkt hier in de buurt, vlak in het centrum. Een vrouwelijke advocaat. Ze gaan haar arresteren.'

Ik had moeite met slikken. Vrouwelijke advocaat. Woont en werkt in Philly. Dat moest ik zijn. Wat was er aan de hand? Ik voelde me aangeslagen. Ik draaide me om en haastte me weg van de politieauto's, mijn voeten droegen me bijna automatisch vooruit. Waar ging ik heen? Ik wist het niet eens. Weg. De stad uit, ver weg van de politie.

Ik begon te joggen en toen nerveus te sprinten. Mijn hart

bonsde, mijn polsslag raasde. Het was geen lichaamsbeweging meer, het was een vlucht. Ik ontvluchtte de stad, het zakendistrict uit. De schemering viel terwijl ik rende, maar ik stopte pas toen ik geen surveillancewagens meer tegenkwam en buiten adem was. Ik dook hijgend een telefooncel vol graffiti met een kapotte lamp in. Ik sloeg de deur dicht en toetste met onhandige vingers het nummer van mijn creditcard in.

'Wells,' zei hij toen hij opnam.

'Grady, wat is er gaande?' Het zou goed geweest zijn om zijn stem te horen, als ik hem ook maar enigszins had vertrouwd.

'Bennie! Bennie, waar zit je?' Zijn stem had een dringende klank. 'De politie zoekt je. Ze hebben een schaar in je appartement gevonden, met bloed erop. Ze hebben het onderzocht en het is van Mark. Ze zeggen dat het het moordwapen is, Bennie. Ik heb het arrestatiebevel hier voor me liggen.'

'*Wat?*'

'Wacht, het wordt nog erger. Ze willen je ondervragen over een andere moord, de president-directeur van Furstmann Dunn.'

'O god. Is hij echt vermoord?'

'Een autobom, op de oprit van zijn huis. De politie weet dat je pasgeleden een afspraak had met die dierenrechtenactivisten. Hoe weten ze dat?'

Mijn hersenen draaiden op volle toeren. Azzic moest me zijn gevolgd, tenzij Grady loog en hij het hun had verteld.

'Bennie, ben je er nog? Gaat het wel met je? Ze denken dat je ook met zijn moord te maken hebt. Azzic heeft Eileen opgepakt naar aanleiding van jouw tip en nu is ze getuige voor de staat. Ze heeft de politie verteld dat jij de bomaanslag hebt beraamd en haar vervolgens erin hebt geluisd.'

'Dat is belachelijk.'

'Ze hebben haar bekentenis, waardoor jij verdacht wordt. Haar vriend Kleeb is op de vlucht. Azzic is op het moment beneden. Ze willen dat je je aangeeft.'

'Maar ik heb het niet gedaan. Ik heb niets ervan gedaan!' Het was absurd en het werd alleen maar absurder.

'Dan moet je niet hier komen en verder niets meer zeggen. Ze traceren waarschijnlijk de inkomende telefoongesprekken, misschien luisteren ze wel af.'

Ik dacht snel na. 'Ga naar mijn kantoor en pak mijn aktentas. Ontmoet me om middernacht op mijn meest favoriete plek in de wereld. Zorg dat je niet gevolgd wordt. Gesnapt?'

'Gesnapt.'

Ik hing op terwijl ik me afvroeg of het wijs was wat ik net had gedaan. Ik had mezelf overgeleverd aan iemand die ik alle reden had te wantrouwen, maar ik had geen keus. Zou Grady kunnen uitvissen wat ik bedoelde? Kon de politie het gesprek traceren? Wat was er aan de hand? Waar was ik trouwens? De lantaarns waren kapot, het was donker op de hoek van de straat. Buiten de telefooncel stond een verwaarloosd winkelpand, met board over de ramen genageld en vol graffiti. Ik probeerde een straatnaam te ontdekken, maar de borden waren meegenomen om als oud ijzer te dienen.

Ik had geen idee wat ik moest doen. Ik zakte tegen de muur van de telefooncel, naast een scheur die over de hele lengte van de plastic vensterruit liep. Ik voelde me terneergeslagen, leeg. De president-directeur was dood omdat ik me door Eileen voor de gek had laten houden. Nu luisde ze mij erin en iemand anders was daar ook mee bezig. Ik vroeg me af of de politie genoeg bewijs tegen me had om me aan te klagen wegens dubbele moord. Ik had geen alibi voor de president-directeur, ik was op dat tijdstip aan het rennen geweest. Ze zouden ongetwijfeld de doodstraf eisen.

Ik zonk op de zanderige vloer van de cel en trok mijn knieën tegen mijn borst. Ik was halfnaakt en koud. Ik was de hoofdverdachte van twee moorden die ik niet had begaan en iemand had een moordwapen in mijn flat gelegd. Mijn advocaat, de enige schakel die ik met de buitenwereld had, was een man die ik nauwelijks vertrouwde. Alles stortte in en ik was niet sterk genoeg om er iets aan te doen. Voor het eerst in mijn leven voelde ik me hulpeloos.

Volslagen hulpeloos.

18

Ik keek angstig uit naar patrouillewagens, maar die waren er niet behalve de ene die Kelly Drive op en neer reed, de slingerweg langs de oostelijke oever van de Schuylkill. Misschien had de politie geen afluisterapparatuur, niet genoeg bewijs of tijd, of misschien waren ze te stom om uit te vissen wat mijn favoriete plek op de wereld was. Of misschien stonden ze me op te wachten en hielden ze me vanaf een verborgen locatie in de gaten. Ik tuurde de rivieroever af met een naar gevoel in mijn maag.

Het was een frisse avond aan de rivier en de wind uit de richting van het water droeg een mistige kou met zich mee. Ik rilde onder een struik in de Azalea Garden, waar ik deed of ik een hardloper was die uit zat te rusten. Het was niet ver bezijden de waarheid en het was de perfecte camouflage, aangezien de asfaltpaden langs de rivier zelfs 's avonds hardlopers aantrokken.

Ik keek op mijn horloge: halftwaalf. Tijd om te vertrekken. Ik pakte mijn papieren zakje en stond langzaam op, omdat mijn knieën zwak en stijf aanvoelden. Ik keek rond of ik een surveillancewagen zag, maar de kust was veilig.

Ik jogde met lichte pas over verfrommelde papieren bekers die op het pad naar Boathouse Row lagen, de slonzige nasleep van een race van viereneenhalve kilometer. Er stond een rij van zo'n twintig helder gekleurde botenhuizen en dat van Penn was in het midden. Ik kwam aan bij de rode deur, verzekerde me ervan dat niemand me zag en toetste de cijfercombinatie in waar de deur mee openging. Ik glipte naar binnen en sloot de deur achter me.

De entree van het botenhuis was ruim, onverlicht en leeg. Er waren twee grote ramen aan de straatkant, dus riskeerde ik het niet een licht aan te doen. Dat was ook niet nodig, ik kende de omgeving uit mijn hoofd. Aan de muren hingen foto's van roeiers en naast de deur stond een oude groenleren bank. Links van de entree was een enorme kamer waar de boten van de mannen lagen; rechts was de aanbouw van de vrouwen, die later was gebouwd.

Ik plofte neer op de bank en ademde de bekende geuren in van smeer, geboend hout en menselijk zweet. Ik was veilig, tijdelijk. Het was mijn liefste plek op aarde. Ik leunde met mijn hoofd achterover. Op de muur achter me hing een foto van mij op de universiteit in een van de eerste vrouwelijke bemanningen: een jonge, sterke, zonnige blondine, staande naast een roeispaan met een rood en blauw geverfd blad. Ik wist zonder naar de foto te kijken dat ik er toen een stuk beter uitzag dan nu. Ik speurde met mijn ogen de andere foto's af in het vage licht van het raam. Vervaagde foto's van achtriemsboten met mannen en vrouwen tijdens verscheidene roeiwedstrijden. De teams hielden hun trofeeën omhoog of gooiden hun stuurlui het water in. Het was een roeitraditie, net als je T-shirt aan de winnaars afstaan, een aanschouwelijke les in publieke vernedering. Nu ik niet alleen mijn T-shirt, maar vrijwel alles kwijt was, voelde ik het vrij scherp.

Ik werd gezocht voor dubbele moord. Het zou in alle nieuwsuitzendingen zijn. Wat zou Hattie denken, en hoe zou het met mijn moeder zijn? Wat zou er met hen gebeuren als ik naar de gevangenis ging, of erger nog? Ik stond mezelf nog tien minuten zelfmedelijden toe, toen ging ik naar boven met mijn papieren zak om mijn leven te redden.

'Bennie, ben jij het?' vroeg Grady.

Ik greep hem bij de mouw van zijn jasje, trok hem het botenhuis in en trok de deur achter hem dicht. 'Natuurlijk ben ik het.'

'Maar je haar, dat is kort.'

'Kinlengte.' Ik had het met een schaar van de werkplaats in het botenhuis afgeknipt.

'Wat is er met de kleur gebeurd? Ik zie niks, het is hier zo donker. Is het zwart?'

'Nee, rood. Fel-koperkleurig-vermomd-rood.' Ik streek een hand door mijn vochtige, nieuwgekleurde lokken. Met mijn verfbehandeling, hete douche en schone kleren voelde ik me beter, meer beheerst. 'Het is L'Oréal, acht dollar bij je plaatselijke drogist. Omdat ik het waard ben.'

'Is rood niet wat opzichtig voor een vermomming?'

'Ik ben een meter vijfentachtig, Grady. Ik ben opvallend geboren. Bovendien zou het me twee flessen hebben gekost om blond zwart te maken, en dat ben ik niet waard. En, heb je mijn aktentas meegenomen?'

'Hier.' Hij gaf hem aan mij. 'Waar heb je dat pak vandaan? Is het geel? Is dat niet wat fel?'

'Wat ben je, de modepolitie? Het is alles wat ik in mijn kluis had.' Ik ritste mijn aktentas open en tuurde naar binnen. Marks computerkalenders, Bill Kleebs dossier en een zaktelefoon. Ik ritste hem dicht, te achterdochtig om me dankbaar tegenover Grady te voelen. Iemand wilde me voor Marks moord laten opdraaien, misschien was het Grady. 'Je moet weg, alsjeblieft.'

'Ik wil helpen.'

'Ik heb geen hulp nodig.'

'Waarom doe je zo vreemd? Wist je dat de president-directeur vermoord was?'

Ik deed een stap naar achter bij die beschuldiging. 'Natuurlijk niet. Heb jij de politie verteld dat ik die avond een ontmoeting met mijn cliënten had?'

'Nee. Azzic heeft me ondervraagd maar ik heb het op de vertrouwelijkheid tussen advocaat en cliënt gegooid en ze hebben me laten gaan.'

Hmmm. 'Ik ben er niet blij mee. Ik veronderstelde dat ze je het vuur aan de schenen zouden leggen.'

'Ik ook. Ik dacht dat ze me lieten gaan om te kijken of ik ze naar jou zou brengen.'

Ik verstijfde. 'En is dat zo?'

'Nee. Nee. Als ze me al volgden, heb ik ze van me afgeschud. Ik heb een plan met mijn neef uitgewerkt. Hij is naar mij gekomen, heeft mijn motor opgepikt en is ermee naar New Jersey gereden. Je kunt ons niet uit elkaar houden met een helm op. Als ze hem gevolgd zijn, zijn ze nu in Marlton.'

Slim, als het waar was. 'Goed. Bedankt. Wil je dan nu gaan?'

'Waarom wil je me weg hebben? Ik ben je advocaat. Laat me je advocaat zijn.'

'Dit is geen advocaat zijn, dit is helpen en bijstaan na de misdaad. Je kunt beter niet nog meer betrokken raken.'

Hij keek over mijn schouder. 'Wat is hierbinnen, trouwens?'

'Boten, Harvard.'

Hij liep langs me en verdween in de mannenhelft van het botenhuis. Het was een enorm vertrek, lang genoeg om twee rijen achtriemers te herbergen, op rekken. Maanlicht scheen bleek door de ramen in de garagedeuren en glinsterde op het vernis van de fiberglazen skiffs. Grady's witte overhemd pikte het licht op als hij bewoog, maar ik kon niet zien wat hij deed.

Ik stond aan de drempel vastgenageld, te nerveus om hem te volgen. Niemand wist dat we daar waren. Hij kon me vermoorden zonder dat iemand het zou weten. Ik had een schroevendraaier uit de werkplaats in mijn tailleband op mijn rug gestoken, maar ik keek er niet naar uit mezelf daarmee te beschermen. 'Ik wil dat je weggaat, Grady,' riep ik, in de hoop dat mijn stem niet verried hoe opgejaagd ik me voelde. 'Je bent indirect medeplichtig.'

'Dit is geweldig,' zei hij vanuit de schaduw. Mijn ogen raakten aan de duisternis gewend en ik zag zijn lange omtrek naast de achtriemers. Hij ging met zijn vingertoppen over de sjablonering op een van de gladde boten. 'De boten hebben namen.'

'Ja, dit is Amerika. Nou, de show is afgelopen. Tijd om weg te gaan.'

'Wees niet zo paniekerig, wil je? Er is geen politie buiten, dat heb ik gecheckt. Moet je hier kijken. Hierop staat *Paul Madeira* en hier is er nog een, *Ernest Ballard IV*. Wie zijn dat?'

'Rijke blanken. Moet je niet weg?'

'Ik ben nog nooit in een botenhuis geweest. Waarom laat je het me niet zien? Roeien is belangrijk voor je, ik zou er graag meer van weten.'

'Er valt niets anders te zien dan boten, Grady. Ze zijn bruin, ze drijven op het water. Boten in overvloed. Niets aan te zien. Tijd om te gaan.'

'Leid me rond anders vertel ik je niet welke verrassing ik voor je heb meegenomen.' Hij liep naar me toe, maar ik liep achteruit naar de entree, en bleef op afstand.

'Verrassing? Ik wil geen verrassingen meer. Ik haat verrassingen.'

'Dan kijk ik zelf wel rond. Hemel.' Hij liep langs me heen de gang over naar het vrouwengedeelte aan de andere kant. 'Wat is hierbinnen?' riep hij. 'Nog meer boten?'

'Meisjesboten.'

'Zijn die roze?'

'Ze zijn lichter. Daag.'

'Wat kun je toch grof zijn. Gaan meisjesboten net zo snel als jongensboten?'

'Als het juiste meisje roeit.'

'Ben jij het juiste meisje?'

'Ben jij niet aan het vertrekken?' Ik tastte naar de schroevendraaier, maar hij draaide zich snel om en had me bijna vast.

'Raad dan naar je verrassing, dan zal ik vertrekken. Hier is een aanwijzing.' Hij grinnikte van afwachting die er echt uitzag, tenminste in het donker.

'Grady, ik heb geen zin in spelletjes. Het komt door dat verdacht-van-moordgedoe. Geen lol aan.'

'Kom nou, één keer raden. Het is groter dan een broodtrommel.'

'Je ego?'

'Nauwelijks. Het staat een eind verderop geparkeerd, vol hoogwaardig octaan.'

'Een auto? Heb je een auto voor me meegebracht?' Mijn hart sprong op, toen twijfelde ik weer aan hem. 'Hoe wist je dat ik een auto nodig had?'

'Ik wist dat je de stad uit moest.' Hij haalde een zilverkleurige sleutel uit zijn zak en liet hem in het maanlicht bungelen. 'Hij is splinternieuw.'

'Hoe heb je dat klaargespeeld?'

'Hij is van mijn neef. Ik heb hem voor de motor geruild.'

'Hartstikke goed.' Ondanks mijn achterdocht graaide ik de sleutel uit zijn hand. 'En nu wegwezen.' Ik duwde hem naar de deur, maar hij verzette geen voet.

'Ik wil met je mee, Bennie.'

'Geen sprake van.'

'Waarom niet? Waarom zou je alleen moeten gaan?'

'Ik ben graag alleen.'

'Dat is het niet,' zei hij vastberaden. 'Er zit je iets dwars. Je bent koel tegen me, dat is duidelijk. Je vertrouwt me niet, hè?'

Verdomme. 'Waarom zeg je dat?'

'Omdat ik tegen je heb gelogen dat ik afspraken met Mark had, ik weet dat het daarom gaat. Je bent erachter gekomen dat ik Mark ontmoette door zijn kalender. Ik heb in de aktentas gekeken, Bennie, ik weet het. Ik kan je vertellen waarom ik gelogen heb. Laat het me uitleggen.'

'Ik wil dat je gaat, Grady. Duidelijker kan ik niet zijn.' Ik stapte om hem heen en liep naar de deur, maar hij greep me bij mijn arm, wat ik niet verwacht had.

'Ik heb Mark wel gesproken. Twee keer. De eerste keer zei hij dat hij uit het kantoor wilde stappen en hij wilde dat ik met hem meeging. Hij zei dat ik de enige associé was die hij mee wilde nemen, behalve Eve.'

'Wat heb je gezegd?'

'Ik zei nee. De tweede keer heb ik hem gebeld en hebben we elkaar in The Rittenhouse ontmoet. Ik wilde het uit zijn hoofd praten.'

'Waarom?'

'Waarom denk je?'

'Ik heb geen idee,' zei ik hoewel ik een vermoeden had. Ik kon het voelen. Voelde het aankomen door de toenemende heesheid van Grady's stem en de manier waarop hij in het donker naar me toeleunde.

'Door jou. Ik wilde niet dat hij je zou kwetsen. Ik weet hoeveel het kantoor voor je betekent.'

Ik zei niets. Ik wist niet wat ik moest zeggen. Mijn keel zat dicht.

'Bennie, je kunt me vertrouwen. Ik zal nooit meer iets voor je achterhouden, ik zweer het. Ik zou je nooit pijn doen, niet voor al het geld op de wereld.' Tegelijkertijd voelde hij in zijn jasje en toen zijn hand te voorschijn kwam, zag ik de stalen glans van een vuurwapen.

Ik hapte naar adem. Mijn hart stond stil. Grady was de moordenaar. Hij ging me vermoorden. Ik wilde mijn schroevendraaier pakken maar Grady pakte mijn hand en sloeg het wapen erin.

'Hier. voor jou. Hou hem bij je.'

'Wat? Hoe?' Ik keek omlaag naar het wapen. Het was een revolver met een kolf voorzien van kruisarcering, koud en zwaar in mijn palm.

'Het is ter bescherming. De veiligheidspal zit erop maar hij is geladen. Het is mijn wapen, van thuis. Schiet op alles en iedereen die je probeert iets aan te doen. Als je niet wilt dat ik je bescherm, laat hem het dan doen.'

Ik kon het allemaal niet snel genoeg verwerken. Een schroevendraaier is iets heel anders dan een pistool. Ik had er nog nooit een vastgehouden waar geen kaartje aan hing om aan te geven dat het bewijsmateriaal was, en zelfs met een oranje nummer had ik er moeite mee. Ik had gezien hoeveel schade vuurwapens aanrichten, hoe ze gezichten, hoofden, harten openrijten. Ik gaf het wapen terug. 'Nee, Grady. Hou het maar.'

'Waarom?' Hij liet het wapen in zijn jasje glijden. 'Je bent dwaas.'

'Nee, dat ben ik niet. Bovendien heb ik mijn betrouwbare schroevendraaier.' Ik trok hem uit de tailleband van mijn short en hield hem omhoog.

Grady lachte. 'Zijn wij geen goed bewapend stel? Maar de schroevendraaier is niet bepaald effectief op vijftig meter afstand.' Hij pakte het gereedschap en gooide het over zijn schouder.

'Hé joh! Dat is mijn bescherming.'

'Je hebt tegen mij geen bescherming nodig. Als ik je kwaad wilde doen, zou ik je dan een revolver geven?'

Mijn mond voelde droog. Ik voelde me overgeleverd en kwetsbaar en het had niets te maken met wie het geladen wapen had.

'Mark was niet goed genoeg voor je, Bennie.' Zijn zachte accent kreeg een bittere klank. 'Hij kon niet geven, hij kon alleen nemen.'

'Ik wil het niet over Mark hebben.'

'Ik wel, ik wil dat je het begrijpt. Je was te verliefd op hem om hem duidelijk te zien. Ik dacht altijd, ik vraag me af hoe het zou zijn als die vrouw zo verliefd op mij was. Ik vraag me af hoe die vrouw zou zijn.' Hij boog naar me toe en kuste me zacht.

'Grady,' zei ik. Ik duwde hem terug, maar hij bewoog niet.

'Wat, "Grady"? Waarom kan het niet, vanwege Mark? Vraag het jezelf eens af, zou hij hier gekomen zijn? Zou hij je geholpen hebben?'

'Hou daar mee op.'

'Nee. Vraag het jezelf af,' zei hij op dringende toon. 'Heeft hij ooit, ooit één keer ook maar iets voor je gedaan? Heeft hij ooit één keer iets gedaan om je liefde te verdienen?'

'We hebben het kantoor opgebouwd.'

'Dat heeft *hem* geholpen, Bennie, en toen hij geld begon te verdienen, wou hij jou afstoten. Hij was je minnaar, maar was hij je vriend? Heeft hij je met je moeder geholpen?'

Ik voelde een hete blos van schaamte, onberedeneerd. 'Hoe weet jij van mijn moeder?'

'Ik heb er een punt van gemaakt om het te weten. Ik zag dat je sommige ochtenden laat was, ik hoorde je telefoneren met doktoren. Ik weet dat ze een tijdje geleden in het ziekenhuis heeft gelegen. Maar al die tijd bleef Mark op kantoor. Hij ging nooit met je mee. Ik zou er zijn geweest. Waarom Mark niet? Waarom hielp hij niet?'

'Dat had ik niet nodig.'

'Natuurlijk wel. We konden allemaal zien dat je er moe uitzag. Onder stress. Marshall en ik hadden het meteen in de gaten.'

'Ik heb hem nooit om hulp gevraagd.'

'Waarom moest het hem gevraagd worden? De noodzaak was duidelijk. Hij had het gewoon kunnen doen. Verschenen zijn. Er geweest zijn.'

'Zo gemakkelijk is het niet,' begon ik, maar hij viel me in de rede, en raakte mijn schouder aan.

'Weet je hoe ik denk over liefde, Bennie? Ik denk dat het meer is dan één zijn. Niet alleen maar een gevoel of iets wat je zegt. Het is wat je doet. Als je van een vrouw houdt, houd je iedere dag van haar, en dat *doe* je. Dat doe je voor haar. Ik houd van je, Bennie. Ik *doe* het. Ik zweer het.'

Ik begon te spreken maar hij nam me in zijn armen en kuste me weer, langer ditmaal. Zijn jasje voelde zacht onder mijn vingers, zijn armen omvangrijk in de lichte wol. Zijn mond voelde warm en open, en ik liet de zoen over me heen spoelen, probeerde hem te voelen, te testen. Ik kon me niet herinneren op deze manier gekust of vastgehouden te zijn. Het was een aanbod, geen vraag, wat het plotseling onweerstaanbaar maakte.

Hij gleed uit zijn jasje en zijn lichaam voelde helemaal zo sterk als het mijne, sterker, want hij was verliefd. Dat vertelde hij mij met zijn zoen, met zijn omhelzing, door zijn heupen die tegen de mijne drukten en me achteruitduwden, naar de bank. Ik voelde me op hem reageren, omdat het was alsof hij me iets gaf, niet nam. Me zichzelf gaf.

Hij legde me achterover op de bank met zijn mond en lichaam hard op de mijne en ik voelde hoe ik mijn rug naar hem toe kromde. Teruggevend. Ik kon hem niet zien maar mijn andere zintuigen waren extra scherp. Ik streek mijn hand over zijn ruwe kin, voelde zijn spieren zich spannen onder zijn overhemd. Ik ademde een vleugje aftershave bij zijn kaak in, gemengd met het muskusachtige zweet op zijn nek.

Er klonk een metalen klik van zijn riem, vervolgens een gefluisterde vloek toen hij aan zijn rits morrelde. Mijn eigen ademhaling, laag en opgewonden. De geluiden van mijn behoefte en de zijne, daar in het donker.

Midden in de nacht.

19

Ik vertrok in het licht vlak voor het aanbreken van de dag, en scheurde over de snelweg in een splinternieuwe citroengele Chevrolet Camaro. Niet bepaald onopvallend, maar met mijn rode haar en gouden pak, hielden we ons niet bezig met subtiliteit. Op het speciale nummerbord van de auto stond JAMIE-16, de voorbank was bezaaid met grungerock cd's en een banaanvormige geurverdrijver bengelde als een pendule aan de achteruitkijkspiegel. BANANAROMA stond erop, wat te ruiken was.Ik was op de vlucht voor de politie en op weg naar West-Pennsylvania om Bill Kleeb te vinden. Ik had zijn dossier gelezen terwijl Grady lag te slapen, toen gedoucht en geprobeerd Bill op mijn zaktelefoon te bellen. Niemand had opgenomen en ik had het opgegeven. De politie zou beslag leggen op mijn telefoonspecificaties, en ik wilde niet dat iemand wist wie ik probeerde te bereiken. Ze zouden ook naar Bill zoeken en wel op hetzelfde tijdstip als ik.

Ik keek angstig in de achteruitkijkspiegel. Geen politie te bekennen en niet veel verkeer. Het was te vroeg voor forenzen, die trouwens naar de stad toe reden, niet ervandaan. Ik wisselde van rijstrook onder een bewolkte lucht, zo snel rijdend als ik durfde. De auto zoemde gestaag toen de splinternieuwe banden in contact kwamen met de snelweg.

In mijn achterhoofd zaten mijn moeder en Hattie. Wanneer kon ik hèn bellen? Had Hattie de elektroshocktherapie geregeld? Hoe kon ik haar nu helpen? Ik liet ze achter, misschien wel voor lange tijd. Ik keek weer in de achteruitkijkspiegel. De stad lag ver achter me, de skyline was in grijze wolken gehuld.

Ik dacht aan Grady, in slaap met mijn briefje op zijn borst. *Ik bel je als ik kan. Pas goed op jezelf.* Niet erg romantisch, maar ik wist niet wat ik voor hem voelde, en wilde niet meer zeggen. Het was geen moment om een belangrijke relatie te beginnen. Ontmoetingen tussen kogelvrij glas trokken me niet aan, hoe hartverscheurend het er in een gevangenis-miniserie ook uitziet.

Ik zette Grady uit mijn gedachten, borstelde mijn wortelkleurige pony achterover en duwde op het gaspedaal. Ik reed twee uur, snelde langs Harrisburg, reed toen naar het westen door de velden naar Altoona, het bergachtige midden van de staat, en schoot de hoofdweg af. Er waren een paar wegcafés, vrachtwagenstopplaatsen en uitstallingen van landbouwproducten wat me eraan herinnerde hoe hongerig ik was, maar ik wilde geen tijd verliezen met eten. Ik passeerde een rij Torohandelaars, toen een keet waar cementen tuinbeelden stonden en een met de hand geschreven bord: EEN BEELD HET GESCHENK VAN JE LEVEN. Tjongejonge.

Ik reed uren op twee- en eenbaanswegen, vervolgens eindeloos in kringen en omwegen tot ik de hobbelige weg naar Bills geboortestad had bereikt. Ik raakte twee keer de weg kwijt in een doolhof stoffige secundaire wegen dwars door velden maïs en spinazie. Ik kon me niet oriënteren in de frisse lucht en de groenten, ik had smog en afvalcontainers nodig.

Ik ging naar links bij de appels, rechts bij de bessen en kwam tenslotte bij de secundaire weg naar de boerderij van Kleeb. Op de postbus stond Zoeller maar het adres was hetzelfde als in Bills dossier. Ik stopte naast een maïsveld en zette de motor af.

Ik draaide het raam open en wachtte een half uur gespannen of er enige activiteit te zien was. Politie, pers, wie dan ook. Er scheen niemand te zijn maar ik wachtte nog langer. De hemel kleurde opaak door de wolken, de lucht werd zwaar van vochtigheid.

Het bedierf de frisse geuren van de akkergrond en bracht de stank van allerlei mest naar boven. Toch hield ik het raam open, omdat ik dat prefereerde boven de fruitlucht van de banaanmobiel. Ik wou dat ik een kop hete koffie had. Het was rot om voortvluchtig te zijn.

De boerderij was een dakspanen ranch, pas wit geverfd, en welvarend. Links aan de achterkant stonden twee moderne bestelauto's, een schuur van steen en een graanschuur. Paarden graasden vrij op een hoge, met gras begroeide heuvel, hun lange nekken bogen sierlijk omlaag. Het zag er idyllisch uit voor een stadsmeisje dat door een krankzinnige moeder was opgevoed. De enige bergen die ik zag toen ik opgroeide waren van Kleenex.

Ik keek op mijn horloge. Kwart over twaalf. Als de pers moest komen, waren ze er al geweest. Ik stapte uit, rekte me uit met mijn aktentas in mijn hand en liet de auto verborgen in de rijen maïs achter. Ik wilde er meer als advocaat uitzien dan als wetsovertreder, en de banaanmobiel was niet precies een standaarduitvoering voor een meester in de rechten.

Ik moest ervoor zorgen dat Bills ouders me vertrouwden. Ik had alleen wat geluk nodig.

En veel koffie.

'God, dit is lekker,' slurpte ik. Het was mijn tweede kop.

'Dank u,' zei mevrouw Kleeb – mevrouw Zoeller sinds ze opnieuw getrouwd was. Haar gezicht was rond en zacht en zweefde als een moederlijke ballon boven haar roze trainingspak. Ze had golvend haar dat bij Bills rossige haarkleur paste, maar het was dun geworden en grijs bij de wortels.

'Ik meen het, dit is een geweldig goeie kop koffie.' Ik zag dat meneer Zoeller me over zijn witte Nittany Lions-beker een vreemde blik toewierp.

'Dus u bent werkelijk Bills advocaat,' zei mevrouw Zoeller.

Het klonk of ze het geloofde, nu ik ze het hele verhaal had verteld. Meneer Zoeller, naast haar aan de eettafel, had niets gezegd gedurende mijn verhaal, behalve om te vragen of hij mijn legitimatie kon zien en mijn dossier over Bill. Hij keek met een koude blik naar de politiefoto van Bills gewonde gezicht en ik kreeg de indruk dat hij het niet erg zou vinden als zijn jonge stiefzoon levenslang kreeg.

Ik zette mijn kop neer. 'Ja, ik ben werkelijk Bills advocaat, ondanks mijn nieuwe haarkleur.'

'Die is goed gelukt,' zei mevrouw Zoeller knikkend.

'Dank u. Wie zegt dat ik niet kan koken?'

Ze glimlachte. 'U doet niet echt als een advocaat, of tenminste, de advocaten die ik gezien heb. Op tv, bedoel ik.'

'Ellie, werkelijk,' zei meneer Zoeller en mevrouw Zoeller legde zenuwachtig haar hand op de mijne.

'O, dat was als compliment bedoeld, uiteraard. Uiteraard.'

'Mijn vrouw kan nooit haar mond houden,' zei meneer Zoeller fronsend. Hij was een brede man, zo stevig dat zijn gestreepte poloshirt over zijn arm naar het niet-gebruinde deel omhoogschoof. 'Ze bedoelt er niets verkeerds mee.'

'Ik heb het als compliment opgevat. Laten we er niet over doorgaan.'

Mevrouw Zoeller bloosde licht. 'Het is alleen dat ik die andere advocaat van Bill, die nieuwe, Celeste, niet mag. Hij blijft maar bellen, omdat hij wil dat we iets tekenen voor een boek of zoiets.'

'Een overdracht,' zei meneer Zoeller. 'Hij wil dat we een overdracht tekenen.'

Mevrouw Zoeller schudde haar hoofd. 'Ik geloof niet dat hij Bills belang op het oog heeft. Hij ziet dollartekens. Nee, Bill heeft me inderdaad over u verteld. Hij zei dat u onmogelijk iemand vermoord kon hebben.'

'Dat is waar.'

'Hij zei tegen me dat hij u vertrouwde. Ik denk dat hij u echt mag.'

Ik voelde me geroerd. 'Ik mag hem ook. Het is een leuke jongen, maar hij zit goed in de problemen.'

'Dat weet ik, ja.' Mevrouw Zoeller streek met haar nagels over haar voorhoofd, wat een streepje achterliet. 'Het komt allemaal door Eileen. Ik heb hem voor haar gewaarschuwd. Toen ik dat meisje voor het eerst ontmoette, zei ik tegen Gus: "Die is half gestoord, ik zweer het." Niet soms, Gus?'

Meneer Zoeller gaf geen antwoord, maar bleef naar mijn kaart van de orde van advocaten in Pennsylvania kijken. Wat kon daar zo boeiend aan zijn? Identiteitskaart van het Hooggerechtshof Nr. 35417?

Mevrouw Zoeller bleef haar hoofd schudden. 'Ik heb geprobeerd het hem duidelijk te maken, maar hij was zo verliefd op haar dat er niets tot hem doordrong. Hij dacht dat ze slim en opwindend was. Een vrouw van de wereld, denk ik. Hij zag niet wie hij voor zich had. Dat is hem ten voeten uit, altijd al geweest.'

Ik knikte, kon er helemaal inkomen.

'En dat meisje heeft me een achtergrondgeschiedenis, tjongejonge. Dat wist hij allemaal, maar hij negeerde het.'

'Mevrouw Zoeller, ik kan Bill helpen als u me de kans geeft. Vertel me waar hij is. Ik weet dat hij niet verantwoordelijk is voor de moord op die president-directeur.'

Ze fronste onzeker. 'O, ik weet het eigenlijk niet. Wat vind jij, Gus?'

Hij gaf geen antwoord maar verplaatste zijn aandacht van mijn identiteitskaart naar het witte onderleggertje midden op tafel. Er viel een stilte en ik werd me plotseling bewust van een luidruchtige grootvadersklok in de hoek. *Tik tik tik.*

'Mevrouw Zoeller,' zei ik. 'Ik weet dat het moeilijk voor u is Bills leven aan mij toe te vertrouwen, maar u hebt geen keus.

Ik ben de enige die zijn naam kan zuiveren.'

'Hij is de enige die uw naam kan zuiveren,' wierp meneer Zoeller nors tegen.

'Oké, dat klopt, ik heb Bill even hard nodig als hij mij. Maar dat verandert niets aan het feit dat alleen ik kan bewijzen dat de moord op de president-directeur Eileens idee was. Als ze het zonder hem heeft gedaan, waarvan ik zeker ben, kan ik waarschijnlijk zorgen dat de aanklacht tegen hem wordt ingetrokken, of dat hij tenminste een schikking krijgt.'

'Hoe kunt u dat dan?' vroeg mevrouw Zoeller met een opgetrokken dunne wenkbrauw. 'U houdt zich verborgen.'

'Ik ken een heleboel strafpleiters. Ik zorg dat uw zoon de beste krijgt en vertel die dat hij de waarheid vertelt. Ik kan Bill helpen zonder mezelf te laten zien.'

'En als ze hem terecht laten staan voor moord?' Haar stem begon licht te trillen. 'Moet u er dan niet bij zijn om te getuigen?'

'Tegen die tijd is dit voorbij. Ik heb ook een leven waar ik naar terug moet en een eigen moeder.' Dat was een cliché, maar daar stond ik niet boven. Niet nu er zoveel op het spel stond.

'O, hemel. Uw moeder ook.' Mevrouw Zoellers hand vloog naar haar borst. 'Ze is vast doodongerust over u.'

'Ziek van ongerustheid.' Ziek, ziek, ziek.

Tik, tik, tik.

'Mevrouw Zoeller, u kunt me vertrouwen. Ik ben echt niet zoals andere advocaten. Ik geloof in wat ik doe. Ik geloof in de wet, of je nu arm of rijk of politieagent of boef bent. En nu heb ik genoeg gepreekt.'

Ze glimlachte voorzichtig en keek toen naar haar stoïcijnse echtgenoot. 'Gus, wat vind jij? Vind jij dat je haar mee naar Bill moet nemen?'

Oei. 'Nee, wacht, mevrouw Zoeller. Vertel me waar Bill is,

dan ga ik alleen.' Ik wilde die warme persoonlijkheid absoluut niet in de buurt van zijn stiefzoon hebben. Tenzij ik het bij het verkeerde eind had, was hij voor vijftig procent de reden van Bills opstandigheid.

'Waarom? Het is hier ver vandaan en moeilijk te vinden. U zei dat u verdwaald was onderweg naar ons.'

Snel denken. 'De politie houdt u en meneer Zoeller misschien in de gaten. Ze kennen uw auto, maar niet die van mij. U wilt ze toch niet op het spoor van Bill zetten? Vertel me waar hij is. Ik ga alleen.'

Ze keek naar meneer Zoeller die naar zijn nagels staarde.

'Gus? Moet ik het doen?'

Hij draaide zijn vuist om en liet haar wachten.

Tik, tik, tik.

'Gus?' vroeg ze nogmaals en de gedachte kwam bij me op dat er vele vormen van mishandeling binnen het gezin zijn. 'Lieveling?'

'Beslis jij maar. Het is jouw zoon.'

Ze wendde zich weer tot mij. 'Nog een kop koffie?'

'Heel graag,' zei ik.

En ze lachte.

Tik.

20

Ik kwam terug in de banaanmobiel met een routebeschrijving en mevrouw Zoellers eigengemaakte wegenkaart. Bill hield zich schuil in een hut die eigendom van zijn oom was en die hij gebruikte wanneer hij jaagde. De Zoellers dachten dat hij niet te vinden was en dat Bill er niets over tegen Eileen had gezegd. Daar was ik niet zo zeker van. Ik moest wel geloven dat Eileen op de hoogte was, en er zelfs aanwezig kon zijn. Een jonge man en een jong meisje, en niet hokken in een hut? Dit was nog steeds Amerika, nietwaar?

Ik bestudeerde de kaart. De hut lag aan de godverlaten grens van de staat, waarschijnlijk zeven uur ten noorden van hier en zover westelijk als Pittsburgh. Ik had benzine nodig, voedsel en meer koffie. Ik bemachtigde dat uiteindelijk bij een minimarkt op grote afstand van de boerderij van de Zoellers, voor geval er politie in de buurt was.

'Gave auto, Jamie,' zei de puberbediende die me ook twee opgezwollen hot dogs verkocht.

'Jamie?'

'Uw kenteken.'

'O. Juist.' Ik hield mijn hoofd naar beneden, haastte me terug naar de auto, en reed weg.

Ik reed door tunnels die uit rotsige bergen waren geblazen en rond slingerweggetjes uitgehouwen in grazige heuvels. Het begon te regenen en ik snelde langs de ene natte rijstrook na de andere en een zwart-wit waas van koeien. Tegen de tijd had ik de hotdogs en de verschrikkelijke koffie achter mijn kiezen in de ergste storm die de discjockey op de radio ooit had meegemaakt. Onweer rommelde in het westen en mijn maag rommelde ook, maar niet van de proviand. Tenslotte hield ik het niet meer uit en belde op met mijn zaktelefoon.

'Gaat het met haar?' vroeg ik toen Hattie opnam.

'Wat? Bennie? Ben jij het?'

'Ja. Gaat het met haar?' Grijs regenwater kletterde op de voorruit. Door de combinatie van storm en de statische elektriciteit konden we elkaar nauwelijks verstaan.

'Het gaat prima! Prima!'

'Wanneer krijgt ze de elektroshock?' Het signaal viel volledig weg en ik wachtte tot het gekraak ophield.

'... Zaterdagochtend om elf uur! Bennie? Ben je er nog? Gaat het goed met je?'

Meer gekraak. Het was om gek van te worden. Toen het ophield gilde ik: 'Waarom zo snel? Kan het niet wachten tot ik er ben?'

'Zorg jij maar voor jezelf! Met je moeder is het prima!'

'Laat ze wachten, Hattie! Je kunt het niet alleen!'

'Zij kan niet wachten!' riep ze voor de verbinding voor de laatste maal werd verbroken.

Het was niet voor te stellen dat de politie me hierheen zou hebben gevolgd, ik had mezelf hier niet heen kunnen volgen. Ik was helemaal totaal verdwaald. Ik zat met de motor af en het binnenlicht aan in de banaanmobiel. Regen sloeg neer op het dak en ik draaide de eigengemaakte kaart alle kanten op. Voor zover ik wist bevond ik me midden in het bos, in het donker, in een onweersstorm.

Er waren geen straatlantaarns in het magische woud omdat er geen straten waren, alleen smalle wegen zonder borden die door het bos slingerden. Ik was een uur geleden door een natuurreservaat gereden, maar sindsdien dwaalden de wegen rond vergeten plassen en langs eindeloze rijen bomen. Bomen waren nog minder hulp dan maïs, en ze leken allemaal op elkaar. Bruin met groen van boven. Ik wou dat ik een lucifer had.

Ik pakte de Keystone-wegenkaart die ik in het handschoenkastje had gevonden en hield hem naast mevrouw Zoellers kaart. Ik zou haar gebeld hebben als mijn gesprekken niet geregistreerd zouden worden. Ik wilde geen papieren spoor trekken, vooral niet een dat klopte met de theorie van de politie dat ik de medeplichtige was van Eileen en Bill. Bovendien, ik zou dit zelf moeten kunnen uitpluizen. Ik staarde van de ene naar de andere kaart. Verdomme. Ik moest in de buurt zitten.

Godverdomme. Het voelde of ik in de buurt was, ik reed liever rond om het te vinden. Ik gooide de kaarten op de met mosterd bevlekte hotdogservetten, knipte het licht uit en gooide de auto in zijn achteruit. Toen ik het groot licht aandeed, scheen het op een bordje tussen de bomen, 149. Wat? Ik veegde met de zijkant van mijn hand een gat in de mist op de voorruit. Cogan Road 149. Dat was het! De hut! Allejezus!

Ik zette de motor af en klom uit de auto met een cd van Eddie Vedder boven mijn hoofd tegen de regen. Regen spetterde door de takken van de bomen op mijn pak. Ik stapte in leren pumps door het kreupelhout en vond tastend de weg in het donker. Als ik had vooruitgedacht, had ik de koplampen aangelaten, maar als ik vooruitgedacht had zou ik niet voor een dubbele moord worden gezocht.

Licht scheen als een geel vierkant uit de hut door de bomen en wees me de weg terwijl ik doorstapte. Gelukkig waren er geen enge dierengeluiden. Ik houd van aangelijnd wild, met koppen die je kunt kussen. Ik versnelde mijn pas en botste tegen een tak, die regenwater op mijn opgevulde schouder plensde.

Shit. Ik stapte over een omgevallen boomstam met doorweekte schoenen die strak om mijn tenen zaten. De hut was binnen mijn gezichtsveld, maar ik kon alleen de omtrek zien. Het lichtvierkant leek groter, nu ik dichterbij was. Ik waadde door de modder en natte bladeren en kwam na tien minuten bij een open plek. Daar was het. De hut. Hij was van hout, verweerd en vervallen, één verdieping en nauwelijks zeseneenhalve meter breed.

Ik voelde me een stuk beter. Ik zou Bill zien en het hele geval tot de bodem uitzoeken. Ik liep naar de deur, ook van hout en met een z-vormige versterking, die duidelijk nodig was. Ik stapte op de haveloze mat en klopte aan.

'Bill?' riep ik zacht, te paranoïde om zelfs in Timbuktu luid te roepen. Er kwam geen antwoord.

'Ik ben het, Bennie. Doe open.' Ik klopte weer, luider ditmaal. Weer geen antwoord.

'Je moeder heeft me gestuurd. Ik wil je helpen.' Ik voelde naar een deurknop maar die was er niet, alleen een metalen grendelhaak die al jaren verroest was. Ik nam aan dat beveiliging niet als urgent werd beschouwd in deze gezonde omgeving.

Ik duwde de deur open. Plotseling krabde er iets aan mijn enkel. 'Aaah!' gilde ik. Ik zwaaide met armen en benen om het van me af te schudden. De cd kletterde op de grond.

'Miauw!' klonk het ijl en hoog, en ik keek naar beneden. In de gele baan licht van de kamer zat een lichtbruin katje met een stekelig ruggetje ineengedoken op de grond. Jezus. Ik slikte met moeite, pakte het katje op en gaf mijn hart opdracht te stoppen met bonzen. Ik ging de deur door de hut in.

'Bill, kijk eens wat de kat binnen heeft gebracht,' riep ik, maar er was geen geluid te bekennen behalve het getik van de regen op het dak. Ik stond roerloos in de woonkamer, die leeg en stil was. Er stond een kapotte bank, een lamp met een zwak peertje, en een Spartaans kombuis. Jachttenues hingen aan een zwaar rek tegen de muur. Er waren geen tv, telefoon of radio. Bill was nergens te bekennen. Niemand. Niets zag er verkeerd uit, maar ik kreeg het Spaans benauwd.

'Miauw?' Het katje sprong uit mijn armen, met gekrulde staart, als een vraagteken.

'Vraag mij niks, kat.'

Het katje trippelde naar een donkere, aangrenzende kamer waarvan ik veronderstelde dat het de slaapkamer was. Ik volgde nerveus en tastte op de slaapkamermuur naar een lichtknop.

Ik knipte hem aan en snakte naar adem. Het beeld was afgrijselijk. Daar, uitgestrekt op bed in korte broek en T-shirt lag Bill.

Dood.

21

Bills ogen waren wijdopen in een gezicht dat bevroren leek en zijn huid had de onmiskenbare grijswitte tint van een lijk. Bloed uit zijn neus was tot een verdroogde rivier gekoekt en over zijn kindersproeten opgedroogd, had zijn T-shirt bruin verkleurd en een harde vlek gevormd op een armoedige wollen beddensprei. Ik kon mijn ogen niet geloven, zelfs niet toen ik naar de rest van zijn lichaam keek.

Er zat een roze ballon als een tourniquet rond zijn bovenarm gedraaid. Het was een schokkend gezicht, vrolijk en felgekleurd, naast een dodelijke spuit die nog in de holte van zijn arm stak. De ballon was nog strak, dus Bills arm was het enige deel van zijn lichaam waar nog bloed in zat. Die was rood en grotesk opgezwollen, zo groot als een knuppel, waardoor zijn vingers vormeloos en opgezet waren. Naast hem op bed lag een plastic zakje.

Ik leunde tegen de slaapkamerdeur. Mijn ogen deden pijn, maar ik kon mijn blik niet afwenden. Bill, aan de drugs? Een overdosis? Was dat mogelijk?

'Miauw?' vroeg het katje. Het was op het bed gesprongen en wreef tevergeefs tegen Bills te bleke been aan.

Bill was niet het type geweest om drugs te gebruiken. Had hij gewoon de moed verloren, of een fout gemaakt? Misschien vormde wat er met Eileen en de president-directeur gebeurd was, de aanleiding. Ik dacht aan mevrouw Zoeller. Bill was haar enige kind. Was ik hier maar eerder geweest. Was ik maar niet verdwaald.

Waarom was hij dood?

Ik dwong mijn hersenen tot nadenken. Ik zag Bill voor me op het politiestation, met zijn slappe, witte armen in zijn overal. Waren zijn armen niet zonder littekens toen ik ze zag? Ik had een cliënt gehad, een voormalig heroïnegebruiker, en hij had me zijn armen ooit laten zien. Ze waren zo bobbelig van littekenweefsel dat ze wel de oostelijke hoek van Amtrak leken.

'Miauw?' zei het katje heen en weer lopend op het bed.

Ik vocht tegen mijn emoties en leunde over Bills lichaam, waardoor ik de geur van bloed en ontlasting opving. Zijn armen lagen stijf tegen zijn zij en ik tuurde ernaar. Op geen van beide naaldsporen. Het was niet logisch. Was het de eerste keer dat Bill heroïne had geprobeerd? Hoe waarschijnlijk was dat? En Eileen, had zij er iets mee te maken? Wie kende Bill nog meer?

'Miauw!'

Ik keek de slaapkamer rond. Er stond een kaal nachtkastje en een goedkoop dressoir met wat pockets op het blad, naast een Ace-kam. Er was geen teken dat aangaf wat er was gebeurd. Achter het dressoir was de badkamer, ik liep erheen en keek binnen. Op het vuile wastafeltje lagen een tube tandpasta en Clearasil. Er was geen medicijnkastje, alleen een wc en een oude spiegel zonder lijst.

Ik keek naar de slaapkamer en het lichaam van de arme Bill op het bed. Mijn hart voelde zwaar, mijn borst gespannen. Zoals het er aan de buitenkant uitzag, had hij op het voeteneinde gezeten, zijn eerste shot heroïne gemengd en was achterover op bed gevallen, dood door een overdosis.

'Miauw! Miauw!'

'O, hou op,' riep ik naar het dier, en had onmiddellijk spijt. Het was tenslotte van Bill. Ik pakte het op van het bed. Het voelde kwetsbaar en knokig aan, maar ik hield het automatisch tegen me aan. Het gaf meer troost dan ik verwacht had, of wist dat ik nodig had. Ik wierp een laatste blik op Bill en keek tevergeefs de hut rond, toen raapte ik de cd op en vertrok.

Ik worstelde terug door het bos met de dunne klauwtjes van het katje in mijn pak. We werden doornat van de regen tot ik eindelijk een glimp opving van de lichtgevende Camaro. Ik liep er onvast heen, in de war en afgeleid, omdat ik aan Bill dacht. Ik zou mevrouw Zoeller moeten bellen. Mijn rug op met registraties van telefoongesprekken, haar zoon was dood. Ik moest er niet aan denken hoe ze zou reageren. Ik was bij de auto, plukte het katje van me af en toetste de Zoellers in.

'Moordenares!' schreeuwde ze meteen toen ik het haar verteld had.

'Wat?' vroeg ik stomverbaasd.

'*Moordenares*!' Het kwam eruit als een angstkreet.

'Nee...'

'Jij hebt hem vermoord! Bill? Bill? O god, Bill!'

'Nee, wacht. Ik heb hem niet vermoord, hij is niet vermoord. Hij heeft een overdosis genomen, ik heb de naald gezien.'

'Een overdosis? Bill heeft nog nooit in zijn hele leven drugs gebruikt! Nooit! Jij hebt hem vermoord en het eruit laten zien of hij aan de drugs was!'

'Nee! Hij moet hebben...'

'Nooit! Met een naald? Nooit!' Ze barstte in snikken uit. 'Bill viel flauw... als hij bloed zag, zijn hele leven! Ze konden... niks in zijn armen steken zonder dat hij eerst ging liggen, zelfs de schoolverpleegster niet!'

Mijn hart stond stil in de koude, donkere auto. Ze bevestigde iets wat ik mezelf niet had toegestaan te vermoeden. Mark vermoord en nu Bill? Waar paste de president-directeur in het verhaal? Ik voelde me misselijk.

'Zijn stiefvader noemde hem altijd een... mietje om die reden, maar dat was hij niet! Dat was hij niet! Jij hebt hem vermoord! Je zei dat je hem zou helpen, maar je bent erheen gegaan om... om... hem te vermoorden!'

'Mevrouw Zoeller, waarom zou ik dat doen? Dat is niet logisch.'

'Bill wist dat je die bedrijfsdirecteur hebt vermoord! Hij wilde het aan de politie vertellen... en jij hebt hem vermoord! Gus? Gus, bel de politie! Bel 911!'

Ik legde neer, met trillende hand. Ik ramde het sleuteltje in het contact en raasde weg van de plek.

Ik moest ervandoor. Snel. Sneller. Ik denderde door het bos en scheurde de weg op waarvan ik hoopte dat die naar buiten voerde. Mijn hoge koplampen zwaaiden in een boog tegen natte boomstammen als ik de bochten nam. Tenslotte veranderden de stenen onder mijn banden in asfalt en was ik op volle toeren. Het bos uit. Weg.

De volgende paar uur waren een donker waas van regen en angst terwijl ik over de gladde weg snelde. Ik keek in de achteruitkijkspiegel of ik politie zag, terwijl ik probeerde greep te krijgen op wat ik had gezien en gehoord. Bill viel flauw bij de aanblik van bloed en er waren geen naaldsporen op zijn armen. Het was een moord die was opgezet om het te laten lijken op een overdosis. Wie had het gedaan? Had het met Mark te maken? Ik had het idee dat het zo was, maar wist niet hoe. Het maakte me vastbeslotener dan ooit uit te vinden wat er aan de hand was.

Ik zette de autoradio aan voor het nieuws. Zouden ze de moord melden? Ze hadden niet genoeg om me aan te klagen, toch? ADVOCAAT UIT PHILADELPHIA PLEEGT DRIEVOUDIGE MOORD. Ik accelereerde ondanks de gele waarschuwingsborden. Ik wist waar ik heenging, ik had het bijna onmiddellijk nadat ik de auto had gestart besloten. De hele tijd dat ik naar het westen reed, had ik me niet op mijn gemak gevoeld. Het platteland, de bossen, het binnenland. Ik verdwaalde er. Ik hoorde er niet thuis, met mijn aangemeten pak en mijn pumps. Ik was niet in mijn element, een roeier uit het water.

Ik moest terug naar Philly. Het was de meest riskante plek voor me maar ook de enige plek waar ik enige macht had. Ik had er mijn hele leven gewoond. Kende de buurten, de manieren, de accenten. Ik kon er verdwijnen, ik wist hoe. Welke plek is anoniemer dan een stad? Wie onopvallender dan een advocaat in een mantelpak?

Op weg naar waar het weer bij mijn kleding past. Ik reed de nacht en de storm en de angst in, als een Midnight Cowboy met lef.

22

Het was kwart over zes, vrijdagochtend. Ik had de hele nacht gereden. Ik nam de stand van zaken op in de ondergrondse parkeergarage van het Silver Bulletgebouw. Mijn haar, pak en schoenen waren droog. Ik had een aktentas, een zaktelefoon en een katje. Ook een meesterplan.

Ik vingerkamde mijn nieuwe haar, deed wat oogmakeup op en pakte mijn telefoon en aktentas. 'Wens me geluk,' zei ik tegen het katje, dat niet reageerde. Ik deed het portier dicht en sloot de auto af.

Twintig over zes. Ik kende het ritme van de Silver Bullet uit mijn tijd bij Steun & Kreun. De bewaker zou aan zijn bureau boven zitten, zijn dienst begon om zes uur. Ik was bij de liften en drukte op de knop naar boven. Ik zou op de verdieping van de hal moeten stoppen en me moeten inschrijven, omdat de liften niet helemaal naar boven gingen. De bewaker zou de eerste test van mijn roodharige persona worden.

Ik stapte de lift in en toen die me eruit liet, haalde ik diep adem en liep de hal in alsof ik slaapwandelde, wat niet moeilijk was.

'Mevrouw!' riep de bewaker. Een jonge zwarte man met een knap gezicht zat achter het bureau bij de receptie.

'Ja?' Ik draaide me om zoals het hoorde, alsof ik in de war was, uitgeput en belaagd. Met andere woorden, de karakteristieke associé onder stress in een groot advocatenkantoor.

'U moet uw naam in het boek zetten.' Hij wuifde naar een notitieboek op het bureau.

'O, sorry.' Ik liep ernaartoe, met hakken die luid klikten op de witte marmeren vloer. Het bureau was ook van wit marmer en omgaf de bewaker als een bedrijfsgrot. Op de muren van de grot waren de samenraapsels van de moderne mens te zien: flikkerende beveiligingsmonitoren en een computerbestand voor het gebouw. Daar zou ik niet inzitten, dat zou ik moeten regelen als ik boven was. 'Ik ben nog niet wakker,' zei ik slaperig. 'Hebt u een pen?'

'Jazeker.' Hij gaf me een balpen, met een gulle glimlach. Zijn rode uniform viel ruim om zijn schouders en zijn pet was veel te groot voor zijn hoofd.

'Ik werk veel te hard, de laatste tijd,' zei ik, tijd rekkend met de pen in mijn hand. Ik moest een naam hebben. Verdomme.

'Waar werkt u? Bij Grun?' Op zijn naamplaatje stond Will Clermont, en naast hem op het bureau lag een opgevouwen *Daily News* bij een afgedekte kop koffie. Het rook naar hazelnoot. Ah, beschaving.

'Ja, ik werk bij Grun. Hoe weet u dat?'

'Iedereen daar werkt te hard.' Hij lachte weer en ik kreeg de indruk dat hij zich eenzaam voelde op deze grijze ochtend en al blij was dat hij een praatje met een advocaat kon aanknopen. Dat kwam mij prima uit. Ik had informatie nodig.

'Hoe komt het dat ik u nooit eerder heb gezien, meneer Clermont? U doet zeker de vroege dienst.'

'Klopt. Zeg maar Will.'

'Dus dan ben je om drie uur klaar, hè Will? Net als de banken.'

'Inderdaad, ja. Dan ben ik net op tijd thuis om mijn favoriete vrouw te zien, mijn Oprah. Ze is nu te mager, maar ik ben gek op die vrouw, echt waar.'

Ik schudde mijn hoofd. 'Drie uur, jij hebt geluk. Ik ga pas laat weg, dus ik ken de jongens van de avonddienst. Die leuke, hoe heet-ie ook weer?'

'Bedoel je Dave?'

'Dave, ja. Ik ben zijn achternaam kwijt.'

'Ricklin.'

'Die begint om drie uur, hè? Hij is aardig.'

Wills donkere ogen lichtten op. 'Jij vindt Dave gewoon leuk omdat hij groot is, net als jij.'

Dat moest ik onthouden. 'Ha, ik ben toch sterker dan hij, maakt niet uit hoe groot hij is. Hij en die andere, ken je die?'

'Jimmy? Zwart, nogal fors?'

'Juist. Fors.'

'Niet te fors.'

Oeps. 'Voor jou niet. Jij vindt Oprah te mager.'

'Dat is ze ook! Ze zag er eerst beter uit. Ik zou tegen Stedman zeggen: "Trouw met die meid, ze ziet er goed uit!"' Hij schoof het boek naar me toe. 'Niet vergeten in te tekenen.'

'Oké.' Zo gauw ik een naam heb bedacht. Ik probeerde iets van het krantje te ontcijferen. ADVOCATE OP DE VLUCHT! was de vette kop. Mijn adem stokte. Eronder stond: EXCLUSIEVE INTERVIEWS DOOR LARRY FROST OP DE BINNENPAGINA. Ik boog mijn hoofd en krabbelde in het boek, toen stapte ik achteruit in de richting van de liften. 'Nou, ik moest maar eens gaan. Tot ziens.'

'Wakker blijven, hè,' zei hij. Hij probeerde mijn gekrabbel te ontcijferen toen de lift er aankwam.

Ik schoot erin maar voelde me nog uit mijn doen toen de deuren sloten. Ik was in het nieuws, waarschijnlijk met foto en al, maar ik had desondanks de eerste beproeving doorstaan en de namen van de bewakingsdienst achterhaald. Misschien zou mijn plan slagen. Ik bereidde me voor op de volgende stap terwijl de lift me geruisloos naar Grun voerde.

De deuren openden met een hydraulisch *ssjj* op de eenendertigste verdieping, die van de verliezers. Ieder groot kantoor heeft een verliezersverdieping. Daar vind je de advocaten op een laag pitje die meer stof dan cliënten aantrekken en te veel tijd bij hun gezin doorbrengen. Bij Grun zaten de verliezers op de afdeling van de vergaderzalen en hadden de naam net zo productief te zijn.

Ik keek naar de lege kantoren en voor het eerst leek de verliezersverdieping me hemels, in plaats van de bedrijfshel. Het was er uitgestorven, ik kon pakken wat ik wilde. Geen enkele verliezer was zo vroeg aanwezig, zoals het verliezers betaamt, dus leende ik een kantoor, een kantoor en een namenbestand en toog aan het werk. Of liever, dat deed Linda Frost.

Zij vond Gruns kantoor in New York en selecteerde de mensen die ze nodig had uit de namenlijst. Vervolgens schreef ze een memo naar personeelszaken in Philadelphia, waarin ze hen informeerde dat een nieuwe associé, ene Linda Frost, komende vrijdag uit het kantoor in New York zou arriveren om een proces voor te bereiden in een zeer belangrijke beveiligingszaak, *RMC versus Consolidated Computers.* Het memo verzocht personeelszaken om mevrouw Frost te voorzien van een identiteitskaart van Grun, een pas om het gebouw in en uit te kunnen, en sleutels, alsmede haar in te voeren in de computer in de hal van het gebouw. De van oudsher nauwe betrekkingen tussen Gruns hoofdkwartier in Philly en de nevenkantoren in aanmerking genomen, zou Personeelszaken er twee, misschien drie jaar over doen om iets door te krijgen.

Als extraatje dateerde mevrouw Frost het memo een week terug, printte het en stopte het in een envelop voor vertrouwelijke kantoorpost. Vervolgens stampte ze erop, verkreukelde het en scheurde er een hoek af om het te laten lijken of de envelop was kwijtgeraakt in de kantoorpost alvorens hem in het dichtstbijzijnde aflegbakje te plaatsen. Het zou het gewenste effect leveren zo gauw het bij personeelszaken belandde, die onmiddellijk in actie zouden komen, aangezien ze klaarblijkelijk een blunder hadden begaan. Alweer.

Vervolgens tikte mevrouw Frost een memo naar de afdeling factureringen met het verzoek om een cliëntencode en een zakennummer voor een beveiligingszaak, *RMC versus Consolidated Computers.* Ze introduceerde de zaak als een "transfer" van het kantoor in New York, zodat hij niet zou worden tegengehouden door het comité nieuwe klanten, dat was opgezet om de aanmeldingen eruit te lichten die het zich niet konden permitteren afgezet te worden. Bovendien schreef de ijverige mevrouw Frost een memo naar de afdeling faciliteiten met het verzoek vergaderzaal D op de eenendertigste verdieping voorlopig te reserveren voor exclusief gebruik in bovenvermelde vertrouwelijke beveiligingszaak.

Tenslotte vuurde ze een briefje af op de afdeling bevoorrading, met de opdracht een computer en kantoorbenodigdheden aan vergaderzaal D te leveren voor gebruik tijdens voorbereidende werkzaamheden, en zond een afzonderlijk briefje naar de keuken met het verzoek iedere middag om twaalf uur een broodje met een Cola Light en een pak volle melk naar boven te sturen voor rekening van *RMC versus Consolidated Computers.*

De laatste memo's verzond ik per e-mail zodat ik in een nanoseconde een nieuwe identiteit, een kantoor en een baan zou hebben. Een volslagen nieuw leven en burgerschap. Goed, het was tijdelijk, alleen geldig binnen de Silver Bullet, als een groene kaart op bedrijfsniveau. Maar voorlopig verborg ik me in het volle zicht.

Maar wacht, nog een kleinigheidje. Ik leunde achterover in de verliezersstoel en dacht even na. Andere advocaten zouden nieuwsgierig kunnen worden naar die rooie in de vergaderzaal. Misschien zouden ze ernaar vragen, of zelfs binnenwippen. Geen enkele advocaat is een eilandje. Hmm. Ik riep een leeg scherm op en tikte onder de datum van vandaag in:

AAN: ALLE GRUN-PARTNERS EN ASSOCIÉS
VAN: LINDA FROST
RE: HELP!
Ik ben een associé van het kantoor in New York, momenteel werkzaam in vergaderzaal D aan *RMC versus Consolidated Computers*, een omvangrijke beveiligingszaak met uitgebreid documentatiewerk. Hoewel het een droge, enigszins technische zaak is, zou ik enige hulp op prijs stellen, aangezien het proces over twee weken plaatsvindt in het Middle District van Pennsylvania. Ik kan niet beloven dat uw tijd in rekening valt te brengen, aangezien deze cliënt zeer moeilijk doet over rekeningen. Als iemand een handje wil helpen in deze moeilijke zaak, kom gerust langs, maakt niet uit wanneer.

Perfect. Het zou elke advocaat die zijn rekeningen waard was gillend de andere kant opsturen. Ik zou dood en versteend zijn voor ik een partner of associé van dit kantoor zou zien. Ze zouden mijn eten onder de deur schuiven, alsof ik een dodelijk virus had. Ik toetste de SEND-toets op het e-mail menu met een bevredigd gevoel in.

Ik was weer in business.

23

Ik bracht de ochtend werkend door in vergaderzaal D en zag toe hoe loonslaven me een computer, een telefoon en kantoorbenodigdheden aandroegen. Ik bedankte beleefd maar niet uitbundig om niet in iemands geheugen te blijven steken. Wanneer ik alleen was, bestudeerde ik Marks bestand dat uitgespreid lag over de andere kant van de vergadertafel, aan het zicht onttrokken door een stapel lege dossiers uit een andere vergaderzaal. Ik hield de deur op slot, om de verliezers die om negen uur aan kwamen zetten niet te hoeven horen. Wisten ze niet dat de dag dan al half voorbij was?

Mijn beste vriend Sam Freminet zou vroeg als een vogel aan het werk zijn getogen. Hij zou al aan zijn glazen startbaan zitten en tijd in rekening brengen in zijn kantoor een paar verdiepingen boven me, op de lijnrechte tegenpool van de Verliezersverdieping, de Goudkust. De Goudkust huisvestte Gruns hemelbestormers, hoogvliegers, kopstukken en carrièrejagers. De kantoren van afdelingshoofden en bestuursleden van comités, om maar te zwijgen over de troonzaal van de Grote Baas. Besteed geen aandacht aan die man achter de cliënt.

Ik nam de computeruitdraaien van Marks chequeboek door. Ik vond nog twee contante betalingen aan Sam Freminet, allebei van duizend, in de maanden voor Mark was vermoord. De middagzon kroop over de papieren maar ik liet me niet afleiden. Ik vroeg me af waarom Sam, van de Goudkust en de gouden card, contante betalingen van Mark had aangenomen. *Sam?*

Ik installeerde mijn nieuwe computer en rommelde wat aan tot ik me herinnerde hoe ik de VERSLAGEN VAN NIEUWE ZAKEN moest vinden, de lijst van nieuwe zaken die maandelijks binnenkwamen. De VERSLAGEN VAN NIEUWE ZAKEN waren zogenaamd ingeprogrammeerd om partners te attenderen op mogelijke belangenverstrengelingen, maar de werkelijke reden was dat ze konden zeggen: *Kijk eens wat ik aan zaken binnenbreng! Ik betaal voor jou, sukkel!* En natuurlijk, het aloude *Die van mij is groter dan die van jou. Voor deze heb je een hijskraan nodig.*

Ik koos nummer 4 van het menu.

ZOEK WELKE ADVOCAAT? vroeg de computer.

Ik tikte Sam Freminet.

NIEUWE ZAKEN GEOPEND DOOR MR. FREMINET, zei de computer. EVEN WACHTEN ALSTUBLIEFT.

'Natuurlijk,' antwoordde ik, alleen maar om tegen iemand te kunnen praten. Ik dacht aan Grady, maar schoof die gedachte weg, en snel. Ik kon hem onmogelijk proberen te bereiken. De politie zou hem ongetwijfeld in de gaten houden, zijn telefoon misschien aftappen. Toen dacht ik aan mijn moeder. Zou ik durven bellen?

DE INFORMATIE DIE U ZOEKT IS BIJNA GEREED. EVEN WACHTEN ALSTUBLIEFT.

Ik verwachtte half een zacht *kedeng!* te horen. Misschien zou het scherm groen worden.

HIER IS DE INFORMATIE DIE U VERZOCHT HEBT. HET IS VERTROUWELIJK EN MAG NIET WORDEN VRIJGEGEVEN AAN DERDEN ZONDER DE UITDRUKKELIJKE SCHRIFTELIJKE GOEDKEURING VAN HET UITVOEREND COMITÉ.

'Krijg de klere,' zei ik terwijl ik de lange lijst nieuwe zaken van Sam doornam. Eenenwintig bedrijfsfaillissementen: Rugel Industries, Lafayette Snacks NV, Zaldicor Medical, Quaker Vastgoed Trust, Genezone BV, Atlantic Partners. Blijkbaar solide, certificeerbaar en goedgekeurd, wat betekende dat ze door het comité heen waren. Nieuwe zaken, elk een transfusie van vers, gezond bloed, wat het bedrijfslichaam in leven hield. Sam was geweldig bezig. Waarom had hij contanten van Mark nodig? Evenzo, waarom zou hij iets geven om het executeurshonorarium?

Misschien betaalden de cliënten niet, of waren ze er niet toe in staat. Ze waren tenslotte failliet. Of misschien had Sam niet veel vorderingen en hield de Grote Baas zijn inkomen in. Ik had meer informatie nodig, namelijk Sams maandelijkse factureringen en zijn maatschap-distributie.

Ik klikte rond in de computermenu's, op zoek naar de factureringen, maar mooi niet. Het bestand stond in de computer, maar ik had het nog nooit gezien, omdat het beveiligd was. Associés hadden geen toegang tot die menu's, omdat Grun even scheutig was met informatie als het Kremlin. Dus mijn eerste taak was de computer ervan te overtuigen dat ik een maat was, bij voorkeur Sam, aangezien ik op zijn informatie uit was. Om die te bemachtigen zou ik zijn wachtwoord moeten raden. Ik dacht een minuut na en tikte:

Daffy Duck.

VERKEERD WACHTWOORD, zei de computer.

Ik probeerde: Foghorn Leghorn.

VERKEERD WACHTWOORD.

Sylvester de Kat.

VERKEERD WACHTWOORD.

'Godgloeiende konijnenkeutels, verdomme,' zei ik en ging nog drukker aan de slag.

Een halfuur later had ik het wachtwoord nog niet. Gelukkig was er geen beperkt aantal pogingen toegestaan, omdat ik iedere tekenfilmfiguur had geprobeerd die ik maar kon bedenken, en vervolgens tv-personages waar Sam dol op was: Gilligan, Little Buddy, Maynard G. Krebs. Jeannie, Master, Major Nelson, Lucy, Ethel, Little Ricky. Nog altijd geen geluk.

Een vrouw van Gruns keuken bracht me een broodje tonijnsalade toen ik in de rock 'n roll-fase zat. Jerry Garcia, Bootsie, RuPaul. John Tesh, een wilde gok. Ik werkte de helft van het broodje naar binnen terwijl ik vervolgde met musicals. Rodgers, Hammerstein, Andrew Lloyd Webber. Ik had mijn hoop op Stephen Sondheim gevestigd, maar tevergeefs.

Shit. Als ik nog één keer VERKEERD WACHTWOORD zag, ging ik gillen. Ik kreeg de kriebels, voelde me opgesloten. Dat is de golden retriever in me, ik heb beweging nodig. Ik rekte me uit en liep rond de vergadertafel, en vervolgens rende ik een rondje eromheen. Ik rende naar het raam. Ik deed de lamellen omhoog en liet ze weer zakken. Ik rende op de plaats toen er plotseling op de deur werd geklopt, wat me genoeg tijd gaf om me terug naar mijn stoel te haasten. 'Kom binnen!'

'Mevrouw Frost?' zei een jonge loopjongen. 'Dit komt van personeelszaken.' Hij overhandigde me de envelop, en snoof de lucht op. 'Wat is dat voor lucht?'

'Welke lucht?'

'Zoals in een gymzaal?'

'Tonijn,' zei ik terwijl ik hem vriendelijk uit mijn leeuwenhol wegwuifde. Ik opende de envelop en liet de inhoud op de vergadertafel glijden, waar ze naar buiten rolde als kostbare smaragden en robijnen. Een identiteitspas van Grun, een pas voor het gebouw en sleutels voor het kantoor. Prachtig. Plus een LEXIS/NEXIS-card. Goed, dat zou me on line houden. Ik kon de kranten on line lezen vanuit mijn stoel en zien hoe ver de politie was opgeschoten me te pakken te krijgen. Dat had tijdens de musicals in mijn achterhoofd gezeten.

Ik plofte neer in mijn stoel en tikte mijn nieuwe LEXIS-nummer in. Toen ging ik naar NEXIS, gooide Rosato erin en beperkte het zoeken tot de afgelopen week, toen ik pas echt beroemd was geworden.

UW ZOEKOPDRACHT HEEFT 345 VERHALEN OPGELEVERD, zei de computer.

'Geweldig,' mompelde ik en vroeg het eerste op, wat het meest recent zou zijn. De kop zei het al: *Voortvluchtige advocate verdachte bij derde sterfgeval.*

Ik las het, en toen de verhalen die volgden. *Radicale advocate moordt erop los. Vrouw op de vlucht.* Er waren interviews met 'hooggeplaatste bronnen van het politiekorps', maar die vertelden me niets meer dan ik al wist over de inspanningen van de politie me te vinden. Geen vermelding dat ik gezien was, geen citaten van Azzic. De tendens was dezelfde: ze kan wel vluchten maar ze kan zich niet verstoppen. O nee?

Ik drukte op een toets voor het volgende verhaal.

En hun wereld stortte in elkaar, zei de kop. De naamregel was Larry Frost, mijn langverloren neef en zijn verhaal was een verzameling interviews met associés van R&B. Een citaat van 'Rosato-associé' Renee Butler, die zei dat ze zich door mij 'verraden' voelde. Bob Wingate 'wilde het alleen maar vergeten' en was zonder succes op zoek naar een baan. Eve Eberlein was niet voor commentaar beschikbaar maar was naar verluidt bezig de verdediging van het Wellroth-proces voor te bereiden. Jennifer Rowlands had een baan bij een ander kantoor in Philly bemachtigd. In een kolom ernaast, *Zonnige wolken boven advocatenkantoor*, kondigden Jeff Jacobs en Amy Fletcher hun verloving aan. Jezus.

Ik drukte op een toets en het volgende verhaal verscheen. De kop gaf me een schok.

VANDAAG ROUWDIENST VOOR ADVOCAAT

Vandaag is in de Ethical Society een rouwdienst gehouden voor mr. Mark Biscardi, inwonende van Center City en maat van het advocatenkantoor Rosato & Biscardi. De dienst en daaropvolgende begrafenis werd bijgewoond door vele cliënten en vrienden van de advocaat en was georganiseerd door mr. Eve Eberlein, een associé van het kantoor. Een grafrede werd gehouden door mr. Sam Freminet, van Grun & Chase.

Ik leunde achterover alsof er een gewicht op me lag. Mark was er niet meer, was er werkelijk niet meer. Ik had zelfs zijn begrafenis gemist. Ik verzonk in overpeinzing en dacht aan hem en wat Grady gezegd had die nacht in het botenhuis. Het maalde door in mijn hoofd. Had Mark werkelijk van me gehouden? Hield Grady van me?

Mijn hart deed pijn. Ik zat naar het verhaal op de computer te staren tot de monitor het felste licht in de kamer was, een hedendaags baken. Ik keek op mijn horloge. Kwart voor acht.

Het klonk rustig op de afdeling, alle verliezers waren naar huis. De schoonmaaksters deden hun ronde om ongeveer acht uur, maar het bordje dat ik op de deur had gehangen zou ze hebben geweerd. Het zou redelijk veilig zijn me op dit tijdstip buiten te wagen, speciaal op vrijdagavond. Ik had veel vragen die ik niet vanuit mijn stoel kon beantwoorden.

Maar eerst het belangrijkste. Ik stond op, strekte mijn benen en zette de computer af. Toen pakte ik bij elkaar wat ik nodig had en waagde me uit vergaderzaal D.

Het blijkt dat je een aflegbakje als kattenbakje kunt gebruiken. Vul het met versnipperde juridische instructies, voeg er een katje aan toe en je hebt het. Een Martha Stewart-moment. Ik zat tevreden op de voorbank van de banaanmobiel terwijl mijn lichtbruine pluizenbolletje door de spaghetti van dagvaardingen krabde. Het was een verbetering op zijn gebruik van de auto als kattenbak, of op advocaten die hun instructies voor andere doeleinden gebruiken.

Later sloeg het katje een stukje tonijn over de voorbank, en negeerde mijn pogingen het de vis te laten opeten of de melk die ik voor hem had meegenomen op te laten drinken. Ik aaide het terwijl het speelde en het keek naar me op met dat delicate driehoekje van een kopje. Porseleinblauwe ogen, zacht roze neusje. Het was een snoesje, ook al was het geen golden retriever, en het verdiende een naam.

'Wat dacht je van Sylvester de Kat?' vroeg ik hem.

Hij knipperde met de ogen. Verkeerd wachtwoord.

'Gilligan? Little Buddy?'

Hij zag er verveeld uit, en klom op mijn schoot, waar hij zich oprolde.

'Samantha? Endora? Tabitha?' ik wist niet eens of het een mannetje of vrouwtje was. Ik pakte het op om te kijken toen er luid op mijn raampje werd getikt, naast mijn oor.

Ik draaide me geschrokken om en vond mezelf op ooghoogte met een knuppel. Een pistool in een zwarte holster. Ronde chromen handboeien bengelend aan een dikke riem. Ik voelde een flits van angst en keek op, in het glanzende insigne van een politieagent van Philadelphia.

24

'Uitstappen, mevrouw,' zei de agent.

Mijn hart stond stil. Ik had geen keus. In een flits zag ik mezelf in de gevangenis. Toen mijn moeder, verloren. Ik hield het katje vast en opende het portier.

'Dat is ze! Daar is ze!' zei een oude vrouw achter hem. Ze zag er vreemd uit, met getekende wenkbrauwen en lippenstift zo rood als die van Gloria Swanson. Haar haargrens was op een eigenaardige manier teruggeschoven, met platinablond haar in een wit haarnetje. Ze wees naar me met een stramme vinger die eindigde in een scharlakenrode nagel. 'Zij is het, met dat rode haar!'

De agent wuifde haar opzij met een grote hand en richtte zijn aandacht op mij met een ernstige uitdrukking op zijn gezicht. 'Ik heb een paar vragen aan u, mevrouw.'

'Jawel, agent.' Mijn hart begon te bonzen. Ik zocht zijn verweerde gezicht af, maar het was niet iemand die ik voor de rechter had gesleept. Kalm blijven, zei ik tegen mezelf. Denk als Linda Frost.

'Is dit uw auto?'

'Ja.'

'Ik zei het toch, zij is het!' zei de oude vrouw luider.

'Hebt u een kentekenbewijs?'

'Boven in mijn kantoor.'

'Uw rijbewijs?'

'Dat ligt ook boven. Ik kan het halen als u wilt.' Als hij me liet gaan zou ik rennen voor mijn leven.

'Dat hoeft niet. Wat is uw naam?'

'Linda Frost.' Ik stopte het katje onder mijn arm, graaide in de zak van mijn blazer naar mijn identiteitskaart en overhandigde die zo nonchalant mogelijk. 'Ik werk in dit gebouw, voor Grun & Chase. Ik ben advocaat.'

De oude vrouw klauwde naar het uniform van de agent. 'Zij heeft het gedaan, agent! Arresteer haar voor ze ontsnapt!'

Mijn buik verkrampte toen de agent mijn identiteitskaart van Grun bestudeerde. 'Is uw naam Linda?'

'Ja.'

'Wie is Jamie dan?'

'Jamie?'

'Op uw kenteken staat Jamie-zestien en u zegt dat het uw auto is. Als u Linda heet, wie is Jamie dan?'

Oei. 'Eh, de kat.'

'Hebt u de auto naar de kat genoemd?' vroeg hij langzaam.

'Jazeker. Ja. Waarom niet?' Inderdaad.

'Arresteer haar! Arresteer haar!' krijste de oude vrouw, schril als een papegaai.

De agent huiverde bij het geluid. 'Maar het is een jonge kat, een klein katje. Hoe hebt u dat kenteken zo snel gekregen?'

'Al mijn katten heten Jamie. Jamie-zestien is dood, dus heb ik dit jonge katje genomen, Jamie-zeventien. Ik heb het kenteken op mijn nieuwe auto laten zetten.'

Hij knipperde in ongeloof met zijn ogen. 'Hebt u *zeventien* katten?'

'Nee, niet tegelijkertijd. Achter elkaar. Als er een Jamie doodgaat, neem ik een andere Jamie.'

'Hebt u zeventien katten in uw leven gehad? Hoe *oud* bent u?' De agent keek oprecht verward, en ik nam het hem niet kwalijk. God, wat kon ik slecht liegen. De meeste advocaten liegen veel beter dan ik.

'Nee, agent. Kijk, ik ben begonnen met Jamie-vijftien, omdat vijftien mijn geluksgetal is. Is het geen schatje? Ik houd van al mijn Jamies.' Ik hield het kronkelende katje als een trofee omhoog.

'Hou daar mee op!' gilde de oude vrouw. 'Zo hou je een kat niet vast, in hemelsnaam!' Plotseling deed ze een uitval naar me en rukte het katje uit mijn armen.

'Hé,' flapte ik eruit. 'Wat denkt u wel?'

De vrouw ging achter de agent staan, met haar puntige nagels als een ijzeren dame om het katje geklemd. 'U hebt hem de hele dag in de auto opgesloten! U hebt hem niet goed verzorgd. Als ik de politie niet gewaarschuwd had was hij dood geweest!'

Dus vandaar de agent. 'Nee, dat is niet waar. Er was niks aan de hand. Het is hier niet warm. Ik heb het raam op een kier gelaten.'

'Je laat zo'n baby niet de hele dag in de auto!'

'Het is geen baby, het is een kat.'

'Het is een *jong katje!*'

'Nou en?' Je kon een golden retriever de hele dag in een garage laten zitten, geen enkel probleem. Alles is goed bij zo'n hond. 'U hebt er trouwens niks mee te maken.'

'Welwaar!'

'Wat bent u? De huisdierenpolitie?' Ik was kwaad. Bemoeiziek wijf. 'Geef me mijn kat terug.'

'Nee.' Ze stapte verder achter de agent, met het katje in haar armen. 'Hij is nu van mij. Ik houd hem!'

'Dat doet u niet!' Ik wou de kat terugpakken maar de agent duwde ons uit elkaar.

'Dames, alstublieft,' zei hij vermoeid. 'Mevrouw Frost, hebt u de kat in de auto gelaten?'

'Ja, maar...'

'Dat was geen goed idee. Er heeft een andere dame over het gemiauw geklaagd behalve mevrouw Harrogate hier. De bewaker was op zoek naar u, om die reden.'

Geweldig. *Katje voert naar moordenares. Kat vindt voortvluchtige.* 'Het spijt me. Ik wist niet dat ik zo lang boven zou blijven. Ik ging een dossier uit mijn kantoor halen en ben opgehouden door de telefoon.'

'Dat is een leugen!' schreeuwde de oude vrouw. 'Deze arme baby heeft de hele middag gehuild! Ik was hier om drie uur om mijn advocaat te spreken. Het katje huilde toen ik naar binnen ging en huilde nog steeds toen ik naar buiten kwam. U bent niet geschikt voor dit katje.'

'Welwaar!'

'Nietwaar! En het is stom om al je katten dezelfde naam te geven!'

'*Stop!*' bulderde de agent met opgeheven handen. 'Genoeg zo!'

We zwegen angstig, ik banger dan zij aangezien ik iets meer te verliezen had. Met die doodstraf en zo.

'Laten we dit regelen,' zei de agent. 'Mevrouw Frost, er bestaan wetten tegen dierenmishandeling. Voorschriften. U hebt de kat de hele middag in de auto gelaten. Misschien als u mevrouw Harrogate de kat laat houden zoals ze zegt, kunnen we allemaal naar huis.'

Ik voelde een mengeling van wrok en opluchting. Ik was bijna uit de puree. De agent stond op het punt te vertrekken. Ik zou weer veilig zijn.

'Hij zou het bij mij beter hebben,' kakelde de vrouw. 'Ik zou *goed* voor hem zijn.'

De agent plaatste zijn handen op zijn heupen. 'Kom, mevrouw Frost, ik heb niet de hele avond de tijd. Waarom geeft u mevrouw Harrogate de kat niet? Ze zegt dat ze er goed voor zal zorgen. U als advocaat maakt lange dagen. Wat zegt u ervan?'

'Even denken,' zei ik, maar ik wist dat het een goed idee was. Ik was voortvluchtig, ik kon geen kat houden. Welke vogelvrijverklaarde heeft een huisdier? Ik keek naar het katje in de armen van de vrouw. Het was trouwens niet eens van mij.

'En, mevrouw Frost?' De agent keek op zijn horloge en ik nam het enige besluit waartoe ik in staat was.

'Geef me m'n kat terug,' zei ik.

Ik stak Jamie-17 onder mijn blazer en smokkelde haar de lift in. Toen de deuren bij de gang opengingen, zwaaide ik de twee nachtwakers bij het bureau goeiedag. 'Hallo, Dave,' riep ik. 'Hoe gaat-ie Jimmy?'

'Ook hallo!' zei Dave grijnzend en Jimmy zwaaide vaag terug terwijl ik met grote passen naar de liften liep. Ik was binnen voor ze konden uitvissen waar ze me van kenden.

Ik stapte op de verliezersverdieping uit en bracht Jamie naar de vergaderzaal waar ik een nieuwe kattenbak voor haar maakte en wat Cola Light in een paperclipdoosje goot. Toen deed ik de deur dicht, trok het bordje PRIVÉ recht, en vertrok. Ik had wat speurwerk te doen.

Ik nam de lift naar de Goudkust en wachtte bij de chique receptieruimte terwijl de liftdeuren achter me dichtsuisden. Het was net zo leeg als ik verwacht had, maar ik luisterde om er zeker van te zijn dat het volkomen stil was. Er was geen geluid in de gang. Geen telefoon, geen fax, zelfs geen *kedeng*. Alle grote scoorders waren te vinden in restaurants, bij concerten of een honkbalwedstrijd, kortom overal waar je met goed fatsoen een president-directeur mee naar toe kon nemen waarna je zijn bedrijf de rekening stuurde. Niet alleen zouden ze de canard à l'orange in rekening brengen, maar ook de tijd waarin ze hem consumeerden. Sla die tweede kop caffeïnevrij maar af, het kost je driehonderdvijftig dollar.

Ik ging linksaf en glipte de gang in en pakte een notitieblok van een van de bureaus van de secretaresses zodat ik er officieel uitzag als ik betrapt werd. Ik sloop langs de patchworkwandkleden en landschappen in pasteltinten, terwijl ik een blik wierp in de kantoren om er zeker van te zijn dat ze leeg waren. De kantoren waren gigantisch want ego's op de Goudkust eisten veel vierkante meters, en ieders kantoor was uitgerust met het fetisj van het bijbehorend ego. Ik liep behoedzaam langs een zwerm lokeenden en een half dozijn Fabergé-eieren, vervolgens liep ik op mijn tenen langs een vloot modelzeilbootjes en een geheime voorraad Glenfiddich tot ik bij Wile E. Coyote en Tweety Bird was.

De deur was open en Sams kantoor leeg. Ik keek snel achterom en glipte naar binnen en sloot de deur. Ik had Sams factureringen nodig en als ik ze niet uit de computer kon halen, dan maar zo. Als er ooit een onredelijke inval bestond was het deze, maar ik moest uitvinden wie Mark had vermoord.

Ik legde het notitieblok neer en liep langs Sams bureau naar het glanzende dressoir erachter. Pluche versies van Daffy Duck, Porky Pig en Elmer Fudd zaten bovenop het dressoir en het glimmende blad reflecteerde hun starre uitdrukking.

'Niet kijken, jongens, ik ben op jacht naar komijntjes.'

Ik trok de bovenste la open. Er lagen dossiers in alfabetische volgorde: Asbec Commercial Makelaardij, Atlantic Partners NV, Aural Devices BV. De meeste gingen over faillissementen, en er waren slechts twee erfenissen. Ik zocht onder Biscardi, naar Mark, maar er was geen dossier. Had Sam Marks dossier mee naar huis genomen? Bewaarde Sam daar zijn factureringen?

Ik schoof de la dicht en trok die eronder open. Meer van hetzelfde. Faillissementen, een paar erfenissen. Een belastingzaak. Geen factureringen, geen Biscardi-dossier.

Shit. Ik ging weer rechtop staan en dacht na. Door het raam zag ik lange rijen kwiklampen van Market Street tot aan het spoorwegstation en de Schuylkill verderop. Ik kon nu niet aan roeien denken. Ik moest het bureau van mijn beste vriend plunderen.

Ik draaide me om en nam de papieren naast Daffy Duck op het glazen bureaublad door. Er waren notities en correspondentie, Daffy-pennen en wortelpotloden, maar geen factureringen. Verdomme. Ik draaide me om en keek het kantoor rond.

Er was een kast over, naast de zwartleren bank tegen de muur. Ook notenhout, een kleinere versie van het dressoir. Ervoor lag een extra grote versie van alweer een tekenfilmfiguur. Ik liep de kamer door, schoof het stuk speelgoed opzij en groef in de bovenste lade. Correspondentiedossiers.

Ik schoof hem dicht en opende de tweede la. Zoon van de correspondentiedossiers.

Ik probeerde de derde. Correspondentiedossiers III. Dit was de blijven-steken-categorie. Ik sloot de la, ging met gekruiste benen op het pluche tapijt zitten en dacht even na. Factureringen zijn de meest persoonlijke papieren van een Grun-advocaat. Misschien bewaarde Sam ze helemaal niet op harde schijf, maar liet hij ze versnipperen. Of misschien bewaarde hij ze inderdaad thuis. Ik probeerde me te herinneren waar Sam zijn dossiers bewaarde in zijn appartement, maar ik was er al een jaar niet geweest, de laatste tijd spraken we in restaurants af.

Mijn blik viel op het gigantische pluchebeest en ik schoof het terug op zijn plek voor de kast. Zijn enorme ogen keken me minachtend aan vanonder de rand van een extra grote cowboyhoed en ik trok zijn knalrode krulsnor recht. Zijn katoenen vuisten omklemden revolvers met zes patroonkamers. Ik had Yosemite Sam nooit gemogen.

Wat?

Natuurlijk! Yosemite Sam! Hem was ik vergeten. Ik rende naar de computer op Sams bureau en toetste het in.

HIER IS DE FACTURERINGSINFORMATIE DIE U ZOCHT, zei de computer.

'Hebbes!' fluisterde ik, terwijl ik de eerste bladzij liet afrollen, en de volgende en die daarna. Lijsten en lijsten verzonden rekeningen en ontvangen betalingen, bakken geld die bij Grun binnenstroomden, allemaal voor Sams rekening. Hij haalde alles uit de faillissementen, tot de laatste cent, tot een bedrag van vijftigduizend dollar per maand aan factureringen. Yosemite Sam deed het prima. Welbeschouwd moest hij een van de meest productieve maten in het kantoor zijn. Dus waarom nam hij geld aan van Mark, en nog wel contant?

Ik had nog steeds geen antwoord. Ik ging uit het computerbestand en leunde achterover, waardoor ik iets op Sams bureau in het oog kreeg. Ik schoof de papieren opzij en staarde naar de Steubenschaal. Die zat vol paperclips, Bugs Bunnypunaises en elastiekjes. Maar er was nog iets. Iets wat ik eerder over het hoofd had gezien. Ik groef in de schaal naar het felle kleurtje en viste het eruit. Het wiebelde tussen mijn duim en wijsvinger als een roze worm.

Een dun roze ballonnetje. Dezelfde soort en kleur als ik om Bills arm in de hut had gezien. Mijn mond werd kurkdroog. Wat had dat te betekenen?

Ik staarde naar de schaal. Er stak een stukje groen rubber uit, en ik viste die ballon er ook uit. Vervolgens een gele en nog een roze, een rode en een helblauwe, tot ze over het bureau verspreid lagen als confetti. Geschokt stond ik in de stilte van het kantoor van mijn vriend. Probeerde uit te vogelen hoe Sam in verband gebracht kon worden met Bills dood. Het leek niet mogelijk, maar ik hield de schakel in mijn hand.

Ik stopte de roze ballon in de zak van mijn jasje, legde de andere terug en glipte weg uit de Goudkust.

25

Na mijn ontdekking nam ik een late douche in de kleedkamer van het kantoor. Het roze ballonnetje beheerste mijn gedachten, maar ik kon het verband tussen Bill en Sam niet leggen, als dat al bestond. Mijn hersenen waren sufgewerkt. Het hete water maakte het erger, door mijn laatste restje energie weg te spoelen.

Hoeveel slaap had ik de laatste paar dagen gehad? Ik gaf de poging tot tellen op terwijl ik me afdroogde en aankleedde en op het eenpersoonsbed in de zogenaamde relaxruimte ging liggen. Ik zette de wekker van mijn sporthorloge op vijf uur, maar ondanks mijn vermoeidheid was ik nauwelijks ingedut toen de piep ging. Ik zag roze ballonnetjes, in een nachtmerrieachtige verjaarspartij.

Ik ging de keuken van het kantoor in voor troebele koffie en een hard broodje op de vroege ochtend. Het bleef aan me knagen wat Sam met Bills dood te maken kon hebben, hoewel ik een probleem van praktischer aard had. Ik had niets om aan te trekken. Ik had het gele linnen mantelpak twee dagen achter elkaar aangehad en het begon eruit te zien als een accordeon en nog erger te ruiken. Tegen maandag zouden zelfs de verliezers zich beginnen af te vragen hoe het zat.

Dus om negen uur, met de koffie en een half opgegeten broodje voor me, was ik terug in mijn vergaderzaal met een verkoopster van de afdeling dameskleding in een plaatselijk warenhuis aan de lijn, en deed me voor als de drukbezette advocate Linda Frost. Ik gaf opdracht zo spoedig mogelijk kleren en schoenen af te leveren bij Grun & Chase en gaf zelfs volmacht tot het uitzoeken van wat de verkoopster 'gelegenheids'-kledij noemde.

Nadat ik had opgehangen, typte ik een memo naar de boekhouding met de opdracht een cheque uit te schrijven aan het warenhuis en het bedrag in rekening te brengen van RMC versus Consolidated Computers voor 'diverse relatiegeschenken'. De kleding zou bij aflevering betaald worden en ik zou klaar zijn voor 'gelegenheden'. Toen pakte ik Jamie 17 op en vertrok.

Ik was veilig op tweeëndertig, aangezien geen enkele verliezer op zaterdag werkte, maar toen ik de verdieping eenmaal verlaten had, was het schuilen geblazen. Ik stopte Jamie 17 in mijn tas, gleed onder het veiligheidshek door dat in de weekenden werd neergelaten en drukte op de knop voor de lift. Ik sprong erin toen hij aangekomen was, en voelde me nerveus en kwetsbaar, zelfs in de lift.

Ik kon herkend worden door de bewakers beneden, of door iemand van de nieuwe weekendploeg. Ik kon gezien worden door iemand op straat die mijn foto in de krant had gezien. En de politie? Zouden er agenten in de buurt zijn, in de parkeergarage?

Ik liep een risico, maar het was noodzakelijk. Ik graaide in mijn tas naar mijn zonnebril en zette hem op.

Ik kon alleen maar naar beneden.

Ik zakte diep weg achter het stuur van de banaanmobiel terwijl ik tegenover het stadsziekenhuis stond te wachten. Waterspuwers grijnsden vanaf de granieten gevel, maar ik nam aan dat ze me niet herkenden met mijn zonnebril op. Mijn moeders afspraak was pas over een uur, maar ik wilde zeker weten dat ze niet in de gaten werd gehouden.

'Oké, Jamie-zeventien?'

Het katje spinde slechts ten antwoord, vast in slaap op mijn schoot. Een wonder, in aanmerking genomen dat hij een half blikje Cola Light had opgelikt. Het arme ding had stijf moeten staan van de caffeïne zo langzamerhand, of zijn piepkleine stalagmitische tandjes hadden moeten uitvallen. Het was triest, ik bleek een slechte moeder te zijn. Ik aaide hem en wachtte zelf op een aai.

Ze stopten precies op tijd in een gele taxi. Hattie stapte als eerste uit, menierood haar, vervolgens een turquoise broek met een witte blouse met laag uitgesneden hals. Ze stak een hand uit en mijn moeder bewoog langzaam in het daglicht.

Ze keek naar de lucht toen ze te voorschijn kwam, met open mond van verbazing en verwarring. Ze was zo kwetsbaar, een schim in ochtendjas en gymschoenen. Hattie pakte haar op in haar sterke armen en droeg haar praktisch de grijze trappen naar de ziekenhuisingang op, waar ze uit het zicht verdwenen.

Ik zat in een soort shock. Hattie had gelijk gehad. Mijn moeder had voor mijn ogen liggen sterven, maar ik had het niet gezien. Ik bedwong de drang om ze te volgen en forceerde mezelf uit te kijken of er politie was. Ik wachtte en wachtte. Geen patrouillewagens, geen Crown Vic zonder kenteken.

Ik wachtte nog steeds, met mijn gedachten terug in de tijd. Het is Thanksgiving en we eten bij mijn oom, in de tijd dat mijn familie nog met elkaar omgaat. We zitten allemaal rond de dampende kalkoen met lasagna, iedereen behalve mijn moeder. Ze loopt in een kringetje door de woonkamer en slaat met een doos Kleenex op haar dij, een krankzinnige vrouw in protest. *Het wordt laat, het wordt laat,* zegt ze steeds weer opnieuw, maar ze negeren het allemaal. Met zijn allen om de tafel en vrolijk de Chianti en de broccoli doorgevend, een drukke Italiaanse vakantie boven de volle borden.

Behalve dat er een van ons met de Kleenex danst.

En de mensen om de tafel, die gaan door met praten en schalen doorgeven of er niets aan de hand is. Haar stem wordt luider, *het wordt laat, het wordt laat, hetwordtlaat,* maar ze praten alleen harder, roepen heen over het kabaal dat ze maakt. Intussen zit ik te kokhalzen boven dit heerlijke maal, dus leg ik mijn vork neer en ga naar haar toe, pak haar in haar wollen jas en sjaal en bel een taxi voor ons. Ik wil haar hier weg hebben. Ik ben niet oud genoeg om te rijden, maar oud genoeg om te weten dat deze mensen, diegenen die net doen of er niks aan de hand is, nog gestoorder zijn dan zij. Zij hebben een keus die mijn moeder niet heeft en zij kiezen krankzinnigheid.

Ik zette het van me af, stapte uit de banaanmobiel en stak over naar het ziekenhuis. Buiten tussen het publiek, midden in de stad. Voor het eerst in dagen was ik niet bezorgd om mezelf, ik had iemand anders om me druk over te maken. Het was een opluchting, op een vreemde manier. Ik liep naar de trap van het ziekenhuis, stak mijn tong uit naar de waterspuwers en ging naar binnen.

Hattie zat in een stoel in een wachtruimte die verder leeg was en ik ging twee stoelen verderop zitten. 'Houdt u van katten, mevrouw?' vroeg ik haar met diepe stem.

'Ja.'

'Wilt u er een?' Ik deed mijn tas open en liet haar Jamie 17 zien.

'Bennie, waar heb je die kat vandaan?' zei ze met grote ogen.

Ik lachte, nog verbaasder dan zij. 'Hoe wist je wie ik was?'

'Ik zou weten wie je was wat voor pruik of bril je ook zou opzetten. En stop nou die kat weg. Waarom neem je in hemelsnaam een kat mee naar een ziekenhuis?'

'Wat denk je, dat ik hem in de auto zou laten?' Ik zette mijn zonnebril af en stopte hem in mijn tas naast Jamie 17.

'Hoe is het in godsnaam met je?' zei Hattie. Ze leunde naar me toe en omhelsde me in een walm van talkpoeder en verschroeid haar. 'Ik wist dat je zou komen, zo gek ben je.' Ze liet me hoofdschuddend los.

'Maak je geen zorgen, met mij gaat het best. Waar is mam? Hebben ze haar meegenomen?' Ik rekte mijn hals om de gang in te kijken.

'Ze is binnen, de dokter heeft haar net meegenomen. Niet haar normale dokter, een andere.'

'Waarom niet haar normale dokter?'

'Een ander doet de behandelingen in het weekend. Ik wilde niet tot maandag wachten, als die van haar het kon doen.' Hattie keek op haar horloge, een platte, goudkleurige Timex die strak om haar mollige pols zat. 'Ze moesten haar weer onderzoeken. Het zal wel even duren voor ze met de behandeling beginnen. De dokter zal vertellen wanneer.'

'Was ze bang?'

'Wat denk je? Ze is bang van lucht.'

Ik slikte moeizaam. 'Heeft ze zich verzet?'

'Nee. Zo meegaand als een lammetje nadat ik haar verteld had dat het moest. Dat jij had gezegd dat het goed was.'

Mijn hart zonk in mijn schoenen. 'Vroeg ze waar ik was?'

'Ik heb tegen haar gezegd dat je werkte. Waar ben je geweest?'

'Als ik je dat vertel, moet ik je vermoorden,' zei ik, maar ze lachte niet.

'Die rechercheur, die grote, hij is langs geweest op zoek naar jou. Wilde alles over je weten. Wanneer je kwam, wanneer je wegging.'

'Wat heb je gezegd?'

'Wat denk je? Niks. Ik heb hem niks verteld. Heb hem de deur uitgezet.'

'Goed zo. Je hebt hem niet over ma verteld?'

'Dat ze ziek was, griep. Ik wilde niet dat hij wist wat er met haar is. Maar hij zit achter je aan.'

'Hij moet me eerst te pakken krijgen en ik heb dit katje als bescherming. Hij kan maar beter uitkijken. Wij zijn gevaarlijk.'

'Nou, ik maak me zorgen om je. Ik ben bezorgd.'

'Maak je geen zorgen.'

Ze fronste diep. 'Het zijn mijn zaken als ik me druk wil maken. Mijn zaken. Bennie, die wouten, die spelen geen spelletje.'

'Ik weet het. Niks aan.'

'Wat ga je doen? Je kunt je niet blijven verstoppen.'

Ik vertelde haar het verhaal in grote lijnen en ze luisterde op haar zorgvuldige manier, waardoor ik helderder kon denken. Iets zei me dat Yosemite Sam de schakel was. Plotseling ging er een deur open in de gang en een kortharige vrouw in een witte knielange jas kwam naar buiten en liep op ons af.

'Dat is ze. Dat is de dokter,' zei Hattie en we stonden allebei op. Ik hield mijn tas achter mijn rug, met Jamie 17 erin.

'Hoe gaat het met haar?' vroeg ik de dokter toen ze dichterbij kwam. In rode krulletjes stond op haar jas DR. TERESA HOGAN geborduurd. Haar gezicht was mager en ernstig. Ik neem aan dat je hard wordt als je mensen elektrocuteert voor de kost.

'Wie bent u?' vroeg dokter Hogan me.

Oeps. 'Eh, ik?'

'Ze is mijn dochter,' flapte Hattie uit en ik keek haar stomverbaasd aan. Het was een goede leugen als je wat het meest opviel buiten beschouwing liet.

De dokter knipperde met haar ogen. 'Ik weet niet zeker of ik het begrijp.'

Ik schraapte mijn keel. 'Mijn vader was blank, dokter. Niet dat u dat iets aangaat.'

'Sorry.' Nauwelijks van haar stuk gebracht richtte ze zich tot Hattie. 'We kunnen beginnen. Volgens de aantekeningen in mevrouw Rosato's dossier hebt u verzocht aanwezig te zijn tijdens de behandeling.'

'Nee!' Hattie schudde haar hoofd. 'Ik niet! Nee hoor.'

Het was mijn verzoek geweest, opgekomen toen de behandeling nog theorie was. Nu het zover was wist ik niet zeker of ik het door kon zetten.

Dokter Hogan knikte. 'Goed, want ik zou daar nooit toestemming voor hebben gegeven bij mijn patiënten. Het is onnodig en het is niet te voorspellen hoe een toeschouwer reageert.'

Ik nam een besluit. Als ik het kon goedkeuren kon ik het ook aanzien. 'Ik ben degene die het verzoek heeft ingediend, dokter. Ik wil er graag bij zijn.'

'U?' Haar wenkbrauwen gingen omhoog. 'U bent niet eens rechtstreekse familie.'

'Ik sta mevrouw Rosato heel na. Ik ben haar advocaat.'

'Ik betwijfel of ze haar advocaat in het ziekenhuis nodig heeft.'

'Kom nou, iedereen in een ziekenhuis heeft een advocaat nodig.'

Ze vouwde haar armen. 'Daar kan ik niet om lachen.'

'Ik maakte geen geintje. Ik kom er zo aan.'

Dokter Hogan draaide op haar hak rond waarbij haar jas als een vuurrad bewoog en ik gaf de tas met Jamie 17 aan Hattie door, gewiekst als een geniepige quarterback. Ik haalde de witte jas midden in de gang in en rende die achterna door een deur waarop RECOVERY stond.

Ik kwam in een grote kamer, met rijen patiënten die blijkbaar lagen te rusten na hun operatie. Ze lagen in stalen hospitaalbedden in verschillende fasen van gedrogeerde slaap. De meesten van hen waren ouder en ik wenste dat mijn moeder een van hen was. Ze hadden ziektes die te genezen waren. Tumoren die je weg kon snijden, wonden die je kon hechten. Ze wisten niet hoe fortuinlijk ze waren.

'Komt u binnen, alstublieft,' zei dokter Hogan, terwijl ze een brede deur naast de recoveryzaal openduwde.

Ik volgde haar de kamer in en bleef als vastgenageld op de

drempel staan. In het midden lag mijn moeder roerloos op een metalen bed in een blauw ziekenhuishemd, een zuurstofmasker bedekte haar gezicht, vloeistof vloeide intraveneus in haar arm, en om haar been boven de enkel was een bloeddruk-manchet gewikkeld. Ze was met elektrodes aan een blauw toestel verbonden, dat een dunne strook groen grafiekpapier uitspuugde, blijkbaar om haar vitale levenstekens te registreren. Ik wilde haar oppakken en als een gek wegrennen.

'Komt u nog binnen?' vroeg dokter Hogan.

'Ja. Sorry.' Ik stapte naar binnen en deed de deur dicht.

'U kunt teruggaan naar de wachtruimte als u het niet aan kunt. Ik verzeker u, we kunnen het zonder u voortgang laten vinden.'

'Nee, bedankt.' Mijn maag voelde gespannen en mijn knieën wiebelig toen ik de kleine kamer doorkeek. Het was er koud en was geverfd in een staalblauwe kleur. De lucht rook naar chemicaliën en aan de muur waren rekken van metaaldraad met flessen en medicijnen. Twee andere artsen stonden aan mijn moeders hoofdeinde, mannen wier witte jassen zeiden dat ze van de afdeling anesthesie waren.

'Heren,' zei dokter Hogan, het woord tot hen richtend, 'dit is de advocaat van mevrouw Rosato, zij vindt het nodig de behandeling bij te wonen.'

'Hallo,' zei een van de artsen en ik knikte terug terwijl hij het zuurstofmasker van mijn moeders gezicht trok. Het liet een roze ring achter, die haar gelaatstrekken als een dodenmasker afschilderde.

Dokter Hogan boog voorover en spoot iets in het infuus.

'Laten we beginnen, heren.'

'Wat geeft u haar?' vroeg ik.

'Atropine.'

'Wat is dat?'

'Het droogt haar afscheidingen op, waardoor de luchtwegen vrij blijven. Het voorkomt ook vertraging van het hartritme, de zogeheten vagusflauwte.'

Ik deed moeite niet zelf flauw te vallen en keek hoe dokter Hogan de monitor controleerde, nog een injectie klaarmaakte, en die in het infuus spoot. 'Wat is dat?'

Dokter Hogan ging overeind staan, met rimpels van irritatie in haar voorhoofd. 'Methohexital. Een snelwerkend verdovingsmiddel. Het is standaardprocedure in ieder ziekenhuis waar ik ooit gewerkt heb.'

'Waarom moet ze dat hebben?'

'Het maakt dat ze zich ontspant, uiteraard. Nou, met u goedkeuring, mag ik verdergaan?'

Ik maakte er geen punt van. Alleen artsen vatten een vraag op als een uitdaging aan hun autoriteit en blijkbaar kon een vrouwelijke arts net zo arrogant zijn als een mannelijke. Het maakte trouwens niet uit, alleen één ding was belangrijk. Ik liep naar het bed en pakte mijn moeders hand, koel, met blauwe aders en knobbelig.

Dokter Hogan raakte mijn moeders ooglid aan, en kietelde het. 'Voor het geval u zich afvraagt, dit doe ik om vast te stellen dat de medicatie werkt. Het ooglid is ontspannen, dus het werkt.' Ze keek weer naar de monitors, maakte een andere injectie klaar en spoot die in. 'Dit is succinylcholine. Een spierontspanner, om convulsie tegen te gaan.'

'Maar ik dacht dat we juist convulsies wilden.' Ik kneep in mijn moeders hand, meer als troost voor mezelf dan voor haar.

'Het is een verlammend middel,' zei de anesthesist die me had gegroet. 'Het veroorzaakt verlamming, zodat het lichaam zich niet verwondt tijdens de behandeling.'

Sommige dingen kun je beter niet weten. Ik keek hoe mijn moeder snel voor mijn ogen verlamde. Ze lag heel stil, toen ging er plotseling een golvende beweging door alle spieren in haar minuscule lichaam. 'Wat gebeurt er? Wat betekent dit?' zei ik in paniek, terwijl ik me aan haar hand vastklampte.

'Het is volkomen normaal,' zei dokter Hogan. 'Het houdt zo op. Het betekent dat de medicatie werkt. Wilt u alstublieft een stukje achteruitgaan.'

Ik gaf mijn moeders hand een laatste kneepje en stapte naar achter. Wat er toen gebeurde was zo snel en verschrikkelijk dat ik het slechts als een afschuwelijk waas van beweging en emotie ervoer.

De anesthesist bond een rubber band om mijn moeders voorhoofd. Dokter Hogan stak een zwaar grijs snoer in het blauwe toestel links van haar. Aan het eind van het grijze snoer zat een zwarte plastic hendel. Bovenop de hendel zat een vuurrode knop. Ik wist wat dit moest zijn. Het voelde of mijn hart het ging begeven.

Een anesthesist plaatste een bruine rubber mondbeschermer tussen mijn moeders lippen. Dokter Hogan kneep gel uit een witte tube op haar kruin en riep: 'Maak de tafel vrij.' Ze boog over mijn moeders hoofd terwijl een van de anesthetisten een knipperende knop op het toestel aanraakte. Die knipperde als een verkeerslicht. Groen. Maar ik dacht: Stop. Hou hier mee op. Stop nu meteen. Waag het niet.

Dokter Hogan duwde het zwarte ding op mijn moeders hoofd, waarna ze op de rode knop drukte en hem een seconde ingedrukt hield.

Onmiddellijk grimaste mijn moeder tegen de mondbeschermer, haar gelaat vertrok. Ik voelde mijn eigen gezicht meedoen. Nee, stop. Jullie hebben het recht niet. *Ik* heb het recht niet.

'De toeval duurt maar een minuut,' zei iemand van veraf.

Ik kon het niet helpen, ik moest wel toekijken. Ik kon niets doen om te helpen. De stroom hield op en de toeval begon. Mijn moeders lichaam lag stokstijf, maar onder het bloeddruk-manchet schokte en trok haar voet. Het was misselijkmakend. Het was walgelijk. Het deed me denken aan aan de ballon die als een tourniquet om Bills arm had gezeten. Ik flapte eruit: ‘Hoort dat zo? Haar voet bedoel ik?’

‘Ja, dat is een tonisch-klonische reactie,’ zei de anesthesist. ‘De manchet voorkomt dat de spierontspanner de voet bereikt zodat we de voortgang van de toeval kunnen gadeslaan. Het duurt maar een minuut. Er is niks aan de hand.’

Maar het was mijn moeder, niet de zijne en ze was overgeleverd aan een medische maalstroom. Een storm in haar hersenen, in haar lichaam. Ik wilde huilen. Ik wilde gillen. Ik kon niet geloven dat het juist was om te doen en het was te laat om het te verhinderen.

‘Het is voorbij voor u het weet,’ zei hij.

En dat was het, gelukkig. Net toen ik dacht dat ik de godvergeten elektrodes los wou rukken, hield haar voet op met schokken. Haar hele lichaam lag stil. De toeval was voorbij. Ze scheen rustig.

Ik haalde voor het eerst adem, leek het. Mijn maag hield zich niet kalm. Bel de politie, sleep me naar de gevangenis, niets van dat al kon me zo van streek maken als dit.

‘Ze valt nu in slaap,’ zei dokter Hogan. ‘Ze zal misschien een half uur slapen. Als ze wakker wordt, kan ze hoofdpijn hebben, zoals een kater. Haar kaak kan pijn doen. Ze is misschien in de war of gedesoriënteerd.’

Ik zocht naar woorden. ‘Kan ik iets voor haar doen, om haar...’

‘Nee. U kunt haar alleen laten rusten.’ Dokter Hogan tuurde naar het grafiekpapier dat uit het toestel kwam. De zwarte lijn piekte als de Rocky Mountains. ‘Het was een goede toeval.’

Een goede toeval? Mijn gal kwam omhoog en ik vluchtte de kamer uit.

26

Ik was nog misselijk en overstuur, maar ik had werk te doen. Ik stopte twee stukjes Trident in mijn mond om de gal van mijn tanden weg te werken en probeerde de verschrikking van wat ik mijn moeder had aangedaan uit mijn gedachten te bannen. Het kon me niet schelen of het haar genas, op dat ogenblik was ik alleen maar opgelucht dat ik haar niet had vermoord.

Ik zette mijn zonnebril op en reed in de banaanmobiel door Pine Street. Statige koloniale woningen stonden aan weerszijden in een rij, vele met een zwarte smeedijzeren plaat van Nationale Monumenten. Maar ik was geen bezienswaardigheden aan het bekijken, ik probeerde een kenteken waarop LOONEY 1 stond in het oog te houden.

Ik laveerde door het stadsverkeer, om een van mijn beste vrienden in de gaten te houden. Er was geen rechtvaardiging voor deze tweede inbreuk op Sams burgerrechten, behalve, als bij mijn moeder, noodzaak. Ik moest weten wat die roze ballon te betekenen had.

Sam stuurde zijn rode Porsche Carrera links Sixteenth Street in, zonder richting aan te geven. Mannen gebruiken nooit hun richtingwijzer, vrouwen wel, en meer zeg ik er niet over. Ik draaide snel naar links, waarbij ik bijna een voetgangster die dwaas genoeg was met haar hondje dwars door mijn surveillance over te steken van de weg reed en verminderde vaart toen we bij het stoplicht kwamen.

De Porsche draaide de hoek om en stopte voor het Harvest Restaurant om een passagier uit te laten stappen. Een jonge man, gekleed als ober in wit overhemd met zwarte vlinderdas. Sams Cubaanse alibi. Het portier sloot met een prijzige *tsjok* en de auto trok op.

Ik volgde, in de verwachting Sam terug naar zijn appartement te zien rijden, maar de Porsche ging recht naar Eighteenth Street, zette koers naar de Vine Street Expressway en nam vervolgens de snelweg richting I-95. Vreemd. Ik duwde de brug van mijn zware zonnebril omhoog en volgde hem, terwijl ik in de achteruitkijkspiegel keek om te controleren dat niemand mij volgde.

'Miauw,' zei Jamie 17. Hij keek op van zijn maal, een Snickers die ik op de bodem van de auto had gevonden en in stukjes had gebroken.

'Wat wil je?' vroeg ik, maar hij liep op en neer over de voorbank, licht slingerend als de auto over bobbels in het wegdek reed. Ik duwde op zijn geribbelde rug, maar hij weigerde te gaan liggen. 'Lief zijn of mammie neemt je niet meer mee op surveillance.'

'Miauw,' drong hij aan, en ik hoopte dat het niet weer de wc was. Zijn laatste missie had een stank in de aflegbak veroorzaakt, en ik had het spul in mijn makeup-doos moeten scheppen en uit het raam moeten gooien om niet te stikken.

We reden in noordelijke richting over de I-95, Jamie 17 en ik, achter Sam aan, door eindeloze rijen reclameborden naar de lelijke industriewijken van Philly. Enorme lege pakhuizen met ingeslagen ramen stonden af te brokkelen. De verkeersborden waren bedekt met graffiti. Hattie had hier een tijd gewoond en het was moeilijk in te denken dat ze in een slechte buurt was opgegroeid, omdat ze zo'n lief mens was. Ze had zelfs aangeboden Jamie 17 te nemen, maar ik wist dat ze haar handen vol zou hebben aan mijn moeder.

'Miauw!'

'Alsjeblieft.' Ik pakte hem op en zette hem op mijn schoot,

waarbij ik bijna de Carrera passeerde. Sam was van de I-95 afgeslagen en zette koers naar de afrit van de hoofdweg, parallel aan mij. Shit. Ik stuurde de auto de berm op en kwam tot stilstand. De Carrera raasde verder over de afrit en ik waagde mijn leven door achteruit naar de afrit te rijden over de berm vol kuilen. Jamie 17 viel in slaap, zich van niets bewust.

Ik scheurde naar de afrit. Waar reed Sam heen? Ik was hier nog nooit geweest en door mijn werk kwam ik in de meest ongure wijken van de stad. Ik reed naar het eind van de afrit en keek naar rechts en toen naar links. Christus, ik was hem kwijt.

Ik trok de zonnebril van mijn neus en ging linksaf, ik had moeite met het zicht in de vallende duisternis. De dag was bijna voorbij, maar het was nog licht genoeg om te zien dat dit een van de ergste buurten was. Ik drukte het gaspedaal in en reed langs verlaten bakstenen rijtjeshuizen, een pijnlijk contrast met de koloniale huizen in Pine Street. Deze huizen zouden nooit onder Monumentenzorg komen te vallen, ze waren al tot verval gereduceerd.

De meeste leegstaande huizen waren dichtgespijkerd met golfplaat of triplex. Sommige niet, en hun bovenste twee ramen waren leeg en zwart als de oogkassen van een schedel. Wat er nog over was van de veranda's was gevaarlijk verzakt en om de drie straten lag een stuk kaalslag, bedekt met puin, kapotte flessen en vuilnis. Kinderen sprongen in een van de straten touwtje met een dubbel springtouw op de stoep, wat in moeilijkheidsgraad de prestatie van een Olympisch atleet evenaarde. Maar deze kinderen zouden de Olympische spelen nooit halen. Met wat geluk zouden ze de buurt verlaten.

Ik draaide de hoek om, op zoek naar Sam, en vroeg me af wanneer mijn geboortestad in een oorlogsgebied was veranderd. Getroffen door hetzelfde inzicht als op het politiebureau, en later bij de afdeling Moordzaken. Alleen wist ik nu aan wiens kant ik stond. Ik zag er niet zo uit als zij, maar ik voelde me net zo vervreemd, of tenminste zo vervreemd als een voormalige blondine kan zijn. Ik vroeg me af aan wiens kant Sam stond toen het licht op groen sprong.

Ik trok op en in mijn achteruitkijkspiegel verscheen een patrouillewagen. O, nee. Kalm blijven. Hij voegde in op de rijbaan achter me, met slechts een auto tussen ons in, achter een rode TransAm met getinte ramen. Ik kon mijn ogen niet van de spiegel afhouden. Mijn vingers klemden zich om het stuur. Ik zakte weg in de kuipstoel en Jamie 17 hief zijn driehoekig kopje van zijn pootjes.

'Het is de hitte,' zei ik tegen hem en hij viel weer in slaap, blijkbaar minder benauwd dan ik. Ik had geen registratie voor de banaanmobiel, geen rijbewijs, niets op naam van Linda Frost behalve een identiteitskaart van Grun.

De TransAm nam een scherpe bocht naar links een zijstraat in, waardoor de buffer tussen de politie en mij verdwenen was. De patrouillewagen vulde het gat op. Ik voelde mijn nekharen uit angst overeind komen. Hij zat vlak achter me bij het volgende stoplicht, dat op rood sprong. Ik durfde er niet doorheen te rijden. Ik kwam kreunend tot stilstand, en wenste dat ik weer blond was. Agenten houden van blondines, vooral jonge agenten als deze twee, naast elkaar op de voorbank als de Hardy Boys.

Het licht sprong op groen en ik gaf gas, terwijl ik probeerde niet in paniek de snelheidslimiet te overschrijden. Ik wist dat ik nerveus handelde, ik was nerveus. De agenten reden achter me toen de weg zich verbreedde tot tweebaans. Ik zag dat de agent naast de chauffeur in de mobilofoon sprak. Gaf hij het kenteken door? Mijn God.

Het verkeerslicht op de hoek sprong van oranje op rood toen ik het naderde. Godverdomme! Ik bleef in de linkerstrook zodat als ze naast me kwamen te staan, ze zo ver mogelijk van mijn gezicht verwijderd waren.

Dat was precies wat gebeurde. Ik reed naar het stoplicht. Zij stopten naast me, rechts van mij. Ik keek recht voor me, maar ik voelde hun ogen. Onderzoekend, zich afvragend. Wat doet een duur geklede rooie hier in een nieuwe banana?

Ik moest iets doen. Me in het volle zicht verbergen. Tot nu toe was het gelukt.

'Agent,' riep ik luid, terwijl ik naar de agent aan het stuur boog. 'Goddank, dat u er bent! Misschien kunt u me helpen. Volgens mij ben ik echt verdwaald.'

'Volgens mij ook,' zei hij met een glimlach, en zijn partner lachte en hing de mobilofoon terug. 'Waar moet u heen?'

'I-vijfennegentig, in zuidelijke richting. Ik ben met mijn kat naar de dierenarts geweest maar ik heb vast de verkeerde afslag genomen op de terugweg.' Ik hield Jamie 17 bij zijn nekvel omhoog en hij miauwde precies op het juiste moment. 'Is het geen snoesje?'

Hij knikte zonder enthousiasme. 'Ga bij het volgende stoplicht linksaf. Dan de weg volgen helemaal tot vijfennegentig.'

'Bedankt.'

Het licht sprong op groen. De agenten reden voor me uit. Ik slaakte een zucht van opluchting, zette Jamie 17 weer terug en volgde de agenten, zwaaiend als een idioot. We kwamen samen bij het stoplicht, mijn politie-escorte en ik, en zij gingen bij het stoplicht rechtdoor. Ik sloeg linksaf zoals ze gezegd hadden en reed door een nog donkerder straat die steeds uitgestorvener scheen te raken naarmate ik vorderde.

Ik begon net vrijer adem te halen toen ik het zag. Daar, aan de rechterkant. Geparkeerd tegen de stoeprand achter de rij mindere auto's stond de glimmend rode Porsche. Op het kenteken stond LOONEY 1. Ik kwam met een ruk tot stilstand. De auto was leeg. Ik keek achterom. De agenten waren weg.

Ik parkeerde op een lege plek aan de linkerkant van de straat, sloot de portiers en ramen af en aaide Jamie 17 terwijl ik naar de Porsche keek. Hij spinde zacht, volkomen op zijn gemak midden in deze vreselijke buurt. Ik hield vanaf mijn voorbank de Porsche in de gaten, zonder te weten waar Sam was binnengegaan. Het was te donker om de omgeving van de auto goed te kunnen zien, de meeste straatlantaarns waren uit. Ik zonk weg in de voorbank. Het had maar een haartje gescheeld met de politie. Een golf van uitputting sloeg over me. Ik proefde nog steeds gal op mijn tanden. Afgemat leunde ik tegen de hoofdsteun.

Er waren geen kinderen buiten op dit uur, geen spelletjes springtouw. Het was stil en rustig. Aan het einde van de straat lekte water uit een standpijp en het stroomde door de smerige goot tot onder de Porsche. Ik vroeg me even af of ik het pistool dat Grady me had aangeboden had moeten houden, maar ik was te moe om me druk te maken. Waar was Sam? Ik keek op mijn horloge. Kwart over negen. Ik sloot mijn ogen en wachtte, met één hand op Jamie 17. Ik had in geen dagen geslapen. Ik wist niet hoe lang ik het nog vol zou houden.

Toen ik weer op mijn horloge keek, was het halftwaalf. Ik was in slaap gevallen. Ik werd met een schok wakker. Ik betaste mijn lichaam, mijn borst. Ik was er nog. Jamie 17 krabde in zijn doos rond. Het was nog donker in de straat maar de Porsche was verdwenen.

'Godverdomme!' zei ik en greep het stuur beet. Ik startte, deed de lichten aan en reed weg van mijn parkeerplaats. Ik reed naar de plek waar Sams auto had gestaan en tuurde naar de verlaten huizen. Toen keek ik omlaag naar het trottoir.

Het was Sam. In elkaar gedoken, gevallen, het lichaam van een man op de stoeprand. Hoewel ik hem niet duidelijk kon zien wist ik wie het was.

'Sam!' riep ik in paniek. Ik draaide het stuur naar de stoeprand, trok aan de handrem en sprong de auto uit. Ik zou het niet kunnen verdragen als Sam ook iets overkomen was.

'Sam! Sam!' Ik knielde op de grond toen ik bij hem was en raakte zijn voorhoofd aan. Het zat onder het zweet, bloed en straatvuil. Ik wierp me op zijn borst om te luisteren of er een hartslag was.

'*Allow me to introduce myself,*' zei een hese stem.

'Sam?' Ik zat met een schok rechtop.

Knipperende oogleden en een dwaze grijns. '*Assault and Peppered.* 1965,' zei hij, toen zijn ogen weer dichtvielen.

'Dat ze m'n auto hebben gestolen,' jammerde Sam, terwijl ik een zak ijs op zijn oog hield. 'Ik kan er niet over uit.'

'Je hebt grotere problemen dan je auto.'

'Nietwaar. Hoe kan ik nou Porscheloos zijn?'

'Velen van ons spelen dat klaar. Jou lukt dat ook.'

'Nee, mij niet. Ze mogen mijn geld meenemen, ze mogen mijn horloge meenemen, ze mogen zelfs mijn ruggenmerg hebben. Maar niet mijn Porsche.' Sam zat ineengezakt op de deksel van de wc in zijn kleine badkamertje te zuchten. Vuile kleren hingen uit de rieten wasmand en Tasmanian Devil-handdoeken lagen op een smerige hoop naast de wc. De witte tegelmuren waren grijs en goor, het douchegordijn zat onder de schimmelstippen. Sams mooie coupe stond stijf van het bloed en zijn roze Polo-shirt was gescheurd en vol vlekken. Het was moeilijk te zeggen wie er het slechtst aan toe was, Sam of zijn badkamer.

'Wat verwacht je dan ook in die buurt?'

'Ik verwachtte even bij iemand langs te gaan en weer te op te stappen.'

'Ging je daarheen om bij iemand langs te gaan? Hier, hou die ijszak vast,' zei ik terwijl ik zijn hand pakte en die bovenop de plastic draaidop legde.

'Dat kun je best aardiger vragen.'

'Dat zou ik kunnen, maar ik doe het niet.' Ik wrong een

smerig washandje uit in een wastafel vol aangekoekte klodders Colgate en zette de kraan aan voor heet water. Jamie 17 zat netjes bovenop het natte rommelige werkblad naast de wastafel en hield alles in de gaten. 'Daarom was je daar dus, in Beiroet. Om een vriend op te zoeken?'

'Ja.'

'Hoe heet die vriend?'

'Mike.'

'Mike? Waarom heb ik daar nog nooit over gehoord?'

'Het is een nieuwe vriend.'

'Mike de Nieuwe Vriend. Is dat een tekenfilmfiguur of een echt mens?'

'Een echt mens.'

Ik wachtte tot het water warmer werd. 'En deze echte mens laat jou bloedend op de stoep liggen? Nadat enkele andere vrienden je in elkaar hebben geslagen en je auto hebben gestolen?'

'Het is geen goede vriend.'

'Nee, helemaal niet. Mike de Slechte Nieuwe Vriend. 1952.' Er kwam damp van het kraanwater dus hield ik het washandje eronder en duwde het tegen de rauwe huid op Sams voorhoofd.

'Au!' Hij schoot achterover, waardoor de ijszak op de grond viel.

'Au, wat?' riep ik. 'Au, hoe stom denk je dat ik ben? Au, waarom lieg je tegen me? Au, wat voor vriend ben je eigenlijk?'

'Wat? Wat?' Hij zocht als een verwarde zatlap naar de ijszak, maar ik had geen medelijden.

'Je liegt, Sam. Je liegt over waarom je daar was. Je hebt tegen me gelogen over geld en over Mark. Je hebt over alles gelogen!' Mijn stem weerkaatste scherp in de betegelde badkamer en Sam bedekte zijn oren.

'*The Yolk's On You.* 1979, geloof ik.'

'Het is niet grappig, Sam. Ik had gepakt kunnen worden door jou te redden. En beneden, toen ik het aan de portier moest uitleggen!' Ik gooide het washandje op het werkblad en Jamie 17 schrok. 'Vertel me de waarheid. Wat deed je daar?'

'Hebt u al een draagbaar Acme-gat? Een Acme-tijd-ruimte-geweer? Een Acme-superdeluxe dubbelverende trampoline? Of wat dacht u van verende laarzen, in ieder gewenst model en merk?'

Mijn humeur tikte als een tijdbom in een tekenfilm. 'Ik wil de waarheid, Sam.'

Voor ik het wist was ik ontploft, greep Sam bij beide armen en klemde hem met gemak tegen de muur. Hoe verbaasd ik ook was door mijn agressie, ik was niet van plan hem los te laten. 'Dit is geen tekenfilm, Sam. Ik wil de waarheid.'

'Bennie, alsjeblieft!' zei hij schor, met wilde blauwe ogen die zonder bril onscherp waren. Hij worstelde maar was te zwak om uit mijn greep los te komen.

'Je zit goed in de nesten, Sam. Ik ook. Wat moest je verdomme in die buurt?'

'Ik wil het niet zeggen.Ik wil niet dat iemand...'

'Gaat het om drugs?' Ik greep hem harder vast tot er tranen in Sams ogen kwamen. Het was niet van pijn, het was iets anders. Vernedering. Ik wilde ophouden, maar kon het niet. Ik moest het weten. Niet alleen om Sam, maar om Bill.

'Oké, oké.' Er vormde zich een traan in een ooghoek die over zijn gevlekte wang gleed. 'Ja, drugs. Heroïne.'

Heroïne. Het woord raakte me diep. Ik zag Bill voor me, dood met een naald in zijn arm. De ballonnen op Sams bureau. Had Sam Bill vermoord? En Mark? Ik liet zijn arm verbijsterd los en hij viel op de deksel van de wc.

'Bennie,' fluisterde hij hees en begon te snikken. 'Het spijt me. Het spijt me zo.'

27

Sam hing in hemd en spijkerbroek op zijn bruinleren bank, met Jamie 17 op schoot. De bank was het enige resterende meubilair in de woonkamer die ooit elegant was. Zijn moderne stereo was weg, evenals de video en de breedbeeld-tv. Het gave Kosta Boda-kristal was verdwenen met de muur vol dure animatiecels, inclusief een eerbetoon aan Mel Blanc dat me driehonderdvijftig dollar had gekost. Alles van waarde was verkocht om drugs te kunnen kopen. Het enige wat er nog was waren enkele mistroostige tekenfilmfiguren, inclusief de faillissementsadvocaat.

'En hoe lang gebruik je al?' vroeg ik.

'Bijna twee jaar.'

'Heroïne?' Ik kon het nog steeds niet geloven.

'Een mannelijke drug. Ook wat coke, als ik het moeilijk heb.'

Ik schudde mijn hoofd, geschokt dat die schizo deel uitmaakte van de persoon die ik mijn beste vriend noemde. Hoe was het mogelijk dat ik het niet had geweten? En zou Sam ook een moordenaar kunnen zijn?

'Moet je je gezicht zien. Je had geen idee, hè?' vroeg hij.

'Totaal niet. Ik voel me zo dom.'

'Niet doen. Ik heb het geweldig verborgen gehouden. Overhemden met lange mouwen het hele jaar door. Ik houd mijn colbert aan, zelfs in de zomer.'

'En ik maar denken dat je gewoon een goedgeklede pietluttige advocaat was.'

Hij glimlachte half. 'Houdt de littekens verborgen. En het bloed, als ik verkeerd prik.'

Het klopte. Evenals zijn magere postuur en zijn humeur dat de laatste tijd erg veranderlijk was. Wat ik vroeger als speelsheid had beschouwd zag er nu meer uit als de weigering volwassen te worden. 'Maar het is krankzinnig, het is zelfdestructie...'

'Ik ben het met je eens. Je hoeft geen preek te houden.'

'Hoe ging het met werken? Hoe kon je je concentreren?'

'Ik ben niet voortdurend van de wereld. Het grootste deel van de tijd ben ik up, zo up dat ik alles kan. Iedereen voor de gek kan houden.'

'Hoeveel geld heb je erdoor gedraaid?'

'Een fortuin.'

'Nee, ik wil het precies weten.'

Hij schraapte zijn keel. 'Nou, ik heb de beleggingsmaatschappijen, waarover ik je verteld heb, verkocht en ik kan South Beach niet bekostigen. Ik blijf thuis onder de zonnebank, die staat hier ergens. Er zijn geen aandelen meer, ik heb Microsoft verkocht net toen het door het plafond ging. Maar ik ben stapelgek op Bill Gates, kun je me dat kwalijk nemen?'

'Hoeveel dus?'

'M'n hele inkomen, iedere maand, en nog meer.' Hij sloot een moment zijn ogen. 'Ik sta rood op mijn lopende rekening en American Express heeft me bij de kloten. Plus ik heb vier creditcards waar ik tot de limiet mee kan opnemen. Eén card heb ik zelfs gestolen, van een van mijn partners, toen die hem na de lunch op tafel liet liggen.'

Ik beet op mijn tong. 'Is heroïne zo duur?'

'Je krijgt waar naar geld. Het is minder versneden, meer kick voor je geld. Ik bekostig Ramons gebruik ook en sommige vrienden van hem zijn er ook niet vies van.'

Ik combineerde het een met het ander. 'Steel je van je cliënten?'

'Niet meer dan iedere andere advocaat.'

'Sam...'

'Oké, niet opvallend. Ik breng te veel in rekening voor schadeloosstellingen, hier een beetje, daar een beetje. Kosten waarvoor je geen kwitanties nodig hebt.' Hij fleurde op. 'Hoewel jouw truc met Consolidated Computers hartstikke briljant is, Bennie. Ik ben er nog nooit opgekomen een cliënt te *verzinnen*, en er dan de rekening heen te sturen. Dat is me nog eens een grote leugen.'

Mijn gezicht werd warm en ik had hem nog niet eens over de wedergeboorte van mijn garderobe verteld.

'Hoe hou je dit vol, Sam?'

'Wat?'

'De façade, alles.'

'Kan ik geen geheim bewaren? *Deduce You Say*! 195...'

'Hou op met die Looney Tunes,' zei ik, omdat ik genoeg had van zijn grappen. 'Geen animaatjes meer. Ik wil niet één citaat meer uit die mond horen, oké?'

'Wat?' Hij knipperde in ongeloof met zijn ogen. 'Wil je dat ik stop, in één keer afkick?'

'Je hebt me gehoord.'

'Dat lukt me niet, dokter. Ik ben zo geboren. Het is genetisch, geen vrije keuze.'

'Je was aan het uitleggen hoe je het klaarspeelde een heel geheim leven te hebben.'

'Dat is niks nieuws voor me, Bennie, ik heb veel praktijkervaring. Ik ben homo, weet je nog? Hoe denk je dat ik dat oplos? Mijn partners geloven dat ik alles neuk met een rok aan. Ik ben het voorwerp van afgunst van het beleidscomité.'

'Dus het is de briljante advocaat overdag en de verslaafde 's nachts?'

Hij aaide Jamie 17. 'Dat is een naïeve vraag. Heroïne heb je niet op die manier in de hand. Alleen in het begin, daarna krijgt het jou in de hand. Het gaat ongemerkt, vooral met spul van deze kwaliteit. Nee, ik ben een full-time junkie. Het is een zware baan, maar iemand moet het doen.'

Ik zweeg en wachtte. Hij wilde me iets vertellen, opbiechten, dat voelde ik. Misschien zou hij een moord bekennen.

'Ik heb in mijn kantoor gespoten, in de parkeergarage, in de herentoiletten, zelfs in de wc tijdens een failissementszitting. Ik ben uit meer vergaderingen gelopen om een shot te zetten dan ik kan tellen.'

'Een shot te zetten?'

'Heroïne te spuiten.'

'Hoe kan het dat niemand het wist?'

'Dan zei ik dat ik moest bellen. Welke advocaat moet er niet bellen? Shit, als ik in de wc stond, gebruikte ik die tijd ook nog, voor een connectie of een cliënt. Dan had ik een zaktelefoon aan mijn oor en een naald in mijn arm.'

'Dat moet een verschrikking zijn, Sam,' zei ik met hem meevoelend.

'Dat klopt. Maar weet je wat grappig is? Ik heb een shot nodig, nu meteen en ik zou alles ervoor doen – alles *geven, verkopen.*'

'Dat moet je niet zeggen. Heroïne is dodelijk.' Ik dacht aan Bill.

'Maar het is waar, Bennie. Als ik mijn auto terug had, zou ik er in een minuut zijn. Ze mogen me in elkaar slaan, maar wel na een shot. Alleen erna.'

'Heeft Mark je daarom het geld gegeven, dat contant geld wat ik in zijn chequeboek heb gezien?'

'Ja.'

'Heb je hem ook verteld waarom?'

'Natuurlijk niet. Ik zei dat ik voor hem aan het investeren was. Een paar aandelentips van een rijke cliënt had gekregen. Ik zei tegen hem dat ik zijn geld kon verdubbelen.'

'Jij hebt hem z'n geld afgepikt? Een van je oudste vrienden?'

Sam keek de andere kant op en geen van ons beiden zei even iets. Dat hoefde niet.

'Sam,' vroeg ik, de stilte verbrekend, 'denk jij dat Mark wist dat je verslaafd was, ook al heb je het niet verteld?'

'Ik ben geen verslaafde, ik ben chemisch in de war.'

'Hou op met die gein. Mark heeft jou als executeur aangesteld, dus denk ik dat hij het niet wist. Wat denk jij?'

Sam zag er ontnuchterd uit. 'Hij heeft dat testament ongeveer drie jaar geleden gemaakt, en in die tijd was ik redelijk clean. Hij zou het vermoed kunnen hebben, maar hij heeft nooit iets gezegd. Ik heb jou voor de gek gehouden, nietwaar, en jij was altijd slimmer dan hij. Altijd.'

Ik haalde diep adem. 'Sam, heb jij Bill Kleeb vermoord, die jongen die ik verdedigde? De activist voor de rechten van het dier?'

'*Wat?* Nee!'

'Ik heb hem dood aangetroffen, een overdosis. Had jij daar niets mee te maken?'

'Nee, natuurlijk niet. Wat is dit? Ik heb niemand vermoord. Dat zou ik nooit doen. Het enige geweld waar ik van hou, is tekenfilms. Waar je opgeblazen wordt en in het volgende frame weer te voorschijn komt met twee pleistertjes kruiselings over elkaar.' Hij maakte een kruisje met zijn wijsvingers. 'Als een gelapte band.'

'Maar de ballonnen op je bureau, waar zijn die voor?'

'Serieus? Die gebruik ik om af te binden.'

'Je arm, bedoel je?'

Hij rolde met zijn ogen. 'Nee, m'n lul. Natuurlijk bedoel ik mijn arm. En kijk niet zo naar me. Ik ken iemand die daar injecteert om naaldsporen te verbergen. Een arts.'

'Bills arm was afgebonden met een roze ballon toen ik hem vond.'

'Nou en?' Toen werd het hem duidelijk. '*Daarom* denk je

dat ik het gedaan heb?' Hij lachte, maar het leek meer of hij lucht uitblies en Jamie 17 schrok ervan. 'Ik ben niet de enige junkie die ballonnen voor andere doeleinden gebruikt.'

'Is dat gebruikelijk, een ballon te gebruiken?'

'Alles wat werkt is gebruikelijk.' Hij hield een slanke vinger tegen zijn slaap. 's Kijken, ik heb een riem gebruikt, elastiek, een leren veter. Zelfs een Hermès-das. Die met die jongleurs.'

'Maar het was net zo'n ballon als op jouw bureau. Dezelfde kleur.'

'Je kunt ze bij Woolworth's kopen. Je zou die creepo's moeten zien die ze per gros inslaan. Die maken er geen van allen giraffes van, geloof me. Ik heb niets te maken met de dood van die jongen.'

'Maar je was kwaad op Bill omdat hij tegen het AIDS-vaccin protesteerde.'

'Ik kende die jongen niet eens! Daar zou ik hem niet om vermoorden! Dan zou ik iedere republikein die ik tegenkwam moeten vermoorden.'

Maar toch. Ik had een gespannen gevoel in mijn maag. 'Waar was je twee avonden geleden?'

'Waar ik iedere avond ben. High worden met Ramon, mijn kleine Speedy Gonzales.'

'Echt?'

'*Here Today, Gone Tamale.* 195... O, wat maakt het uit?'

'Sam...'

'Ik meen het. Ik vertel de waarheid.'

Ik keek naar hem, bijna ingestort in het verzakte midden van de bank. 'Sam, heb jij Mark vermoord? Om de honoraria?'

'Nee, Bennie, ik heb je gezegd dat ik het niet had gedaan, die dag in mijn kantoor!'

'Je hebt me ook verteld dat je het geld niet nodig had en je bent verslaafd.'

'Dat betekent nog niet dat ik schuldig ben aan iedere moord in de stad!' Hij leunde met een dwingende blik naar voren alsof hij alle kracht in zijn lichaam moest bundelen. 'Je snapt het niet, Bennie. Als je verslaafd bent, heb je nu geld nodig. Deze seconde, dit ogenblik. Ik heb niet over een jaar geld nodig of als Marks testament erkend wordt.'

'En de tijd die je in rekening bracht, het inkomen daarvan?'

'Te laat. Ik heb knaken knaken knaken knaken nodig, de hele tijd. Je factureert niet om dopegeld, *chica*.'

'Met het honorarium van de trustee, ieder jaar...'

'Ik ben absoluut niet in vorm om een trust te beheren! Ik kan mijn eigen leven niet eens regelen!' Zijn ogen glinsterden. 'Ik heb Mark niet vermoord, dat zweer ik.'

Ik overwoog het. Loog Sam of niet? Het leek of hij pijn had. Hij was mijn vriend zolang ik me kon herinneren. Ik wist het niet zeker, maar ik voelde dat ik hem kon vertrouwen, voor het ogenblik. Tenminste van zijn kennis gebruik kon maken om uit te vinden wat er met Bill was gebeurd. Dus vertelde ik hem het hele verhaal, dat er geen naaldsporen op Bills arm waren geweest, en wat mevrouw Zoeller had gezegd. Toen ik uitgepraat was vroeg ik wat hij ervan dacht.

'Voor mij klinkt het als doorgestoken kaart,' zei hij. 'Al zal ik je dit vertellen. De laatste die gelooft dat je een junkie bent, is je moeder.'

'Of je beste vriend.'

Hij keek bedroefd. 'Het spijt me echt, Bennie. Ik heb je nooit in moeilijkheden willen brengen.'

'Weet jouw moeder het?'

'Denk je dat ik haar wil vermoorden? Ze weet dat ik homo ben, dat is genoeg.'

Ik dacht aan Sams manier van leven, als homo: dat hij misschien injectienaalden deelde met anderen, bloed met verhoogd risico uitwisselde. 'Zoals het eruitziet, denk ik dat je jezelf wilt vermoorden.'

Sams gekwelde ogen vonden de mijne en hij sprak me niet tegen.

Later stopte ik hem in zijn bed, nu een kale matras met een van de meest exclusieve uitzichten van de stad, Rittenhouse Square. Waar het nachtkastje had gestaan lagen pizzakorsten, volle asbakken en andere rotzooi.

Ik begon het appartement op te ruimen terwijl Sam uitgeput in slaap viel. Jamie 17 hield me gezelschap en ik ging van kamer naar kamer, vegend en stofzuigend, net zoals ik mijn eigen appartement had schoongemaakt nadat de politie de boel overhoop had gehaald. Ik was in enkele dagen van een onverbeterlijke sloddervos in een witte tornado veranderd en had er grondig de pest aan.

Naarmate de nacht verstreek en Sam wakker werd, veranderde het zingen in overhalen, toen smeken, toen gillen. Ik hield hem vast, bestelde eten voor hem, en zette hem in de beschimmelde douche terwijl Jamie 17 zich uit de voeten maakte. Alles om hem de nacht te laten doorkomen. Ik liet hem al zijn drugsattributen uit de geheime plekken weggooien, een scala aan bebloede naalden, lepels, en spullen die hij zijn 'gereedschap' noemde. Ik haalde de flat ondersteboven, terwijl hij naar me schreeuwde, huilde, me smeekte op te houden. Maar ik luisterde niet en tenslotte gaf hij zich over.

Ik verloor mijn tijdsbesef en op een bepaald moment belde ik zelfs een drugshulplijn terwijl Sam op de achtergrond tekeerging. Ze hielpen me erdoor – het zweten, het rillen, de misselijkheid – vanwaar zij zaten naar waar ik was. Aan de andere kant van de lijn was een vriendelijk, verstandig persoon die de duisternis met mij en Sam uitzat, en niets vroeg behalve om te helpen.

Tegen het einde van de nacht was Sam in de diepste slaap gevallen die ik ooit had gezien, dieper dan die van Jamie 17 aan zijn voeten, door twee telefoontjes van Ramon heen. Het derde telefoontje van de kelner klonk paniekerig en het was duidelijk dat het hem niet om liefde te doen was. Ik verbrak de verbinding.

Toen de dageraad eindelijk aanbrak, stond ik van mijn plek op de hardhouten vloer op en rekte me uit met het zicht op Rittenhouse. Alle spieren in mijn lichaam deden pijn, maar het was een prachtig tafereel op de rustige zondagochtend. De straatlantaarns rond het plein waren nog aan en schenen zwak in de heiige grijze ochtend. De groene houten banken waren verlaten, zelfs door de daklozen. Aan mijn linkerkant twinkelde het centrum van Philly, maar de Silver Bullet leek ver weg, in mist gehuld. Rechts stonden de stijlvolle huizen ten zuiden van het plein en de rustige straat die vroeger van ons was, bij R&B. Ik dacht aan Mark, toen aan Grady.

Grady. Ik vroeg me af hoe het met hem was. Ik keek naar de telefoon, van de haak naast Sam en Jamie 17. Het was een risico, maar ik wilde hem spreken. Een voortvluchtige heeft haar advocaat nodig, nietwaar? De dageraad dat ik hem achterliet was precies zoals deze. Hoeveel dagen geleden was dat? De waarheid was dat ik hem miste. Ik pakte de telefoon en belde naar zijn huis.

'Met het huis van Wells,' zei een zacht fluisterende vrouwenstem.

Het bracht me van mijn stuk. Ik kneep in de hoorn. Zijn vroegere vriendin? Een andere vrouw?

'Hallo?' zei de vrouw weer. Ik kon haar nauwelijks horen.

De groeten, dacht ik en hing op.

28

Zondagochtend brak aan en ik wijdde hem aan Sam, die huilde, sliep, douchte en een volledige Foghorn Leghorn-tekenfilm afratelde. Ik had de kranten willen lezen om te achterhalen wat de politie over me te zeggen had, maar de krant werd allang niet meer bij Sam bezorgd, omdat de rekeningen niet betaald werden. Ik probeerde niet aan Grady te denken, wat niet moeilijk was aangezien ik mijn handen vol had aan Sam, die zwoer dat hij clean wilde worden.

'Werkelijk?' vroeg ik, terwijl ik een boterham voor hem roosterde, het enige voedsel dat in de flat te vinden was.

'Ik ben er klaar voor. Ik heb het gehad.'

'Je bent goed op weg, Sam.'

'Ik ben niet langer een eend in de knoei. Dat is 1953 tussen haakjes.'

'Hou op met die tekenfilms.' Ik legde de toost op een pas gewassen bordje en zette het voor hem neer terwijl hij met zijn elleboog op het aanrecht leunde. 'Dat heb ik al gezegd.'

'Al goed.' Sam wuifde me met trillende hand weg. Zijn ogen waren bloeddoorlopen achter zijn brillenglazen, zijn huid was saffraan van tint en het leek wel of hij aan anorexia leed nu hij geen maatpak aanhad. 'Ik dacht dat je van de animaatjes hield, Ben. Waarom heb je het plotseling zo op je heupen?'

'Ik ben tot de conclusie gekomen dat jij tekenfilms als façade gebruikt. Je verbergt je achter je humor, je wilt de realiteit niet onder ogen zien. Ik heb het in het programma van Sally Jessy gezien.'

Hij sloeg zijn ogen ten hemel. 'Heeft Ramon gebeld?'

'Laat Ramon toch zitten. Hij heeft een slechte invloed op je.'

'Natuurlijk heeft-ie dat, dat is wat me in hem aantrekt. heeft-ie gebeld?'

'Het maakt niet uit. Je mag niet meer met hem spelen.'

'Neem jij de zorg en de voeding over?'

'Bingo.'

'Ik hoop dat je het beter doet bij mij dan bij Jamie 17. Hij is te mager.' Zijn ogen volgden de kat die op de grond heen en weer liep, en tegen zijn kruk aan de eethoek in de keuken aanwreef.

'Ik heb hem gisteren een Snickers gegeven,' zei ik, in de verdediging gedrongen.

'Hij heeft echt eten nodig.'

'Als het donker wordt ga ik voor jullie allebei eten halen.' Ik veegde de toostkruimels van mijn handen in de kleine moderne keuken. Die was smetteloos na mijn schoonmaakwerkzaamheden van die nacht en zo kaal dat het leek of er niemand woonde.

'Hartstikke bedankt voor vannacht, voor alles wat je gedaan hebt.'

'Laat maar zitten.'

'Nee, ik weet dat je in de problemen zit. Dit is vast het laatste wat je nodig hebt.'

'Ik vind het niet erg om je te helpen, maar ik ben geen deskundige. De man van de hulplijn zei dat je naar een afkickcentrum moet. Hij zei dat de orde van advocaten een speciale afdeling heeft voor advocaten met drugsproblemen, zoveel zijn er.'

'Nee, nooit.' Sam keek afkeurend. 'Op die manier doe ik het niet.'

'Hij zei dat Eagleville goed is, en niet ver van hier.'

'Dat hoef ik niet. Ik kan het zelf. Ik ben er al half, dat heb je zelf gezegd.'

'Maar hij zei dat het een patroon is. Een gedrag.'

Sam werd rood. 'Ik ga niet naar een of ander stompzinnig afkickcentrum. Ik ben niet van plan alles te verliezen waar ik bij Grun voor gewerkt heb, niet hiervoor. Nee. Ik stel het enorm op prijs dat je zoveel voor me gedaan hebt, ik weet dat het klote was, maar ga niet door over een afkickcentrum. *That's all, folks.*'

'Maar je hebt therapie nodig...'

'Wil je mij ook laten shocken? Net als je moeder?'

Dat deed pijn. Ik wist niet wat ik moest zeggen. Ik kreeg een brok in mijn keel.

'Shit.' Hij wreef geïrriteerd over zijn voorhoofd. 'Shit, het spijt me.'

Wil je mij ook laten shocken? Ik kon die zin niet naast me neer leggen. Hij veroorzaakte een schokeffect en bleef tussen ons in de lucht hangen. Het was waar. Ik had mijn moeder laten shocken. Een enorme knop op haar hersenen ingedrukt. Haar opnieuw opgestart. Hoe ging het met haar, nog geen tien minuten van hier? Durfde ik erheen te gaan bij daglicht?

'Bennie, dat bedoelde ik niet zo. Ik was kwaad.' Sam wilde mijn hand pakken, maar ik liep naar de deur. Ik wilde weg. Misschien wat eten halen, misschien langs mijn moeder als de kust veilig was.

'Ik kom terug,' zei ik tegen hem.

'Bennie, het spijt me. Ga niet weg.'

'Jij en de kat hebben eten nodig. Wacht hier en neem de telefoon niet op.'

'Ik bedoelde het niet zo.' Hij stond wankelend op en viel bijna toen hij me naar de deur volgde. 'Bennie...'

'Zorg voor de kat,' zei ik en trok de deur achter me dicht.

Buiten tastte ik naar mijn zonnebril in de felle zon. Ik was nerveus, kwetsbaar. Te veel mensen in de buurt van Rittenhouse Square. Een hardloper botste tegen me aan en ik schrok.

'Uitkijken, vriend!' riep de portier. 'Alles in orde, mevrouw?' Hij haastte zich naar me toe, een oudere man met een kastanjebruine pet en een jasje met epauletten.

'Er is niks aan de hand.'

'Echt?' Zijn waterige ogen hadden een bezorgde uitdrukking. 'Ik dacht dat hij tegen u aanliep. Liep hij tegen u aan?'

'Er is niks aan de hand.'

'Dat mogen ze niet, onder de markies doorlopen. Dit is eigendom van Manchester, geen gemeen goed. Het is particulier, niet openbaar, weet u wat ik bedoel?'

'Ja. Bedankt, maar ik heb haast.'

'Het zijn hardlopers, waarom willen ze een kortere weg nemen, trouwens? Het gaat hun toch juist om de lichaamsbeweging, klopt dat?' riep hij nog terwijl ik wegliep. 'Waarom willen ze dan een stuk afsnijden?'

Maar ik was weg, met mijn ogen achter mijn donkere zonnebril op mijn omgeving gericht. Er was nergens een politieauto met of zonder kenteken te zien en Rittenhouse Square gonsde van stadsmensen die van het weer genoten. Hardlopers renden rondjes. Paartjes zaten omarmd op de banken de krant te lezen. Ik haastte me door de zijstraat langs Sams flatgebouw en liep de fijne kruidenier op de hoek voorbij omdat ik daar altijd kocht.

Ik liep door de zonnige Twenty-second Street, langs de exclusieve boutiques die deze betere woonwijk voorzagen. Ik hield me gedeisd, in de hoop dat ik niemand zou zien die ik kende en liep snel naar de supermarkt op Spruce Street. Die was enorm, anoniem en ik deed er nooit boodschappen.

Nog maar één straat te gaan maar ik had het al warm in mijn gekreukelde mantelpak. Mijn ogen schoten van links naar rechts om de geparkeerde auto's aan weerskanten van de straat te controleren. Geen Crown Vic, maar toen ik de hoek omsloeg stond er een patrouillewagen.

Christus. Ik hapte naar lucht. Een patrouillewagen met de turquoise en gouden strepen van de politie van Philadelphia. De motor draaide, maar er zat geen agent in de auto. Hij stond geparkeerd voor een Chinees restaurant. Misschien haalde hij koffie, misschien ook niet. Was de politie naar me op zoek in de buurt van mijn moeders huis, of zomaar in het centrum? Het zakendistrict was zo groot niet.

Ik repte me langs de Great Scot, en liet de gedachte aan boodschappen varen. Mijn instinct zei me te rennen, me te verbergen. Ik ging harder lopen, de hoek om, weg uit Spruce Street en het gezichtsveld van de politie. Ik zette een looppas in en deed of ik op mijn horloge keek. Ik was een vrouw, in een gekreukt linnen mantelpak, die haast had op zondag. Laat voor de kerk? Laat voor de brunch?

Ik liep in lichte looppas en probeerde er niet al te paniekerig uit te zien. Ik wist niet waar ik heen kon. Ik kon niet terug naar Sam, te riskant. Ik was te ver van mijn moeders huis, als ik daar al heen zou kunnen. Ik kon nergens heen. Ik stond met mijn rug tegen de muur.

Voor me, een paar zijstraten verder stond de Silver Bullet. Een glanzende toren. Grun. Waarom niet? Het was daar niet beter of slechter dan elders en ik was nog steeds Linda Frost. Een New-Yorkse advocaat op zondag aan het werk? Dat was iets vanzelfsprekends.

Ik hield mijn tempo aan, passeerde de zondagse winkelende menigte en toeristen en zette koers naar het gebouw. Ik zweette, maar hijgde niet al te erg. Goddank voor de trappen in het stadion en het roeien. Goddank liep ik nog vrij rond. Nu ik het er toch over had, misschien geloofde ik wel in God. Ik vertraagde mijn tempo tot advocatenritme en liep door de draaideur naar het gebouw van Grun, waar ik abrupt mijn geloof kwijtraakte.

Bij de receptie, in gesprek met de bewaker, stonden twee agenten in uniform.

29

Ik kon niet omdraaien en weggaan. Ik kon er niet vandoor. Een seconde wist ik niet hoe ik moest reageren. Toen had ik het.

Zoals van me verwacht werd. Ik liep autoritair naar de receptie. Ik was Linda Frost, New-Yorkse. Een topadvocaat in een provinciestadje. Ik had al weken geen fatsoenlijke tiramisu gegeten; ik kon nergens een Ethiopisch restaurant vinden. Ik duwde mijn zonnebril omhoog met een stijve wijsvinger om mijn naam in het boek te zetten en negeerde iedereen om me heen.

'Is zijn kantoor op de eenendertigste verdieping?' vroeg een van de agenten aan de bewaker. Will, die ik de eerste dag had leren kennen.

'Dat staat op de lijst,' zei Will terwijl hij zich omdraaide naar de computer. 'Mr. Sam Freminet. Hij zit bij Grun, hij is daar maat. Ik zie hem bijna iedere ochtend. Hij is altijd vroeg.'

Sam. Ze waren op zoek naar Sam. Mijn hart begon in mijn borstkas te bonzen, maar ik schreef mijn naam zo onverstoorbaar als ik kon.

'Misschien kan mevrouw Frost u de weg wijzen,' zei Will tegen de agenten. 'U kunt niet zonder bewaker door de toegangsdeur, maar zij is ook advocaat bij Grun.'

Wat? Ik slikte moeizaam, maar bleef schrijven, me nergens van bewust behalve mijn eigen behoeften. Een bona fide New-Yorkse.

'Mevrouw?' vroeg de agent. 'Mevrouw?'

Ik keek op. Ik moest wel. 'Ja.'

'Zou u ons mee naar boven willen nemen, mevrouw?' De agent was rond de veertig, met lichtblauwe ogen, harige blonde wenkbrauwen en een borstelige blonde snor. Een ware kanjer, maar hij was niet mijn type.

'Het gaat om een politie-aangelegenheid,' viel de andere agent bij, lang, mager en zwart. Ze hadden allebei insignes en naamplaatjes op, maar ik was te angstig om ze te lezen.

'Dat zouden we op prijs stellen,' zei de blonde afwachtend.

Slik. 'Ik zal u mee naar boven nemen.' Ik draaide me als een automaat om en ging de politie voor naar de liften. Ik vocht om mijn paniek de baas te blijven. Mijn keel kneep zich samen. Ik wilde wegrennen maar in plaats daarvan drukte ik op de liftknop en herinnerde mezelf eraan dat ik niet schuldig was aan een drievoudige moord, maar wat vooronderzoek voor een proces ging plegen.

'Vervelend dat u op zo'n mooie zondag aan het werk moet,' zei de blonde agent. Hij zette zijn pet af met het air van een pitcher uit de eredivisie.

'Niets aan te doen. Ik moet een proces voorbereiden.'

Ik zocht zijn knappe gelaatstrekken vanachter mijn donkere bril af en kwam tot de conclusie dat ik hem niet kende van mijn rechtszaken. Hij scheen de taxatie echter op prijs te stellen en als ik niet beter had geweten zou ik gezegd hebben dat hij me wel zag zitten. *Agent valt voor voortvluchtige.*

Ik ging de lift in toen hij gearriveerd was en zij stapten achter me aan, met rinkelende handboeien aan hun zware leren riemen. Ze hadden ieder een radio met een dikke rubber antenne aan hun taille, en ze droegen dienstrevolvers met afgesleten houten kolven. Ik schoof weg van de revolvers toen de liftdeuren dichtgingen en ons insloten.

'We moeten naar vierendertig,' zei de blonde agent.

'Prima,' zei ik en drukte op de knop. Ik zag met opluchting dat mijn hand niet trilde.

'Kent u Sam Freminet, mevrouw Frost?'

'Nee, ik ben niet van het kantoor in Philadelphia.' Ik hield mijn ogen strak op de oplichtende oranje letters van de lift gericht: *Verdieping 3, Verdieping 4.* Het was bloedheet in de lift, de airco stond zeker af in het weekend. 'Zijn er moeilijkheden met meneer Freminet, agent?'

'Zegt u maar Bob. Bob Hall.'

'Je was iets aan het zeggen, Bob.'

'Juist. We hebben zijn auto gevonden, achtergelaten. Helemaal gestript.'

Verdieping 8, Verdieping 9. 'Wat vervelend.'

'Meer dan vervelend. Het was een auto van tachtigduizend dollar.'

'Jee.' Geen wonder dat Sam in tranen was geweest.

'We vonden een aktentas in de kofferbak, met wat papieren van meneer Freminet. Maar zijn kenteken was verdwenen en we konden zijn registratie of andere identiteitspapieren niet vinden. U kent hem niet persoonlijk, maar hebt u enig idee waar hij woont? Hij heeft een geheim nummer en de afdeling motorrijtuigen kan ons niet helpen vóór maandag.'

'Nee. Geen idee.' *Verdieping 13, Verdieping 14.* Schiet op, sneller. Die rotliften gingen te snel toen ik hier werkte.

'Ze hebben een lijst op kantoor, hè? We moeten hem zien te bereiken.'

'Ik weet het niet, ik ben van het kantoor in New York.'

'New Yawk, u meent het!' Het gezicht van de blonde agent klaarde op. 'Ik ben opgegroeid in The Big Apple!'

'Werkelijk.' Geweldig. *Verdieping 21, Verdieping 22.*

'Ja, ik kom uit Queens. Richmond Hill, maar dat is lang geleden.' Hij nam me nauwkeuriger op alsof hij zich afvroeg of we samen op Franse les hadden gezeten.

'Queens, werkelijk.' Ik zag zijn ogen over mijn lichaam gaan en weer naar mijn gezicht, waarop hij naar mijn zonnebril tuurde. Ik bad dat hij me niet zou herkennen, nu mijn portret van twintig bij vijfentwintig ongetwijfeld dat van de eerste vrouw was die in de *Gezocht wegens moord*-galerij hing. Vrouwen maakten op alle fronten vorderingen.

'Ik wed dat ik kan raden waar u vandaan komt,' zei hij. 'Lachmont of Mamaroneck, klopt dat?'

Mama-wat? 'Nee.' *Verdieping 23, Verdieping 24.*

'Waar dan in New York?'

'O, ik kom niet uit New York. Ik werk er alleen.'

Zijn brede schouders zakten naar beneden. 'Waar komt u dan vandaan?'

Daar gaan we weer. Slechtste leugenaar bij de orde van advocaten. Ik keek naar de zwarte agent. Uit welke staat kwam hij niet? 'Iowa. Grinnell,' zei ik.

De zwarte agent haalde zijn schouders op en ik gaf hem een zuinig glimlachje. *Verdieping 30.*'

'Zet u uw zonnebril niet af?' vroeg de blonde agent.

'Dat kan niet.' *Verdieping 31, Verdieping 32.* Ik vocht voor lucht en een fatsoenlijke leugen. 'Een kater. Vreselijke kater. Een gigantische kater.'

'Ik snap het.' Het gezicht van de agent ontspande zich in een zelfverzekerde grijns. 'Zeker gefeest, gisteravond?'

'Precies,' zei ik net zo grijnzend.

'Ook al moest u de volgende dag werken?'

Verdieping 33. Schiet op, schiet op, schiet op! 'Je weet hoe het gaat.' Wat? Help!

Hij grijnsde sluw. 'Nee, hoe gaat het?'

Verdieping 34. 'We zijn er!' De deuren gleden met hun karakteristieke *ssj* open bij de chique receptie. Ik was zo blij de Goudkust te zien dat ik de kostbare Pers had kunnen zoenen. Gekoelde lucht kwam me tegemoet en droeg de nauw verwante geuren van macht en geld met zich mee.

'Lijkt me prettig, daar,' zei de zwarte agent. Hij rook het ook.

Aan weerszijden van de receptie waren ijzeren hekken, die de toegang tot de verdieping aan de andere kant afsloten. Ik zocht in mijn tas naar mijn beveiligingskaart en schoof hem in de metalen doos in de muur naast het hek. Er klonk een luide *klik* en het hek begon naar boven te schuiven. Ik applaudisseerde bijna.

'Alstublieft, heren,' zei ik opgewekt. 'De naamplaatjes zitten naast de deuren, iedereen heeft tegenwoordig een naamplaatje. Ik zit zo in mijn kantoor, met slechte koffie en hard aan het werk.' Ik hoorde mezelf ratelen en hield mijn mond.

De zwarte agent knikte en de blonde stak een grote hand uit. 'Jus d'orange,' zei hij veelbetekenend.

'Wat?' Mijn hand was nog nat van het angstzweet, dus trok ik hem weg.

'Jus d'orange. Veel. Dat is het beste tegen zo'n gigantische kater.'

'Dat zegt mijn vriend ook,' zei ik om iedere gedachte die hij mocht hebben aan een toekomst voor ons beiden de grond in te boren. Uiteindelijk was ik Grady trouw, nietwaar? 'Tot ziens,' riep ik en liep terug naar de liften en drukte op de knop. Ik zag de agenten in de gang verdwijnen en sprong bijna de lift in toen hij gearriveerd was.

Christus. Dat was te zeer op het nippertje geweest. De politie omringde me vanwege Sam. Ze zouden erachter komen waar Sam woonde, dan zouden ze erheen gaan. Ze zouden me continu op de hielen zitten, per ongeluk of gepland. Me achtervolgen. Tot ze me te pakken hadden.

Verdieping 33.

Mijn maag kromp samen. Spoedig zou Azzic lucht krijgen van Sams auto en meer vragen gaan stellen. Ik kon niet langer bij Grun blijven. Ik moest weg.

Verdieping 32.

Ik nam de inventaris op. Ik had mijn zaktelefoon nog maar

de banaanmobiel stond bij Sam met Jamie 17. Hij was daar beter af voor het moment, ik was weer op de vlucht. Hoe kon ik wegkomen zonder auto? Ik was in een stad. Er waren treinen, bussen, metro's. Hoppetee!

Verdieping 31.

De deuren gingen open en ik sprong naar buiten op de verliezersverdieping. De airco stond nauwelijks aan en de receptie rook naar kattenpoep. Ik gebruikte mijn kaartje om langs het beveiligingshek te komen en glipte eronderdoor terwijl het naar boven ratelde. Ik haastte me naar mijn vergaderzaal en opende de deur.

Mijn nieuwe garderobe was gearriveerd, allemaal in plastic tassen, kompleet met schoenendoos. Ik graaide mijn kleren, aktentas en papieren bij elkaar. Ik stond op het punt weer naar buiten te rennen toen er plotseling op de deur werd geklopt. Shit. Ik hield mijn adem in. Was dat de politie?

'Wie is daar?' vroeg ik.

Er werd weer geklopt, luider deze keer.

'Wie is daar?' vroeg ik, luider.

Nog geen antwoord. Wat was dit? Het *binnen zonder huiszoekingsbevel*-Spel, waarbij de politie je verlokt toestemming te geven? Ik trok mijn ijzige Linda Frost-gezicht en opende de deur.

Dat had ik niet verwacht, in geen duizend jaar.

30

Hij was kleiner dan ik me herinnerde, maar zijn gezicht was nog altijd even ernstig en gerimpeld achter brillenglazen met hoornen randen in een montuur van acetaat. Zijn kale hoofd was eivormig geworden en bezaaid met zonnensproeten. Hoewel het zondag was, ging hij gekleed in zijn gebruikelijke witte overhemd, representatieve das en kakipak van Brooks.

De Formidabele Machtige Grun. In de deuropening van vergaderzaal D, met zijn hoofd iets naar rechts gebogen.

'Meneer Grun,' zei ik gechoqueerd.

'Wa?' vroeg hij met zijn hand aan zijn oor.

'Meneer Grun!'

Hij glimlachte, waardoor zijn lippen onverwacht nat roze werden. 'Ja. Hoe kent u mij?'

Oei. 'Eh, ik heb uw foto gezien. Op de lijst.'

'Aangenaam kennis te maken.' Zijn stem was onvast maar nog steeds krachtig. Hij gaf me een hand die droog en breekbaar in de mijne lag. 'U bent zeker mevrouw Frost.'

'Ja. Inderdaad.'

Hij schuifelde de vergaderzaal in, vooruit gestuwd door impuls en wilskracht, en zakte in een stoel vrijwel meteen nadat ik die onder hem had geschoven. 'Dank u,' zei hij.

'Tot uw dienst.'

'Zo, u bent zeker mevrouw Frost,' zei hij nogmaals, terwijl hij naar me omhoog tuurde. Zijn gladde hoofd bewoog als dat van een schildpad in zijn stijve boord. 'Wel, u komt me zeer bekend voor.'

Mijn hart sloeg een halve slag over. 'Nee. We hebben nooit kennis gemaakt.'

'Uw vader, ken ik die?'

'Nee.' *Ik* ken hem niet eens.

'Was hij op Piper, Marbury?'

'Nee, hij was geen advocaat,' zei ik hoewel ik niet wist wat hij was. Een gluiperd volgens mijn moeder.

'Maar u komt me zo bekend voor. Wat was zijn achternaam?'

'Frost, net als de mijne.'

'Wat was zijn voornaam?'

Jack? Nee. David? Nog erger. 'Grinnell. Grinnell Frost. Net als de stad in Iowa.' Alstublieft God, leer me beter liegen dan dit.

'Grinnell Frost.' Hij schudde licht zijn hoofd. 'Ik geloof van niet. Dus u bent vanuit ons kantoor in New York naar ons gekomen. Ik heb veel op met het kantoor in New York.'

'Ik ook.'

'We hebben daar een aantal zeer slimme advocaten.'

'Inderdaad.'

'Maar ik hou niet van de stad zelf.'

'Ik ook niet.' Maar ik heb geen tijd daarover te converseren.

'De mensen hebben geen manieren.'

'Nee, dat klopt. Ze negeren iedereen om hen heen.'

'Ze bewegen' – hij wuifde met een trillende hand in de lucht – 'te snel.'

'Veel te snel.'

'En de straten zijn vuil.'

'Heel erg.'

'Smerig.'

'Lawaaierig.' Ik was het nog nooit zo met hem eens geweest. Ik was het nog nooit met iemand zo eens geweest, maar ik wilde nog steeds op de loop gaan naar de deur. Het gebouw uit.

'U werkt zeker heel hard, mevrouw Frost.'

'Inderdaad.'

'Ik heb uw memo gelezen, over de computerzaak die u aan het voorbereiden bent.'

'O ja?' O, shit.

'Ja. Het spijt me dat het zo lang geduurd heeft voor ik u vond. Ik ben hier niet elke dag en ik hou niet altijd mijn post bij. Wat betreft mijn interne rechtbankverslagen, dat zijn dode letters, ben ik bang. Houdt u de interne rechtbankverslagen bij, mevrouw Frost?'

'Ik doe mijn best.'

'Dat moet u, ze zijn van essentieel belang. Essentieel om te weten wat de rechtbanken beslissen, hoe de wet zich ontwikkelt. U weet wat Cardoze heeft gezegd.'

Kolere, de politie? 'Uiteraard.'

'De wet verandert periodiek.' Hij hield een vinger omhoog die erg bruin was voor deze tijd van het jaar en ik herinnerde me dat hij een vakantiehuis in Boca Raton had. 'Jonge mensen als u hebben het kantoor nu in handen. Het kantoor loopt nu zonder mij.'

Ik kon de spijt in zijn stem niet negeren. 'Maar vast niet zo goed.'

'U bent zeer vriendelijk, mevrouw Frost,' zei hij maar staarde langs me heen. De lichte ramen weerkaatsten wit op zijn dubbelfocusbril, waardoor het leek of hij blind was. 'Ik heb dit kantoor opgebouwd, weet u. Met mijn vriend. Die is er niet meer.'

'Meneer Chase?'

'Die is er niet meer.'

'Dat wist ik niet,' zei ik, maar dat was wel zo. Ik keek naar de open deur achter hem en de kust was nog vrij.

'Dat is lang geleden.'

'Ik begrijp het.'

Hij zuchtte. 'Hoe dan ook, u staat volgende week voor de rechter.'

Ik stond op dat moment voor de rechter. 'Ja.'

'U zei dat u hulp nodig had. In uw memo.'

'Hulp?' Stom, stom, stom. Help!

'Het was een dwaas memo, mevrouw Frost,' zei hij met iets van de strenge toon die ik me herinnerde. 'U kent ons niet erg goed, in het hoofdkantoor. Niemand zal u hier helpen als ze het niet in rekening kunnen brengen.'

'Nee?' Vertel mij wat.

'Niet vandaag de dag. In mijn tijd hielpen we elkaar allemaal. We zouden er niet aan gedacht hebben een cliënt de rekening te sturen voor het helpen van een collega. We lunchten samen in die tijd. Dronken zelfs samen thee met een tussendoortje erbij. Toen waren we pas maten. Echte maten.'

Tussendoortjes? Bij Grun?

'O, ja.' Hij glimlachte beverig bij de herinnering. 'Meneer Chase zette thee voor ons en dan hadden we allemaal thee met chocola samen. Een stukje maar, 's middags. Chase, ikzelf en McAlpine. En later Steinman.'

'Chocola?' Geïntrigeerd vergat ik een ogenblik de agenten.

'Chocola, ja. Steinman hield meer van chocola dan wij allemaal bij elkaar. Moest iedere dag een stuk hebben.'

'Wat voor chocola, meneer Grun?' *Melkchocola* zeggen. Was het zo begonnen?

'Altijd dezelfde soort. Wij, allemaal hielden we van dezelfde soort.'

Melk zeggen. Dus dat was het. Geen tirannie, kameraadschap. Collegialiteit. Ik voelde me vreselijk. Ik had hem verkeerd beoordeeld, en dat jarenlang.

'Houdt u van chocola, mevrouw Frost?'

Deze keer hoefde ik er niet over te denken. 'Ik ben dol op chocola, meneer Grun.'

'Wat voor chocola, melk of puur?'

'Alleen melk.' Ik voelde me onverklaarbaar geroerd.

'Puur is te bitter.'

'Dat vind ik ook.'

Hij glimlachte beverig. 'Melkchocola is iets heerlijks.'

'Dat is zo.'

'Sommige dingen in het leven kunnen niet verbeterd worden.'

'Zoals golden retrievers.'

Hij glimlachte weer. 'Houdt u van honden, mevrouw Frost?'

'Ja.'

'Ik houd van katten.'

Ik dacht aan Jamie, bij Sam. Ik miste hem werkelijk.

'Die zijn ook leuk.'

'Ik had ooit een poes, mijn Tiger. Ze was gestreept. Ze hield van roomkaas. Likte het zo van mijn vinger.' Hij knikte. 'We hielpen elkaar allemaal, toen. Het maakte niet uit of het wel of niet in rekening gebracht kon worden. Niet in het minst. Waarom zou je het in rekening brengen en je vriend een slechte beurt laten maken, hè?'

Waarom inderdaad.

'Dat is de manier om een advocatenkantoor op te bouwen. Niet met zaken, zelfs niet met cliënten. Met vriendschappen. die groeien van daaruit. Ze worden... organisch op die manier.'

Ik dacht aan R&B. Mark had gelijk gehad. Dat hield op toen wij verdwenen.

'De waarde ligt in vriendschappen, in de kern.' Hij haalde diep adem. 'Nu, hier ben ik. Ik zag uw memo. Ik wist dat u vandaag zou werken. Ik dacht misschien van dienst te kunnen zijn. Zou u misschien mijn hulp kunnen gebruiken, mevrouw Frost?'

O nee. Ik wist niet wat ik moest zeggen.

'Ik heb veel beveiligingszaken gedaan. Heb er vijfentwintig voor het Hooggerechtshof van de Verenigde Staten bepleit.'

'Vijfentwintig?' Ik dacht aan mijn ene onbenullige veer.

'Ik heb geen hekel aan het papierwerk. Ik werk graag hard.'

Maar er waren geen documenten, er was niet eens een zaak. Ik wist niet wat ik moest doen. Het deed me aan mijn moeder denken en dat bood me uitkomst. Het zou me vertragen, maar ik kon nu niet weglopen en hem zich nog nuttelozer laten voelen dan hij al deed. 'Ik zou uw hulp zeker kunnen gebruiken, meneer Grun. Het zou een eer zijn.'

'Dank u.' Hij knikte beleefd.

'Laat ik u allereerst de feiten vertellen.'

'Geen documenten?'

'Nee. Als het mag, laat ik u mijn openingsbetoog horen.'

'Zoals u wenst.'

'Het komt voor een jury, dus wil ik dat de opening precies goed is.'

'Goed zo. Jury's nemen hun besluit na het openingsbetoog. Wees respectvol. Spreek niet neerbuigend. Draag blauwe kleding, dat deed ik altijd.'

'Dat zal ik doen,' zei ik en begon een verhaal. Een verhaal voor het slapen gaan waarin een beginnend computerbedrijf de waarheid wilde weten, maar alle machtiger computerbedrijven logen tegen het bedrijfje in chips en de regering. Ik verzon terwijl ik vertelde en haalde de helft uit mijn eigen penibele situatie en de andere helft uit het weinige wat ik wist van wetten omtrent beveiliging.

Hij luisterde aandachtig en werd geleidelijk heel stil, zonder een spier te vertrekken, zelfs niet toen de middagzon in een helder vierkant over zijn gezicht bewoog. Hij was in die diepe slaap gevallen die slechts oude mannen en golden retrievers bekend is. Dus raapte ik mijn dossiers bij elkaar, pakte mijn kleren en aktentas, schreef hem een briefje en vertrok.

Ik snelde naar het beveiligingshek en glipte eronderdoor, in de smoorhete lift naar beneden naar de hal. Ik zou veilig zijn als ik uit de Silver Bullet weg was, ergens uit het zicht. Er waren wel duizend plekken waar ik heen kon. Het vliegveld, het station. Ik zocht een plek waar ik na kon denken, mijn spullen kon bewaren.

Verdieping 29.

Ik moest erachter komen wie Mark had vermoord, en iets wat Grun had gezegd was blijven hangen. In mijn achterhoofd. Ik kon het niet helemaal onder woorden brengen.

Verdieping 25.

Over advocatenkantoren. Collegialiteit. Ik dacht aan Mark, dood, en R & B, ter ziele. Eve. De associés. Wie had de bebloede schaar in mijn flat gelegd? Ik doorliep in gedachten de afgelopen tijd.

Verdieping 15.

Hattie had iets gezegd. Wie had wat spullen naar mijn flat gebracht? Renee Butler. Zij had gezegd dat ze boeken had teruggebracht die ik haar had geleend. Had zij de schaar in de doos gedaan?

Verdieping 10.

Was het Butler? Als dat zo was, had ze me goed voor de gek gehouden. En ze had altijd de indruk gewekt dat ze Mark mocht, maar misschien was dat vanwege Eve. Maar hoe had ze Bill gevonden? En waarom?

Begane grond. De liftdeuren gingen open. Ik wilde net uitstappen maar hield mezelf op het nippertje tegen. Er stonden drie agenten samen midden in de hal. Niet de blonde of de zwarte, nieuwe agenten. Bij hen was een man wiens rasp ik zou durven wedden te herkennen. Rechercheur Meehan van Moordzaken.

Mijn hart stond stil. Ik kon de hal niet in. Ik was te bang om

Linda Frost nog langer te kunnen spelen en het zou toch niet werken, niet bij Meehan. Het zou voorbij zijn.

Ik wilde het gebouw uit. De goederenlift aan de overkant van de hal stond open. Ik had hem ooit gebruikt om mijn spullen te verhuizen op de dag dat ik bij Grun vertrok. Hij ging naar de kelder en de parkeergarage.

Ik glipte de lift uit, sloop over de marmeren gang naar de goederenlift en drukte op de eerste knop die ik zag.

31

Ik stapte met tollend hoofd uit de lift op de laagste verdieping van de parkeergarage. Had de politie Sam gevonden? Was Meehan op zoek naar mij? Waar was Azzic? Ik moest zorgen dat ik wegkwam, maar ik wilde de stad niet uit, ik moest uitzoeken hoe het met Renee Butler zat.

Ik hees mijn spullen over mijn schouder en haastte me door de bijna lege parkeergarage, op zoek naar het trappenhuis. Plotseling klonk het geloei van politiesirenes. Ik zette het op een lopen, dwars door de garage. De enige geluiden waren mijn hakken, mijn gehijg en de sirenes.

Ik moest een uitgang zien te vinden. Ik rende langs een metalen bord op een parkeerplaats voor mensen met een vaste plek en keek naar links. Een oprit naar de uitgang draaide als een kurkentrekker naar boven. Ik nam hem en rende zover naar boven tot ik duizelig werd en de knalgele pijlen in een waas naar de uitgang wezen.

UITGANG knipperde een rood neonlicht aan de andere kant van de verdieping. Daar ging ik op af en ik was bijna bij het hokje van de caissière toen ik stokstijf bleef staan.

In het hokje stond een agent in uniform met de caissière en een bewaker in een rood jasje te praten. Ik maakte rechtsomkeert en rende terug de garage in. De sirenes loeiden luider. Ik knielde tussen een blauwe Taurus en een stationcar en kroop tussen de auto's weg van het hokje. Ik wist niet wat mijn volgende stap moest zijn. Ik hurkte op de korrelige cementvloer, met mijn knie in een plas gemorste motorolie. De sirenes loeiden harder. Ieder ogenblik kon er meer politie arriveren. Ik probeerde de portierhendel van de Ford maar hij was op slot. Ik keek wild om me heen, maar er was geen ontsnappingsmogelijkheid. Toen zag ik het.

Twee parkeerplaatsen verder, in het plafond. Een groot, vierkant gat tussen de balken van het dak van de garage. Een zwarte rechthoek tussen het roetige beton met zijn bobbelige vuurvaste laag. Een draagbaar Acme-gat. Ik zou gelachen hebben als ik het niet bijna in mijn broek deed van angst.

Ik moest naar het gat en de auto die er vlakbij geparkeerd stond, maar tussen hier en daar waren geen auto's die dekking boden. Ik zou onbeschut zijn. De sirenes gilden. Het voelde of mijn keel werd dichtgeknepen. Ik moest weg, ze zouden me hier vinden. Ik schoof naar de Taurus en keek om het hoekje. De agent en de bewakers stonden nog in het hokje. Ik wachtte tot de agent zijn rug naar me toe had en nam een spurt naar de auto.

Ik haalde het, luid hijgend, meer van angst dan uitputting. Ik hoorde geen voetstappen of geroep dus nam ik aan dat niemand me gezien had. Ik leunde opgelucht tegen de auto. Het was een mosgroene Range Rover die solide tegen mijn schouder aanvoelde. Dat was ook wel nodig. Het gat in het plafond van de garage zat er diagonaal boven. Ik richtte me iets op en tuurde door het getinte autoraam naar het hokje. De agent stond grapjes te maken met de knappe caissière. *Nu* gaan.

Ik ging staan en gooide mijn kleren en aktentas op het dak van de auto. Toen stak ik mijn teen in de hendel van het portier en klom langs de zijkant van de hoge Rover naar het korrelige dak. Toen ik daar was, ging ik plat liggen en ademde snel en licht. Tot dusver geen problemen. Geen stemmen, geen geschreeuw. Ik keek omhoog naar het gat. Redding. Ik bekeek de afstand tussen het gat en het autodak. Het was even ver als ik groot was. Ik kon het misschien halen.

Ik keek angstig opzij naar het hokje, maar de agent stond

zich uit te sloven voor de caissière. Ik pakte mijn tas en mikte hem in de zwarte diepte van het gat, als een zakje bonen in de mond van een clown. De tas landde met een doffe plof en ik mikte de canvas aktentas erachteraan. Een luidere plof. Ze rolden geen van beide naar buiten waaruit ik concludeerde dat er plek was voor mij.

De sirenes krijsten. Ze waren vlak buiten het gebouw. Ik sloeg mijn kleren achter om mijn nek als de cape van Batman, krabbelde overeind en sprong in het donkere gat. Ik greep de gekartelde zijkanten vast en hees mezelf krachtig op om mijn borst naar binnen te krijgen. Ik kroop op mijn ellebogen naar voren tot mijn benen binnen waren. Ik werkte me de laatste meter vooruit tot ik helemaal binnen was.

Ik had geen idee waarom dit gat er was, maar het stonk. Ik wurmde me voorwaarts, niet in staat iets te zien in het pikdonker, en wenste dat ik een zaklampje of iets nuttigers dan een hondenfototje aan mijn sleutelring had. Ik sleepte me verder de duisternis en de stank in, stuitte op mijn tas en ging verder tot mijn aktentas, tot ik me realiseerde dat het een soort tunnel was. Een erg stinkende tunnel. Driekwart meter verder werd de stank ondraaglijk en kroop ik door iets kouds. Kruimelig. Weerzinwekkend.

Wat was het? Ik pakte een handvol en hield het onder mijn neus, steunend op mijn armen. Ik zag niets, maar het rook naar stront. Ik rook nogmaals en besefte dat het dat was. Mest. Voor het land. Ik deinsde walgend achteruit, maar kon niet terug. Waarom zou er mest in een parkeergarage zitten? Toen herinnerde ik me het aangelegde bos met lindebomen in het atrium van het gebouw. Hun wortels moesten tussen de verdieping van het atrium en de parkeergarage liggen en werden kennelijk gevoed vanuit deze kruipruimte. Ik zat goed in de stront, geen geintje.

Plotseling hoorde ik dichtbij mannenstemmen. Mijn hart

bonsde en ik vergat de stank. De stemmen kwamen dichterbij, onder het gat. Ik hield mijn adem in. Pal onder me, stond een bewaker een schuine mop te vertellen. Ik luisterde niet naar de clou. De stemmen vervaagden, en verdwenen vervolgens. Ik blies uit van opluchting en spuugde het vuil uit mijn mond.

Vanaf dat moment werd het alleen maar erger. Ik bracht de nacht door in mest, terwijl ik de minuten voorbij zag tikken op de oplichtende groene cijfers van mijn horloge. Tegen halfzes had ik geen oog dicht gedaan, ik voelde me te kwetsbaar en angstig. Mijn knieën deden veel pijn omdat ze overal geschaafd waren en ik had kramp in mijn rug. Mijn haar stonk naar koeienmest en in mijn mond kon je paddenstoelen kweken. Maar de sirenes waren verdwenen en ik was veilig. Rust daalde als een zegen neer. Toch moest ik de tunnel uit voor de werkdag begon.

Ik keek over mijn schouder naar het lichte vierkant van de ingang. Ik probeerde me om te draaien maar het was te smal, dus pakte ik mijn spullen en kroop achteruit naar het licht. Ik kwam bij het gat en ging er in spreidstand boven staan, toen drukte ik me op en keek naar beneden. De Range Rover stond er nog. De politie ook? Ik wurmde me naar achter en tuurde naar buiten.

Geen politie of bewaker te bekennen, alleen een andere caissière, van de ochtendploeg, die haar nagels vijlde voor een draagbare tv die in het hokje flikkerde. Tijd om te gaan.

Ik pakte mijn spullen bij elkaar en liet ze op het dak van de Rover zakken. Er kwam niemand aanrennen, dus haalde ik diep adem en liet me uit het gat vallen. Ik kwam met een allesbehalve katachtige *bonk* op het dak terecht en ging onmiddellijk plat liggen. Ik wierp een laatste blik op de caissière die tv zat te kijken, gleed vervolgens ruggelings langs de zijkant van de Rover, nadat ik op het laatste moment mijn spullen had gegrepen, en landde in een aromatische hoop op de vloer van de garage.

Ik bleef een seconde zitten, dwong mezelf tot kalmte, en kneep mijn ogen tot spleetjes in het plotselinge licht. Ik zag er niet uit. Er zaten vuil en mest op mijn kleren. Mijn panty was kapot en een knie was bebloed en smerig. Ik stonk naar stront. Ik zag eruit en voelde me als een dakloze.

Toen kreeg ik de geest. De weg naar buiten. De volgende stap. Ik kon dakloos zijn, een stinkend wrak van een vrouw met plastic tassen en een vette canvas aktentas. Ik scheurde de tassen waarin de kleding zat kapot en wreef mest over mijn haar en gezicht, terwijl ik mijn afkeer bedwong. Een paar minuten later was ik zo ver. Ik overtuigde me ervan dat er geen politie te zien was en schuifelde naar de uitgang. Mijn hart ging als een razende tekeer onder mijn vuile blouse. Ik liep wankelend naar de uitgang. Mijn hart sloeg luider bij iedere stap die me dichter bij de caissière bracht, maar ik had geen keus. Ik kon niet terug en ik kon niet rennen of ze zou zonder meer de politie bellen.

Ze draaide zich om van de tv en kreeg mij in de gaten, met haar nagelvijl in de lucht geheven. Onmiddellijk vernauwden haar ogen zich. Ze was niet dom en wat ze zag stond haar niet aan.

Ik liep echter door en toen ik haar dicht genoeg genaderd was, kreeg ik een ingeving.

32

Verberg je in het volle zicht. Het werd een tweede natuur.

Ik ging recht op het hokje af, met slepende pas en gescheurde plastic tassen. Ik bleef recht voor het raam staan en bonsde op het krasserige plexiglas.

'Luister, luister, luister,' krijste ik naar de caissière. Ik wist hoe het moest, krankzinnig klinken, het zat in mijn bloed. 'Heb je iets voor me? Heb je iets voor me? Hebjeietsvoorme?'

De caissière deinsde gealarmeerd terug en schudde haar hoofd.

'Ik weet dat je geld hebt, schat! Ik weet dat je geld hebt, schat.' Ik hield mijn hand op, bedelend. 'Geef me, geef me, geefmegeefmegeefme!'

'Ga weg, of ik roep de politie!' riep ze vanachter het dikke glas.

Oeps. Ik zwaaide daas goeiedag en wankelde weg van het hokje, stak de hobbelige middenlijn bij de uitgang naar de ondergrondse garage over en liep in tegengestelde richting over de cementen oprit het gebouw uit. Ik ademde vrijer tijdens de klim, tintelend van adrenaline die me naar het hoofd steeg. Ik was boven aan de oprit gekomen, bij het trottoir buiten en glimlachte toen ik de lucht inademde die door de straat achter het gebouw woei. Ik was aan de winnende hand. En ik was vrij, ook al rook ik naar stront.

Toen zag ik dat de stank niet van mij afkomstig was. Grote roestige containers overladen met afval doemden op in het donker, naast de zwarte schachten van de laadplaats. Het trottoir was smerig en lag vol kauwgom waar het gebouw uitzag op de achterkant van een kantoor aan de overkant. Een dakloze man lag als een in elkaar gezakte marionet tegen het gebouw te slapen en ik onderdrukte een knagend schuldgevoel. Ik moest verder. Het werd licht, bijna ochtend. Als een vampier had ik dekking nodig. Ik rende naar de overkant van de straat naar de achterkant van een ander kantoor en glipte de donkere schaduw in.

Ieieieieie! Een patrouillewagen scheurde plotseling de straat in, met afwisselend gillende sirenes en flitsende rode lichten op het dak. Ik dook in het duister tegen de muur en viel bijna achterover. Het was een open deur, afgebladderd en oorlogsschip-grijs. PERSONEELSUITGANG stond erop, maar hij was opengewrikt, òf in het weekend tijdens een inbraak, òf omdat hij door achteloosheid niet was afgesloten. Aan de andere kant van de straat gilde weer een sirene, in navolging van de eerste. Ik glipte door de deur voor de patrouillewagen passeerde en sloot hem achter me.

Ik bevond me in een hete smerige gang, waar een walm van urinelucht hing. De wc-route van Philly. Het was halfdonker binnen met de deur dicht maar ik ontwaarde een licht aan het andere eind van de gang en een rommelend mechanisch geluid uit die richting.

Ik tilde mijn spullen op, die steeds zwaarder werden en liep voorzichtig door de gang, met mijn vingers langs de muur om de weg af te tasten. De muur was koud en bobbelig onder mijn vingertoppen, geverfde B-2-blokken.

De gang kwam uit op een andere deur, die slechts te zien was in het licht dat zijn omtrek aangaf en door de spleet tussen deur en deurpost scheen. Ik probeerde de hendel, die geen weerstand bood. Niet op slot. Ik wachtte even alvorens hem te openen. Ik hoorde geen geluid aan de andere kant, maar wat zou ik doen als er mensen aan de andere kant waren? Slecht liegen. Wat kon er erger zijn dan politie? Ik hield mijn adem in en deed de deur open.

Een trap, verlicht. Geen uitgang. Ik kon nergens anders heen, dus ging ik naar beneden, naar een overloop, en de volgende, tien betonnen treden. Afdalend naar het gerommel, dat luider werd, en de toenemende hitte. Op iedere overloop was een zwak peertje, omsloten door een kooitje van metaaldraad. Het geluid van de sirenes vervaagde naarmate ik verder afdaalde, maar ik was nog altijd niet op mijn gemak. Misschien had ik niet bij Grun weg moeten gaan. Misschien had ik Grady het pistool niet terug moeten geven. De knurft had mijn schroevendraaier afgepakt.

De trap eindigde in een grijze deur, minder verweerd dan de buitendeur en op een kier. Een streep geel licht scheen door de spleet. Ik bleef staan en luisterde. Er was geen menselijk geluid, geen radio, voetstappen of schuine grappen. Alleen het onophoudelijk geronk van de onbekende machinerie beneden, in volgens mij de kelderverdieping onder het souterrain. Mijn blouse was vochtig, mijn zenuwen gespannen. De hitte nam toe. Ik duwde de deur een eindje open.

Niets. Alleen een andere gang, beter verlicht dan die waarin ik stond. Aan de muur hing een groezelig bordje: RESULTAAT TELT! DOE JE WERK GOED! Ik keek om de deur maar de gang was leeg. De lucht was heter hier, benauwder. Het was moeilijker adem te halen. Zweet vormde zich in pareltjes op mijn hoofd. Ik griezelde, alsof er iets vlak achter me was. Ik keek over mijn schouder. Niets.

Niemand behalve ik en het geluid van de machinerie. Als er hier onderhoudspersoneel rondliep, was het niet in de buurt. Ik moest aannemen dat ze spoedig zouden komen. Ik dwong mezelf naar voren te stappen en sloop de gang door. De lucht werd steeds heter.

Ik hoorde achter me schuifelen en verstijfde. Ik keek net op tijd om om een grijze schaduw langs de muur te zien schieten. Oef! Ik snelde in de tegenovergestelde richting tot ik bij een open deur was waar het machinegeluid vandaan kwam. Op een bord naast de deur stond TRANSFORMATORKAMER. Ik stapte naar binnen, naar een dreunend geluid.

Meteen begon ik van binnen mee te trillen. Het was geen angst, iets anders. Een gezoem op lage frequentie vulde de ruimte om me heen. Er ging een tintelende sensatie door me heen als van statische elektriciteit. Ik keek om me heen naar de bron, maar het was overal. Enorme grijze metalen kasten stonden opgestapeld tegen alle muren van de ruimte.

GEVAARLIJKE HOOGSPANNING stond er op de kasten, met een rode bliksemschicht. VEROORZAAKT GEVAARLIJKE VERWONDINGEN OF DE DOOD. Ik had mijn buik vol van gevaarlijke verwondingen en dood. Ik ging als een haas het vertrek uit.

Ik liep snel door de ruimte naar de kamer ernaast waar het geluid het hevigst was. Op de open deur ertussen stond KOELKAMER, maar het was er bloedheet. Daar was geen plaats om me te verbergen, alles was te veel in het zicht. Zweet doordrenkte mijn blouse, waardoor mijn afschuwelijke lucht vrij kwam. Ik veegde mijn wangen met mijn rok af om de onvermijdelijke poepdruppels in mijn ogen te voorkomen. Toen ik stilstond, bevond ik me voor een grote bruine machine.

Het leek wel een meterkast en er stond DUNHAM-BUSH op. De naalden van de thermometers zweefden boven zes graden. Ik veronderstelde dat het een waterkoeler was, misschien voor de airco. Buizen en leidingen in verschillende kleuren strekten zich uit over het plafond en ik kreeg nu in de gaten dat ze naar kleur gecodeerd waren. Rood betekende vuur, blauw was water en op een gele buis stond KOELINGSUITLAAT.

Plotseling hoorde ik iets kletteren en dook in angst achter de grote DUNHAM-BUSH-kast. Erachter bevond zich een kamer, een klein leeg kamertje, met een gehavende, openhangende deur.

Er stond een ingezakt ledikant tegen de muur van de kamer en op de grond ernaast lagen kranten. Een gekreukelde poster op de muur toonde bijna de volledige anatomie van een brunette, naast een gore grijze dweil. Ik hoorde opnieuw een onverwacht *kleng*, dus ik dook en verschool me achter de deur. Misschien was het gekleng mechanisch, onderdeel van de heersende kakofonie. Toen ik weer moed had, kwam ik achter de deur vandaan en zette mijn spullen op het ledikant.

Er hing een flauwe marihuana-lucht. Twee lege Cola-blikjes stonden op een sinaasappelkist bij het hoofdeinde van het ledikant en ik raapte een krant van de vloer. Die was van zo lang geleden dat ik er niet instond, waaruit ik opmaakte dat de kamer niet regelmatig werd schoongemaakt. Ik kon dit als thuisbasis gebruiken, tijdelijk tenminste. Ik stelde me voor hoe de surveillancewagens boven mijn hoofd rondscheurden, op me joegen.

Ik was ondergronds gegaan. In werkelijkheid.

Ik liet me op het smalle ledikant vallen, naast mijn spullen en zakte voorover, dwong mijn hersenen een volgende stap te verzinnen.

Ik voelde hoe uitgeput ik was toen de spanning wegebde. Mijn gedachten dreven weg en ik dutte bijna in. Ik keek op mijn horloge. Kwart over zes. Er kon ieder moment een ochtendploeg arriveren. Ik kon nu niet slapen. Ik moest verder.

Ik stelde me voor dat ik op de rivier aan het roeien was. Een gestroomlijnde lichtbruine skiff die een baan sneed door een gladde blauwe rivier, die onder de heldere zon stroomde. Ik was uitgeput, maar bleef doorgaan. Met krachtige slagen naar de finish. Roeien leerde me dat als je dacht dat je je laatste reserve had opgebruikt, je nog tien slagen in je had. Een krachts-reserve. Opgespaarde energie. Je hoefde het alleen maar aan te boren. Vol te houden.

Ik stond op en rekte me uit. Ik was suf, gedesoriënteerd en uitgeput. Ik had berekend dat mijn moeders volgende behandeling vandaag zou zijn, maar het was te riskant me in het ziekenhuis te vertonen, ik zou haar aan Hattie moeten toevertrouwen.

Ik liep naar de gore wastafel en waste de stront van mijn gezicht met een uitgedroogd stuk Lava-zeep. Ik waste mijn haar en droogde het met papieren handdoeken. Vervolgens deed ik make-up op, verborg mijn kleren in een smerige hoek onder het ledikant en deed wat iedereen op maandagochtend in Amerika doet.

Ik kleedde me aan om naar mijn werk te gaan.

33

Het kantoorgebouw lag aan de andere kant van de stad tegenover de Silver Bullet, maar had evengoed aan de andere kant van de wereld kunnen liggen. De kleine gang rook naar verschaalde sigarenrook en de pokdalige vloer voelde ruw aan onder mijn nieuwe naaldhakken. Een goedkoop naambord – zwart met witte letters – gaf slechts drie huurders te zien in de laagbouw: ADVOCATENKANTOOR MR. RICHARD CELESTE; CELESTE LAND HOLDINGS; EN CELESTIJNSE ONDERNEMINGEN, NV.

De hal was leeg op een grijzig standaardbureau voor de liften na. Een bejaarde bewaker zat over het bureau gebogen de sportpagina te bestuderen met zijn vinger in zijn oor, dat een te groot gehoorapparaat torste. Er hing een sigaret tussen zijn lippen. Die viel bijna uit zijn mond toen hij me in het oog kreeg.

'Goeiemorgen, mevrouw,' zei hij met knipperende ogen bij de aanblik van mijn witte zijden haltertop en zwartleren mantelpak waarvan ik de rok obsceen had opgetrokken boven zwarte kousen met naden. De verkoopster van de afdeling dameskleding had 'gelegenheid' beloofd, en nu begreep ik dat ze smakeloze gelegenheden bedoelde. Daarom had ik het ensemble de finishing touch gegeven met mijn zwarte zonnebril, een helm pas geverfd rood haar en een streep met de meest schreeuwend rode tester-lippenstift die ik bij de drogist had kunnen vinden. Ik hoopte dat ik er uitzag als een professionele callgirl in plaats van een amateuristische geheim agent.

'U ook een goeiemorgen, meneer,' zei ik bijna spinnend en paradeerde uitdagend langs hem.

'Eh, mevrouw, wacht even. Wacht even. Alstublieft.'

'Wilt u iets, meneer?' Ik draaide op mijn naaldhakken om en glimlachte suggestief. Althans ik hoopte dat het suggestief was, en niet als een boer die kiespijn heeft. Ik probeerde me de reguliere hoeren die ik in films gezien had voor de geest te halen, aangezien Hollywood zo veel positiefs heeft gedaan voor het image van succesvolle zakenvrouwen.

'Mevrouw... hebt u een afspraak of zo? Dat moet ik weten voor ik u door kan laten.'

'Ik ben Linda. Ik ben een vriendin van meneer Celeste. Een *persoonlijke* vriendin, als u begrijpt wat ik bedoel.' Ik imiteerde een houding van *Pretty Woman*, met mijn hand op mijn heup.

'Alleen Linda?' vroeg hij voorover leunend in zijn krakende stoel. Ik wist niet of hij opgewonden raakte of me gewoon niet verstond.

'Linda, meer niet. Zo noemt meneer Celeste me en dat is wie ik ben. Linda.'

De oude man doofde zijn sigaret. 'Eh, meneer Celeste is er nog niet. Er is nog niemand.'

'Dat weet ik. Ik moet hier ook zijn vóór meneer Celeste. Hij wilde dat ik alles voor hem zou klaar zetten, zoals hij het lekker vindt.' Ik zwaaide mijn nieuwe zwarte handtas in de lucht alsof die het geheim bevatte. Hoewel daar slechts een zaktelefoon en drie verkreukte Tampaxjes inzaten. Tijd om te feesten.

'O. O, ik begrijp het,' zei hij en kuchte nerveus. 'Hoe bent u van plan zijn kantoor in te komen? Ik heb geen sleutel.'

'Meneer Celeste heeft er me een gegeven, uiteraard.' Ik hield mijn sleutel van Grun in de lucht. 'Zijn kantoor is toch op de eerste verdieping?' Een hint van Judy Holliday, puur uit nostalgie.

'Ja, maar hoe weet ik dat u hem niet gaat bestelen?' vroeg de bewaker, niet helemaal voor de grap.

'Zie ik eruit als een dief?' zei ik met een pruillip. Marilyn ten voeten uit. Als ze mijn lengte had gehad.

'Eh, nee, helemaal niet. Maar ik bedoel, ik heb u nog nooit gezien...'

'Dat is omdat meneer Celeste altijd bij *mij* komt.' Ik maakte een pirouette en drukte op de knop voor de lift naar boven, gewiekst als Jane Fonda in *Klute*. Bree, dat ben ik.

'Ik weet het niet zo net,' zei de oude man bezorgd, terwijl hij langzaam vanachter zijn bureau omhoog kwam. 'Meneer Celeste heeft niet gezegd dat hij vanochtend een afspraak met u had.' Hij schuifelde naar de liften en keek me aan.

'Nou, als ik niet naar boven ga om alles klaar te zetten zult u meneer Celeste moeten uitleggen waarom ik er niet was zoals hij gevraagd had.' De lift arriveerde met een tuberculeus *kling* en de deuren schoven ratelend open. Ik schoot naar binnen en drukte op de knop.

'Wacht even, mevrouw... Linda. Ik kan niet van mijn plek af.' De deuren schoven dicht, maar de bewaker stak zijn geaderde handen ertussen en worstelde om ze open te houden. Mijn adem stokte in paniek. Dit was meer waakzaamheid dan ik had ingecalculeerd. Ik zou niet graag zien dat zijn handen vermorzeld werden.

'Laat me alstublieft gaan! Meneer Celeste zal ontzettend kwaad op me worden als ik niet kom opdagen! Hij rekent op me. Hij zei dat het *heel* belangrijk was!'

'Druk op de knop voor de deuren!' riep hij, terwijl hij de deuren van elkaar hield als een gepensioneerde Spartacus. De ruimte tussen de deuren vergrootte zich en ik drukte als een razende op de knop SLUITEN. Plotseling begon het alarm van de lift oorverdovend te schallen.

BBBIEIEIEIEIEP!

'Als meneer Celeste zijn zin niet krijgt, tjonge, dan is- ie pas driftig! Hij heeft ook een groot pistool! Wist u dat?'

BBBIEIEIEIEIEP!

'Een wat?' riep de bewaker.

BBBIEIEIEIEIEIEIEIEIEIEIEIEIP!

Het volume decibels zette waarschijnlijk zijn gehoorapparaat op tilt, want de bewaker trok een hand weg tussen de deur en hield hem over zijn minder goede oor. De deuren gleden naar elkaar toe. De vingertoppen van de bewaker werden wit.

'*Meneer Celeste heeft een pistool!*'

BIEP!

Ik stond voor een ouderwetse kantoordeur, gematteerd glas met sterretjes in een houten kader, en vroeg me af hoe ik binnen kon komen. Ik was nog erger als speurder dan als hoer. Afgestudeerd aan de dat-zien-we-dan-wel-school voor aankomende detectives. Waarmee kon ik het slot forceren? Ik had geen haarspeld, die was met pijpenkrullen uit de mode geraakt. Ik ging het slot te lijf met de troep aan mijn sleutelring: eerst de kurkentrekker van mijn Zwitsers zakmes, toen met mijn geplastificeerde hondenfotootje. Beide waren op spectaculaire wijze ontoereikend.

Krijg nou wat. Ik keek nogmaals de gang in, trok mijn naaldhak uit en sloeg het glazen raam ermee stuk. De leren pump als inbrekersgereedschap. Ik deed mijn schoen weer aan en was in een oogwenk binnen.

De deur gaf toegang tot een piepklein wachtkamertje. Een plastic rododendron stond in een hoek stof te verzamelen. Er stond een versleten stoffen bank en een grote oude computer op het bureau van de secretaresse. Uitgesproken eenvoudige technologie, wat me niet verbaasde. Advocaten als Celeste vermeden schrijfwerk, dat was te tijdrovend. Maar ze lieten hun honoraria per meter drukken en ze vroegen veertig procent. Ik liep door het wachtkamertje naar het kantoor van Celeste.

Het was het kantoor van een vrek en die zijn allemaal hetzelfde. Een pompeus bureau tegen een goedkope gelambriseerde muur en overal bruine dossiers. Boekenplanken met juridische handboeken uit zijn studietijd, gedateerd en onaangeraakt omdat alleen de telefoon van belang was. De praktijk van Celeste zou een groot cliëntenbestand hebben gebaseerd op uitglijders, nepcompensatie voor bedrijfsongevallen en ontplofte Colaflessen. Uit chronische ziektes een gezond inkomen halen. Tot Eileen Jennings op het toneel verscheen en Celeste dacht dat hij zijn slag kon slaan.

Ik moest haar dossier zien te vinden. Ik kon niet verder met de aanwijzingen die ik had in de richting van Marks moordenaar, dus nam ik nu de moord op Bill als uitgangspunt, gebaseerd op mijn intuïtie dat die verband hield met die van Mark. En ik moest meer over Eileen weten om Bill beter in beeld te krijgen, dus doorzocht ik de dossiers op Celestes bureau.

Tien minuten later had ik het dossier in mijn tas bij de Tampax gepropt en sprong de lift in: pas toen de stalen deuren op de begane grond opengleden, realiseerde ik dat ik geen verhaal had voor onze Hercules van in de zeventig. Waarom zou ik het feest ontvluchten voor meneer Celeste was gearriveerd?

'Linda,' zei hij verbaasd vanachter zijn bureau. 'Ga je weg?'

'Ik moet ervandoor.' Ik liep snel naar de uitgang.

'Maar meneer Celeste kan hier ieder moment zijn,' zei hij terwijl hij langzaam overeind kwam.

'Ik moet weg. Snel. Ik ben zo terug. Mijn... nijptang vergeten.' Ik liep kordaat de vuile glazen deur uit zonder achterom te kijken.

Ik stapte het trottoir buiten op en wiebelde weg op mijn naaldhakken, met half dichtgeknepen ogen tegen het omfloerste zonlicht. De stad kwam maar moeizaam tot leven deze maandagochtend, maar ik liep in de schaduw van de gebouwen voor geval er politie in de buurt was. Ik was voor niks opgedirkt. Ik moest een plek hebben om Eileens dossier te lezen, maar ik kon niet voor de avond naar mijn ondergrondse kamer omdat er overdag mensen aan het werk zouden zijn. Toen kreeg ik een idee.

Ik liep snel langs de minder mooie zijstraten van Locust Street, glipte het eerste het beste Griekse restaurant binnen en sloop naar de wc om mijn rok naar beneden te rollen en mijn lippenstift af te vegen. Ik zette mijn zonnebril weer op en verliet de wc, op weg naar de plek waar iedereen heen gaat om rustig te kunnen lezen. De politie zou me daar nooit zoeken, te openbaar. Ik was er tegen de tijd dat hij openging.

De Jenkins Memorial Juridische Bibliotheek wordt slechts door twee soorten advocaten in het juridische kastensysteem bezocht: de paria's die zich geen eigen bibliotheek kunnen permitteren en de Brahmanen die hem gebruiken om de wet van een andere staat te onderzoeken. Deze ochtend waren beide extremen in Jenkins aanwezig en goede tijden en slechte tijden hielden elkaar achterdochtig in het oog boven de marmeren borstbeelden. Ik ontliep ze allemaal en liep over het hoogpolig tapijt naar de metalen boekenrekken achterin waar ik een onbezette studiecabine vond. Ik ging zitten, schopte mijn hoge hakken uit en begon te lezen.

Het dossier was een zootje gele notitiebladen volgekrabbeld in een kinderlijk handschrift. Celeste had Eileen kennelijk maar een paar maal geïnterviewd en zijn aantekeningen stonden vol onafgemaakte zinnen: *Einddipl. Middelb. Sch. Cheerl. Drankprobl. Vader in dienst.* Overal, in de kantlijnen en zelfs tussen de aantekeningen stond:

appel 35
sinaasappel 30
brood 100
snickers – fun size (klein) 150

eierklutsers 150??? (controleren)
geroosterd brood, margarine 80
Baby Ruth – groot, alleen de helft – ???

Celestes calorieëntabel was veel nauwkeuriger dan zijn verslagen. Het kostte me een dikke twee uur om zijn interview met Eileen te reconstrueren, en het leverde niet eens aanwijzingen op. De andere aantekeningen bevatten telefoonnummers in Los Angeles en New York, met namen als William Morris ernaast gekrabbeld. Blijkbaar geen getuigen, maar literaire agenten die rechten voor films en boeken verkochten. Celestes poging het verhaal van Eileens miserabele leventje te laten verfilmen. Ik borg het dossier geïrriteerd weg en haalde hetgene tevoorschijn waarvan ik hoopte dat het de voltreffer was.

De geluidsbandjes. Vier plastic cassettebandjes waarvan ik aannam dat ze Eileen in onverkorte vorm bevatten. Ze waren ongenummerd en zonder etiket. Ik draaide ze om in mijn hand. Ik had een risico genomen door ze achterover te drukken, maar alla, ik moest horen wat erop stond.

Ik nam mijn tas en dossier mee uit de studiecel en loerde rond tot ik de luistercel van de bibliotheek had gevonden. Er zat een raam van dik glas in de deur en er stond een bandrecorder op een ingebouwd bureau. Ik ging zitten, deed de koptelefoon op en liet een cassette afspelen.

Eileen giechelde om iets wat Celeste gezegd had en het geluid alleen al maakte me kwaad. Die stem – hoog, achteloos, flirtend. En gevaarlijk, geslepen. Eileen had een man vermoord en luisde mij er geraffineerd in. Ik zette het geluid harder. Het interview was in de vorm van vraag en antwoord.

V: Vertel me over je relaties, Eileen. De relaties die je gevormd hebben.
A: Alleen het opwindende deel dus, klopt dat? (giechel, giechel).

V: Inderdaad.
A: Nou, Bill was natuurlijk niet de eerste.
V: Kleeb bedoel je. Wie dan wel?
A: O, een jongen van vroeger. Toen ik ongeveer veertien was?
V: Dat is jong.
A: Nee hoor. Niet voor mij. Ik was er klaar voor.
V: Wie was hij?
A: Gewoon een boerenjongen. Ik heb iets met boerenjongens denk ik.
V: Waarom denk je dat dat is?
A: Flinke spieren. Tatoeages. Geen hersens (giechel, giechel) ik ben zelfs getrouwd geweest, ooit.
V: Dat wist ik niet.
A: Dat weet niemand.
V: Wanneer was dat?

Christus. Het leek verdomme Barbara Walkers wel. Ik probeerde me te concentreren, maar het was niet gemakkelijk. Ik worstelde om deze zelfgenoegzame rotzooi aan te horen, maar ik had de hele nacht niet geslapen. En ik had geen koffie op. Dat waren godgeklaagde werkomstandigheden, geen nijptang en geen caffeïne.

A: Toen ik achttien was. Hij was twintig. Een oudere man.
V: Twintig? Een ware Methusalem.
A: Een wat?
V: Laat maar. Ga verder met je huwelijk. Dat is goede achtergrondinformatie voor het personage.
A: Gelooft u echt dat het de film van de week wordt?
V: Als ik dat niet dacht zou ik hier niet zitten. Dus, ga verder, goed? Ik wil de bandjes zo snel mogelijk bij de agent hebben.
A: Krijg ik een kopie?
V: (zuchtend) Ik maak er een voor je. Vertel nu alsjeblieft je verhaal.

A: Mijn man was (onverstaanbaar)...
V: Wat was hij?
A: Hij was... mishandelde me. Hij sloeg me als hij dronken was.
V: Werkelijk.
A: Eh... ja. De klootzak.
V: Heb je er ooit foto's van genomen. Polaroids bijvoorbeeld?
A: Nee.
V: Ben je er ooit voor naar het ziekenhuis geweest?
A: Nee.
V: (teleurgesteld) Hoe vaak sloeg hij je dan?
A: Een of twee maal per week, lange tijd.
V: Toen ben je van hem gescheiden. Je moest voor jezelf opkomen en van hem scheiden, klopt dat?
A: Nee, ik ben gewoon bij hem weggegaan. De advocaten deden niks voor me. Toen kwamen er gerechtelijke uitspraken, de ene na de andere, maar hij bleef terugkomen. Sloeg me. De rechtbank kon er niks tegen doen. Meestal kwam de politie niet eens.

Mijn hoofd begon te bonzen. Ik wreef in mijn ogen om wakker te blijven. De triestheid van haar verhaal was niet aan mij besteed. Ze was een slachtoffer, dus maakte ze slachtoffers. Ik accepteer geen excuus voor moord. Een onschuldige man was dood door haar toedoen en Bill misschien ook wel.

Ik verschoof in mijn stoel en mijn blik viel op een schets van Daumier aan de muur. Een advocaat met zijn hand in de zak van zijn cliënt, of andersom, maar het glas over de afdruk weerkaatste iets anders. Een persoon. Een man tussen de boekenrekken, in een donker jasje. Hij zat over een boek gebogen. Ik kon zijn hoofd niet zien, maar zijn rug kwam me bekend voor. Ik hield mijn hoofd omlaag om niet herkend te worden.

V: Dus je bent zelfs nooit van hem gescheiden?
A: Nee.
V: Ben je op het ogenblik met hem getrouwd?
A: Nee. Ik heb gehoord dat hij dood is. Hij is doodgeschoten.
V: (onder de indruk) Je meent het. In een kroeg? Of door een bende of zo?
A: Nee, nee. Een jachtongeluk. Hij dronk altijd als hij op jacht ging, zijn maten ook. Stomme klootzakken.

Op jacht. Ik zag de hut in het bos voor me. Bills koude lichaam. Was er een verband? Mijn ogen vielen op de schets van Daumier. In de weerkaatsing draaide de gebogen figuur de bladzijde van zijn boek om. Wie was hij? Herkende hij me? Was het een rechercheur? Ik probeerde me de politiemensen te herinneren die in burgerkleding werkten. Ik bedekte mijn gezicht met mijn hand, alsof ik opkomende hoofdpijn had, wat ook zo was.

V: Oké, laten we verder gaan.
A: De rechtbanken hebben het naar de kloten geholpen.
V: Eileen, ik heb je gezegd dat je niet zo moet praten op de band.
A: Sorry, maar het is de waarheid. Ik ben naar de wetswinkel geweest, om iets te krijgen waardoor hij uit mijn buurt zou blijven.
V: Een straatverbod?
A: Ja, dat klopt. Alleen de rechtbanken, die rechters, die weten niet waar het om gaat.

Toen zag ik het. De figuur had zijn boek teruggezet en liep tussen de rekken, recht over het pad, naar de luistercabine. Ik kromp in elkaar en deed of ik hoestte.

A: (opgewonden) Kan me niet schelen, ze weten geen barst.
V: Wie was je advocaat?
A: In de wetswinkel?
V: Ja.
A: Gewoon een van de advocaten daar.
V: Kun je je zijn naam herinneren?

Plotseling werd er hard op het glas van de deur getikt. Mijn maag kromp samen. Ik wist niet wat ik moest doen. Ik draaide het geluid van de bandrecorder harder en hoopte dat hij weg zou gaan.

A: Waarom hebt u een naam nodig?
V: Voor geval we toestemming nodig hebben voor de tv-film. Je hebt toestemming nodig als het om bestaande personen gaat.
A: (pauserend) O, het was een vrouw. Eh... Renee. Renee dinges, geloof ik. Dat moet ik nachecken. Ik weet trouwens niet waar ze nu is.

Eh? Wat? Renee? Kon Eileens advocaat Renee Butler zijn geweest? Ik kon mijn oren niet geloven. Ik drukte net op terugspoelen toen de deur achter me openzwaaide.

34

'Ben *jij* het?' vroeg hij geschokt.

'Ben *jij* het?' vroeg ik net zo geschokt. Het was Grady, mijn advocaat en trouweloze minnaar. Ik vroeg me vluchtig af of die zaken altijd zouden samengaan in mijn leven. Misschien was dat het probleem.

'Bennie!' Hij sloot snel de deur achter zich, met een opgeluchte blik achter zijn brillenglazen.

'Grady, hoe is het verdomme met je? Ik weet een goeie. Hoe weet je wanneer een man liegt?'

'Wat?'

'Zijn lippen bewegen.'

Hij fronste verward zijn voorhoofd. 'Waar heb je het over? Waar heb je gezeten? Wat doe je *hier*? Ik heb me ongerust over je gemaakt.'

'Maar natuurlijk. Daarom had je ook behoefte aan troost, een paar ochtenden geleden.'

'Waar heb je het over?' zei hij lijzig, en ging op zijn hurken zitten zodat hij op ooghoogte met mij was.

'Waar ik het over *heb?*' Ik reed mijn stoel naar achter, ook al droeg hij mijn favoriete donkerblauwe overhemd en kakibroek. Ik had kunnen weten dat hij me zou bedriegen. Niemand kan een overhemd zo laten flatteren en niet bedriegen. 'Ik *heb* het over die vrouw. Was het je vriendin? Ben je weer teruggevallen?'

'Mijn vriendin? We zien elkaar niet meer, dat heb ik met haar afgesproken.'

'Wie nam dan je telefoon op, Grady? Het was ochtend. Je sliep.'

'Zondag?'

'Ik geloof van wel.'

De rimpels verdwenen uit zijn voorhoofd en hij glimlachte. 'Dat was Marshall. Ze zei dat er iemand gebeld had die ophing. Ze kwam langs en is blijven slapen. Op de bank, uiteraard.'

'Marshall?' Ik hoorde dat ik stom klonk en voelde me nog stommer dan ik klonk. 'Ze sprak zo zacht dat ik haar stem niet herkend heb.'

'Ze was overstuur en wilde de waarheid over je weten. Daarom is ze weggelopen, ze was van streek omdat jij het misschien gedaan kon hebben. Ze dacht dat je Marks geheime bestanden had gevonden, ze wist dat hij bezig was met een nieuw kantoor. We hebben tot laat gepraat en ze is zondag gebleven.'

'Marshall, hè.' Mijn gezicht voelde warm aan. Ik had hen beiden ten onrechte verdacht.Ik wilde van onderwerp veranderen. 'Wat doe je hier trouwens?'

'Wacht even, je was jaloers.'

'Nietwaar.'

'Welwaar.' Hij grinnikte.

'Hou erover op, Grady, en vertel me wat je hier doet.'

'Ik moest wat napluizen maar dat ging niet op kantoor. Het stikt er van de politie. Ze hebben er continu een bewaker voor het geval jij terugkomt.' Hij greep de leuningen van mijn stoel vast en trok me naar zich toe. 'Tussen haakjes, die kleren staan je goed.'

'Zwart leer?'

'Waarom denk je dat ik motor rijd?' Zijn handen kropen naar mijn knieën maar ik duwde hem weg.

'Daar hebben we geen tijd voor. Wat ben je aan het napluizen?'

'Criminele zaken, voor jou.'

'Wat heb je gevonden?'

'Je bent er erger aan toe dan ik dacht. Laten we het nu niet over de rest hebben.' Hij kwam dichterbij en drukte een kus achter mijn oor, maar ik kronkelde me los.

'Wat houdt de rest in?'

'Is niet van belang.'

'Vertel, of je bent ontslagen.'

Hij zuchtte. 'De politie heeft de Camaro in Sams garage gevonden. Iemand had ze gebeld omdat er geen sticker opzat dat hij in die buurt mocht staan. Ze hebben hem naar mijn neef getraceerd en zijn er achtergekomen dat hij dezelfde achternaam heeft. Ze proberen te bewijzen dat ik je heb helpen vluchten.'

'O nee.' De moed zonk me in de schoenen. 'Kunnen ze dat?'

'Waarschijnlijk. Azzic heeft Jamie zelf gebeld, maar Jamie heeft niet gezegd dat hij de auto aan mij had geleend. Hij zei dat hij voor het huis van mijn oom is gestolen.'

'Heeft hij aangifte van diefstal gedaan bij de politie in Jersey?'

Grady's lip krulde om. 'Nee. Misschien kan hij zeggen dat hij het was vergeten.'

'Een nieuwe auto?' Ik voelde een golf van schuldgevoel. 'Ik had je er nooit bij moeten betrekken.'

'Genoeg daarover,' zei hij terwijl hij mijn arm aanraakte. 'Ik heb mezelf erbij betrokken. Ik hou van je, weet je nog?'

Daardoor voelde ik me alleen maar slechter. 'Ze zullen je oppakken voor hulp bij een misdaad. Ze hebben genoeg bewijs als ze in Sams flatgebouw navraag doen. Dan komen ze achter mijn vermomming, als ze daar al niet achter zijn.'

'Ik kan wel aan wat er met mij gebeurt. Wat doe je hier trouwens? Wat zijn dat voor bandjes waar je naar zit te luisteren?'

Maar Grady had de koptelefoon al op zijn blonde haardos. Zijn ogen verwijdden zich toen hij op PLAY drukte.

We stonden als vreemden op mijn aandringen aan weerszijden van de lift. Ik wilde om allerlei redenen afstand, maar Grady wilde er niets van horen.

'Bennie? En jij? Wat voel jij voor mij?'

'Ik word voor moord gezocht en raak één met mijn zonnebril. We zouden dit onderwerp moeten bespreken als die twee dingen niet langer waar zijn.' En misschien weet ik dan het antwoord.

Hij keek naar de veranderende cijfers op de lift. 'Dus je gaat terug naar dat hol in de kelder?'

'Vroeg of laat.'

'Weet je zeker dat ik niet langs kan komen om te zien hoe het met je gaat?'

'Te riskant.'

'Heb je genoeg geld?'

'Nu wel, dankzij jouw onafgebroken hulp bij de misdaad.' Hij had me veertig dollar gegeven, alles wat hij bij zich had.

'Zit je veilig, daar?'

'Veiliger dan in die cabine met jou.'

Hij glimlachte. 'Hoe kan ik je weer vinden?'

'Even niet. Het is te gevaarlijk,' zei ik nuchter. Ik was de baas hier, niet soms? 'Wanneer we dit allemaal recht hebben getrokken, kunnen we het proberen. Ons, bedoel ik.'

'Ja, meneer.'

'Goed. Dat waardeer ik.'

'Je waardeert het te veel.'

We waren op de begane grond aangeland. De liftdeuren gleden open en een horde pakken schoof langs ons de lift in. Ik ging bezorgd tussen de menigte in staan, meer om Grady dan om mij.

'We kunnen niet samen naar buiten lopen,' fluisterde ik terwijl we ons naar het eind van de hal wurmden. Een glazen muur en draaideuren scheidden ons van een Chestnut Street vol verkeersopstoppingen.

'Ik ga eerst.' Zijn ogen tuurden even angstig als de mijne de straat af. 'Dan kan ik zien hoe het er voor staat.'

'Nee. Laat mij voorgaan, dan kom jij. Na tien minuten.'

'Maar niemand zou je herkennen, Bennie, ík herkende je nauwelijks. Laat mij eerst gaan. Ik geef een seintje als er problemen zijn.'

'Nee, tot ziens. Wees voorzichtig.' Ik liet hem achter bij de draaideur, die uitkwam op een trottoir vol advocaten die het gebouw ingingen. Ze kwamen terug naar de bibliotheek na hun lunch, met hun maag vol broodjes cornedbeef speciaal. Lak aan cholesterol, leven op de rand.

Ik zette mijn zonnebril recht en wilde net tegen de stroom inzwemmen toen ik een oudere vrouw in de mensenmassa zag, die omver werd gelopen. 'O, hemel!' riep ze terwijl ze recht in mijn armen viel.

'Het geeft niet.' De mensenmassa stroomde langs ons, apatisch als forel. Ik was voortvluchtig, het was aan mij om ervandoor te gaan, maar ik had een armvol oude vrouw.

'Mijn rug, mijn rug! Help me alstublieft, ik ben er doorheen gegaan.'

Ik zette haar tegen de muur van het gebouw, uit de loop van het voetverkeer. Ze voelde net zo breekbaar als mijn moeder, breekbare botten in een dunne huidzak.

'Mijn rug, ik moet liggen. Alstublieft.' Haar gezicht was vertrokken van pijn, dus hurkte ik tegen de granieten muur en legde haar hoofd op mijn strakke rok. Op haar roze uniform was over haar borst een lapje stof genaaid waarop stond ONDERHOUD, maar ze had geen naamplaatje. In een wereld vol naamplaatjes blijven de mensen die achter ons opruimen naamloos.

'Hoe heet u?' vroeg ik.

'Eloise,' zei ze moeizaam. 'Mijn rug doet zo'n pijn.' Haar voorhoofd was vochtig onder haar zilvergrijze haren, en haar hand greep de mouw van mijn jasje. Omdat ik niet wist wat ik anders doen kon, ging ik op mijn knieën zitten en nam haar in mijn armen, een advocate als Piëta.

Plotseling was er een commotie aan de andere kant van de mensenmassa. Kabaal op straat, geschreeuw. De mensen begonnen opgewonden te praten en liepen achteruit naar de oude vrouw.

'Hé!' riep ik, en gaf een man een stomp tegen zijn enkel.

Uit het niets loeiden ineens politiesirenes, nog geen drie meter vanwaar ik op mijn hurken zat. Mijn hart begon te bonzen. Remmen gierden bij de stoeprand. Banden piepten. Bevelen werden toegeblaft. Zaten ze achter mij aan? Ik zag niets dan een horde leren schoenen en zwarte nylon sokken. Wat was er aan de hand?

De mensen kwamen gevaarlijk dicht naar ons toe. Ik hield Eloise in mijn armen, evenzeer om mezelf te kalmeren als haar. Tussen de enkels en voeten door kon ik de witte flits van een patrouillewagen zien die naar de stoeprand scheurde, en toen nog een. Agenten in uniform sprongen de auto's uit. Uit de laatste, met opgewaaide das, kwam rechercheur Azzic.

Jezus. Ik voelde een scheut van angst. Mijn instinct zei me ervandoor te gaan. Ik voelde het in mijn voeten, in elke spier van mijn benen. Adrenaline pompte door mijn bloed en gaf mijn lichaam opdracht te vluchten. *Ga weg, ren. Ga ervandoor.*

'Mijn rug doet pijn,' kreunde Eloise. 'Het doet zo'n pijn.'

En Eloise? Ik kon haar niet op het trottoir achterlaten. Ze zou onder de voet worden gelopen, en als ik nu op zou staan en wegrennen, zouden ze me zeker in de kraag grijpen. Nee. Blijf waar je bent. De mensen zouden me afschermen van de politie. Ik boog verder voorover zodat ze mijn gezicht niet konden zien.

Toen kreeg ik het door. Ze zaten niet achter mij aan, maar

achter Grady en ik kon er niets aan doen.

Het volgende ogenblik haastte een falanx agenten in uniform zich uit het gebouw. Tussen hen in, langer dan de meesten van hen, liep een stoïcijnse Grady. Zijn handen waren geboeid op zijn rug en de agenten trokken hem mee aan zijn ellebogen. Ik voelde een steek van pijn bij de aanblik. Een van de agenten hield zijn rugzak bungelend bij de lus vast. Ze duwden hem achterin de patrouillewagen en Azzic ging voorin naast de chauffeur zitten.

'Doorlopen, mensen,' zei een van de agenten, 'er valt niets te zien, er is niets te zien.'

Eloise keek naar me op. 'Houd je hoofd naar beneden. Ze zijn zo weg.'

35

Tien minuten later had ik mijn mede-samenzweerster op de been en haastte ik me op naaldhakken door Chestnut Street, terwijl ik moeite deed er net zo uit te zien als de mensen die lunchpauze hadden. Vanachter mijn zonnebril keek ik alle kanten uit, van links naar rechts. Alleen openbaar vervoer en politie mochten door Chestnut Street rijden, waardoor de politieauto's gemakkelijk te zien waren. Er was er niet een in de buurt, maar ik voelde me toch bedreigd. Ik snapte niet hoe ze zo snel bij de bibliotheek waren verschenen. Agenten in burger moesten Grady gevolgd zijn. Misschien volgden ze mij op dit moment. Ik kreeg er kramp van in mijn buik. Ik hobbelde met de stroom op het trottoir mee, mijn gedachten maalden.

Dus Grady was gearresteerd, ongetwijfeld als medeplichtige door steun achteraf. Of Azzic had de banaanmobiel tot hem teruggevoerd, of hij maakte zich niet druk of hij de aanklacht hard kon maken en wilde mij de duimschroeven aandraaien. Al doende zou hij een geweldig goede advocaat ruïneren en dat was helemaal geen geruststellende gedachte. Het net sloot zich.

Ik versnelde mijn pas zoveel mogelijk en vocht tegen de opkomende paniek die me de keel dichtsnoerde. Ik dacht aan de bandopnames van Eileen. Hoe lang zou het duren voor Celeste er achterkwam dat hij ze niet meer had? Eileens dossier had bovenaan de stapel op zijn bureau gelegen. Het zou zijn meest opwindende zaak zijn op het ogenblik. Hoelang zou het duren voor hij naar de politie zou stappen? Hoelang voor Azzic besefte dat ik er iets mee te maken had? Ik had nog maar weinig tijd. De bewaker zou zich herinneren hoe ik eruitzag, geen probleem. *Een nijptang?* Allemachtig.

'Hé, schat,' zei een stem bij mijn arm en ik schrok. 'Hoe gaat het?' Het was een kleine man met tatoeages en hij keek me verlekkerd aan. 'Wil je met een echte man mee, schat?'

Toen herinnerde ik me hoe ik eruitzag. Een te grote hoer die niet op naaldhakken kon lopen. 'Ik *ben* een echte man, schoonheid. Rot op.'

Ik hobbelde verder. Er waren steeds minder mensen op het trottoir. Het busverkeer was uitgedund. Iedereen ging terug naar zijn werk, waardoor ik onbeschut was. Ik moest me verbergen, maar ik kon nog steeds niet riskeren naar de kelder in het centrum te gaan. Ik moest van de straat af voor ik weer werd aangehouden door een tatoeage.

Een bus stoomde voorbij in een wolk roetige rook en stopte met een hydraulisch gepiep bij de halte op de hoek. Perfect. *Ga.* Ik rende de straat over, haalde bus en stopte met trillende hand mijn geld in het apparaat. De bus schoot naar voren en ik greep de gladde stang beet, met mijn ogen op de buspassagiers gericht. Er zat geen politie in de bus en de gezichten op de beklede zitplaatsen waren comfortabel uitdrukkingsloos, velen luisterden met oortelefoons naar hun radio. Niemand scheen me te herkennen.

Ik liep door de bus naar achter en ging op de laatste rij zitten, die leeg was op een tiener helemaal rechts na met een Raiders-T-shirt. Ik schoof helemaal naar het vette raam aan de linkerkant en dwong mezelf te kalmeren. Rustig te ademen, normaal. Ik veegde mijn vochtige voorhoofd onder mijn zonnebril droog. Ik moest steeds aan Grady denken. Waar was hij nu? In een cel? Had hij een advocaat gebeld? Wie? Ik kon hem niet helpen, noch mezelf, behalve door deze verdomde zaak op te lossen.

Ik viste in mijn tas en haalde de Casio bandrecorder eruit die Grady in zijn rugzak had gehad. Hij zei dat ik daarmee niet in de bibliotheek hoefde te zitten en hij had gelijk. Ik probeerde me geen zorgen over hem te maken terwijl ik het lange snoer loswikkelde, er een bandje van Eileen, unplugged, in deed en de piepkleine zwarte oortelefoons in mijn oren stopte. Nu zag ik er net zo uit als de andere mensen in de bus.

Ik drukte op PLAY.

V: Waar was die advocaat?
A: In een wetswinkel. Ik hoefde niet te betalen.
V: Zie je, je krijgt waar naar geld.
A: Maar het waren de rechtbanken, niet de advocaat. De advocaten daar waren goed.
V: Vertel eens over je volgende vriend.
A: Dat moet Deron zijn.
V: (lachend) Deron, hè? Een aardige joodse jongen.

Ik luisterde de volgende vier uur naar dit soort onzin, terwijl ik in kringen door mijn geboortestad reed. Door Chestnut Street, naar Sixth Street, dan via Chestnut Street helemaal naar West-Philly en weer terug. De Raiders-fan bleef twee rondes in de bus en hij was niet de enige die doelloos rondreed, misschien omdat de bus airco had. Gedurende die tijd raakte de achterste rij gevuld en weer leeg. Passagiers kwamen en gingen. Niemand zei iets tegen me of keek me zelfs maar aan.

De dag veranderde in een bewolkte avond, ik had de bandjes gehoord en er waren geen andere aanwijzingen uit Eileens onbenullige verhalen voortgekomen. In feite gaven de bandjes meer aan door wat er niet opstond. Eileen sprak nauwelijks over Bill Kleeb, hij was een voetnoot in haar fascinerende levensgeschiedenis, en er was geen sprake van drugsgebruik of van Sam. Op het laatste bandje, een interview in de gevangenis, vertelde ze het verzonnen verhaal van de moord op de president-directeur alsof ze mijn slachtoffer was geweest, de pion van een krankzinnige radicale advocaat. Ik kon slechts mijn hoofd schudden. Vroeger stopten we bedriegsters als Eileen in de gevangenis, nu beloofden we haar de publikatie van haar verhaal in boekvorm.

Ik spoelde het bandje terug en luisterde nogmaals naar de stukken over Renee Butler, maar werd er niet wijzer van. Ik speelde het bandje keer op keer af terwijl passagiers in- en uitstapten aan het eind van de werkdag, met aktentassen en boodschappentassen op weg naar huis.

Ik was nergens heen gegaan maar was een eind gevorderd. Ik concentreerde me op Renee en hield me bezig met de volgende vragen die beantwoord moesten worden. In welke wetswinkel had ze gewerkt? Ik kende elk bureau voor rechtshulp in de East Coast en herinnerde me niet er een te hebben zien staan op haar curriculum. We hadden haar rechtstreeks van de rechtenfaculteit van Pennsylvania, dus misschien was het de wetswinkel van de universiteit, bemand door studenten.

Dat zou kunnen. Renee had Eileen daar ontmoet kunnen hebben. Maar zou ze Mark echt vermoord hebben en mij er ingeluisd? Ik herinnerde me ons gesprek in haar kantoor. Misschien was haar woede jegens mij allemaal gespeeld. De beste verdediging is een aanval. Het zou kloppen, en ze zou tegen me getuigen om de doodsteek toe te brengen.

Een sirene loeide plotseling rechts van me. Twee patrouillewagens raasden naar mijn bus die zwaar piepend tot stilstand kwam. Ik zakte in mijn stoel, ik ademde paniekerig. Een managertype keek me onderzoekend aan. De politieauto's krijsten langs mijn raam en scheurden de straat in. Op het nippertje, mijn pols weigerde terug te keren naar het normale ritme. De manager stapte bij de volgende halte uit, met een vragende blik achterom naar mij. Ging hij de politie bellen? Ik kon het risico niet nemen. Mijn halte was pas drie straten verderop maar toen de manager uit het zicht was, stond ik op en stapte uit.

Ik had geen tijd te verliezen. Met gebogen hoofd, zelfs in de vallende duisternis, haastte ik me door de straten naar mijn gebouw en liep de deur door naar mijn kelderkamer, met een air alsof ik het gebouw in bezit had. De Trident kauwgom die ik in het slot van de deur had gestopt had als een suikervrij wonder gewerkt. Binnen rommelde ik in mijn tas naar het zaklampje dat ik had gekocht, in plaats van de rode lippenstift in de goedkope winkel.

Ik haastte me zo snel ik kon door de gang achter het onvaste lichtpuntje aan. Mijn voeten waren opgezet in mijn hoge hakken en mijn zijden haltertop werd vochtiger naarmate het in de gangen steeds heter werd. Ik trok mijn schoenen uit en liep door de transformatorkamer, op mijn tenen achter de grijze kasten om eventueel onderhoudspersoneel dat 's avonds werkte te ontlopen.

Ik glipte mijn hutje in, sloot de deur en deed het licht aan. Er was niemand geweest sinds gisteren en de wietlucht was bijna verdwenen. Wie zich hier schuilhield had de laatste tijd harder gewerkt, wat ik prima vond. Ik ben helemaal voor productiviteit van het Amerikaanse volk. Ik had trouwens zelf werk te doen. Ik greep onder het bed naar mijn kleren en trok het donkerblauwe broekpak met de retro-uitlopende pijpen te voorschijn, het enige wat ik bezat in de buurt van inbraakkledij.Toen schoof ik mijn dikke tenen in de zware zwarte kistjes waar binnenin *Dr. Martens' Air Cushion Sole* stond. Wat had die verkoopster in gedachten gehad? Je zou me moeten betalen om die schoenen bij daglicht te dragen. Ik reeg ze vast, pakte mijn zaklampje en ging naar buiten, de avond in.

Met verende zolen op inbrekerspad.

36

Renee Butlers rijtjeshuis werd in Philadelphia een drieëenheid genoemd omdat het drie verdiepingen had met elk één kamer. Een klein bakstenen vierkantje met gebroken witte luiken en witte bloembakken vol langstelige paarse viooltjes en klimplantjes. Een huis van vrouwen en vanavond leek het of de bewoonsters, Renee en Eve, een feestje gaven.

Ik sloop een donker steegje aan de overkant in en keek teleurgesteld toe. Zelfs ik had niet het lef om tijdens een feest in te breken. Maar wat was dit voor feest? En nog wel zo snel na Marks dood?

Flarden muziek dreven door het open raam naar buiten, een gesyncopeerd ritme, niet Green Day. Vreemd. Niemand danste ook, en door het raam kon ik mensen zien praten met gekoelde drankjes in de hand. Ik zag een ober door het raam op de tweede verdieping die hors d' oeuvres serveerde aan gasten in overhemd en das. Een ober? Waar moest dat vandaan komen? Dit was niet het soort feest dat associés normaal gesproken bij R & B zouden geven. Maar R & B bestond dan ook niet meer.

Daar. Een hoofd draaide zich plosteling om op de eerste verdieping. Renee. Haar stugge haar was achterovergetrokken in een glanzend knotje en aan haar oren hingen enorme zilveren ringen. Ze droeg een lange tuniek, en het leek of ze was afgevallen. Plotseling liep ze naar het raam en schoof het omhoog.

Ik dook weg in de steeg en wachtte even. Met uitzondering

van het feest was het stil en rustig in de straat, zo'n straatje achteraf met kinderkopjes waar zelfs geen auto door kan. Ik kwam weer naar voren. Ik wilde zien wat Renee deed.

Zo te zien stond ze een knappe man in een pak te versieren. Wie was hij? Wie waren die mensen? Ik hoorde stemmen de straat inkomen en drukte me plat tegen het gebouw en schoof de steeg in.

Een stel kwam mijn richting uit, de man had de vrouw bij de elleboog vast. Ze giechelde toen ze op haar pumps over de kinderkopjes probeerde te lopen. Toen ze dichterbij kwamen, zag ik dat het Wingate was, met een heuse das, met de immer opgewekte Jennifer Rowland. Ik draaide mijn hoofd naar het donker om niet gezien te worden.

Dus er waren R&B-mensen op dit feestje. Wisten ze dat Grady gearresteerd was? Ik wachtte tot ik de voordeur hoorde dichtslaan en Wingates stem naar binnen was verdwenen. Toen kwam ik weer te voorschijn.

Op de tweede verdieping zag ik Eve in een strakke lichtbruine jurk, geflankeerd door een lange man. Ik zag niet wie het was omdat hij met zijn rug naar het raam stond, maar toen ze naar hem toe leunde om iets tegen hem te fluisteren, ving ik een glimp van zijn bebrilde profiel op. Dr. Haupt van Wellroth. Naast hem stond Kurt Williamson, het afdelingshoofd, naast een slagschip in chiffon waarvan ik aannam dat het zijn vrouw was. Om hen heen stond een kring hielenlikkers, als ringworm.

Natuurlijk, dit was niet het gebruikelijke feestje van associés. De gezichten waren ouder, het haar was zilverkleurig en de stellen waren getrouwd. Dit waren bedrijfscliënten. Geen wonder dat niemand lol had.

'Stilte, alstublieft!' riep iemand binnen. De muziek hield abrupt op en de conversatie verstomde. Hoofden draaiden zich naar dr. Haupt, die zijn glas in een toost hief. Ik kon niets horen. Eve straalde en iedereen nipte van zijn champagne. Toen begreep ik het. De joint venture moest erdoor zijn. Iedereen klapte en Eve boog voor de grap. Alleen Renee, die naar haar huisgenoot keek, glimlachte nauwelijks achter haar glas.

Wat speelde zich af achter die donkere ogen van haar? Ik moest er achterkomen, maar ik wist niet wat ik moest doen als ik het huis niet kon doorzoeken. Ik had een plan B nodig. Ik zette op een rijtje wat ik wist. Er was een connectie tussen Renee Butler en Eileen Jennings, en die connectie was Penn's wetswinkel. Als ik er op deze manier niet achter kon komen zou ik het anders proberen.

Hoe je het ook bekeek, het feest was voorbij.

Ik schraapte mijn keel, trok mijn schouders recht en bereidde me voor op mijn zoveelste confrontatie met een bewaker in een week tijd. Ik had oude, jonge, zwarte en blanke ontmoet en toch moest ik concluderen dat er te veel beveiliging op de wereld was en niet genoeg veiligheidsgevoel. Te veel politie en niet genoeg veiligheid. Hoe kon het ook anders wanneer iemand als ik op de vlucht was?

Ik duwde de glazen deuren van Penn's rechtenfaculteit open en stond oog in oog met mijn nieuwste bewaker. Dit was een burger: klein, bebrild, die achter een houten podium gezeten bedrijfsrecht bestudeerde. Een rechtenstudent, in zijn tweede jaar als hij bezig was met wat wij subtiel 'lijkenpikken', bedrijfsrecht, noemden. Hij keek op, knipperend achter een dikke hoornen bril, toen ik naderbij kwam. Hij mocht er dan niet het beste uitzien, maar ik dacht dat hij wel de slimste bewaker zou zijn. Shit. Ik zou zijn zwakke plek moeten vinden. Een tweedejaars? Met deze economie? Fluitje van een cent.

'Ik heb een probleem en jij ook,' zei ik op het podium leunend alsof ik vermoeid was, wat niet moeilijk was.

'Heb ik een probleem?'

'Ik ben een partner van Grun & Chase. Je kent het kantoor.'

'Inderdaad, ik ken het kantoor.' Hij slikte zichtbaar en sloeg het dikke rode casusboek dicht, waarbij hij zijn wijsvinger in het midden als bladwijzer fijnplette. Als het pijn deed, liet hij het niet merken. Geen gevoel? Hij zou een prima pak worden. 'Iedereen kent Grun & Chase,' zei hij.

'Natuurlijk. Om op mijn verhaal terug te komen, ik heb hier een paar dagen geleden mensen op sollicitatiegesprek gehad en stom genoeg mijn curricula en mijn hele dossier in de wetswinkel laten liggen. Jij hebt een sleutel om me binnen te laten, neem ik aan.'

'Inderdaad.'

'Goed, laten we erheen gaan.'

'Eh, ik wist niet dat ze mensen op sollicitatiegesprek hadden in de wetswinkel.'

'Dat is toch zo. Studenten van de wetswinkel.'

'Vreemd.' Hij hield zijn hoofd scheef, zijn donkerbruine haar was ouderwets geknipt, uit de tijd dat kapsels namen hadden. Ik gokte erop dat dit De Knurft was. 'Wat is er vreemd aan?' vroeg ik.

'Het is zomer. Ik wist niet dat ze 's zomers op de campus sollicitatiegesprekken hielden.'

Denk snel na, stommeling. 'Het zijn ook niet de gebruikelijke gesprekken. Het gaat om geselecteerde tweedejaars. Studenten van de wetswinkel. Ik heb jou niet ondervraagd, wel? Ik flitste hem een arrogante hoor-ik-te-weten-wie-je-bent blik, waar Grun het patent op had, toe.

'Nee. Ik, eh, wist er niets van.'

'Het is ook erg geheim. Dat vinden we prettig.'

'Ik werk ook niet mee in de wetswinkel.'

'Jammer.'

'En ze zouden mij ook niet *selecteren*, trouwens, denk ik.'

Hij keek de andere kant op met ontmoedigd hangende schouders in een Nine Inch Nails-T-shirt. Hij deed me een beetje aan Wingate denken. Ik voelde even sympathie.

'Heb je bij Grun gesolliciteerd?' vroeg ik hem.

'Ja, dit jaar. Maar ik ben niet teruggebeld.'

'Hoe zijn je cijfers?'

'Niet om in de redactie van het universiteitsblad te zitten.'

'Oké, maar zijn ze goed?'

'Ze zijn niet verschrikkelijk.' Hij beet op zijn lip.

'Niet verschrikkelijk?' Als deze jongen niet leerde zichzelf beter te presenteren zouden ze hem met huid en haar verslinden. 'Je bedoelt dat je vooruitgaat.'

'Vooruitgaat, juist.'

'Heb je enige ervaring? Daar houdt Grun van, alle kantoren. Praktijkervaring, weet je wel.'

'Ik heb in het kantoor van mijn vader gewerkt de zomer van het eerste jaar en ik heb veel praktijkervaring. Ik ben ook heel praktisch. Ik benader problemen op praktische...'

'Ik snap het. Heb je een baan voor als je bent afgestudeerd?'

'Nee,' zei hij. Zijn gezicht werd rood alsof hij zich er diep voor schaamde, wat binnen de cultuur van de rechtenfaculteit ook gebruikelijk was.

'Waar werk je deze zomer?'

'Eh, hier.'

'Ook overdag?'

Hij slikte. 'Ik kon geen baan vinden die met rechten te maken had.'

Ik keek hem aan en hij keek naar mij. We wisten allebei wat dit betekende. Hij zou afstuderen met een schuld van tenminste een ton, zonder enige hoop het terug te kunnen betalen. Deze jongen had hulp nodig. Ik ging bijna in mijn eigen bedrog geloven. 'Wat is er met je cijfers? Heb je er niet voor gestudeerd?'

'Jawel, ik heb heel hard gestudeerd. Maar tijdens de tentamens klapte ik... dicht.' Hij schudde zijn hoofd en beet nogmaals op zijn onderlip. 'Misschien ben ik wel niet goed genoeg voor advocaat. Misschien ligt het me niet.'

'Misschien denk je niet zo goed als je rechtop staat.'

'Dat klopt. Dat zegt mijn vader ook.'

'Dat betekent alleen dat je niet als pleiter kunt werken. Maar er zijn andere soorten advocaten.'

'Maar procederen is het gaafste...'

'Niet denken aan wat gaaf is. Wat is je favoriete vak?'

'Bedrijfsfiscaal recht.'

'Fiscaal recht?' Dat was bijna niet in te denken. Wat was er loos met de jongere generatie? Fiscaal recht in plaats van staatsrecht? 'Vind je fiscaal recht werkelijk *leuk?*'

'Het is net een puzzel, een grote puzzel, en je kunt hem in elkaar zetten en dan klopt het allemaal.' Hij glimlachte voor het eerst, wegdromend in de schoonheid en het wonder van de Interne Fiscale Code.

'Wat zijn je cijfers in dat vak?'

'Een E, excellent. Mijn enige.' Hij grinnikte van trots en ik van opluchting.

'Waarom laat je je niet inschrijven voor een cursus fiscaal recht, aan de universiteit van New York bijvoorbeeld? Studeer af op fiscaal recht. Dat zal je goed afgaan, en je kunt bij ieder bedrijf aan de slag. Je krijgt uitstel voor je studieleningen en een jaar om een baan te vinden.'

'Denkt u dat ik dat kan?'

'Natuurlijk kun je het.'

'Misschien is het te laat om me op te geven?'

'Niet als je je inschrijving nu wegstuurt.'

Hij straalde. 'Dan doe ik dat.'

'Zie je wel,' zei ik opgevrolijkt, tot ik zag dat zijn uitdrukking van uitbundigheid in verwarring veranderde.

'Wacht. Waarom vertelt u me dat?'

Dat had ik niet verwacht. 'Omdat ik je aardig vind.'

Hij ging achterover zitten en fronste achter zijn bril. 'U werkt niet bij Grun, hè? Dat kan niet, u bent te aardig.'

Ik zei even niets. Het werd doodstil in de hal. Er was niemand. Ik voelde me plotseling uitgeput. Ik had in drie dagen twintig minuten geslapen. Misschien zou ik het voor de verandering eens op de waarheid houden. Ik wilde de waarheid op tafel gooien en de jongen had een gezicht dat ik vertrouwde, net als Wingate.

'Wil je de waarheid weten?' zei ik. 'Ik ben geen partner bij Grun of hoer of moordenares.'

'O-ké. Wat bent u dan?'

'Ik ben advocaat en ik moet echt, echt, echt die wetswinkel in.'

'Waarom?'

'Dat is een lang verhaal. Ik vertel het je onderweg.'

Hij pauzeerde, en overwoog het. Toen trok hij de middelste la open. Misschien kon hij toch nadenken als hij rechtop stond.

37

We liepen door de glinsterende witte gang van de rechtenfaculteit. Alles was kaal en modern, behalve de olieverfschilderijen in gouden lijsten aan de muren, de ene overleden advocaat na de andere. Ik liep achter de student aan, wiens naam Glenn Milestone bleek te zijn, terwijl hij me door de gangen naar de wetswinkel bracht. Hij deed de deur open toen we er waren en die zwaaide open naar een kantoor dat meer kostte dan de noodlijdende cliënten hun hele leven zouden verdienen.

‘Zweert u dat u niets zult stelen?’ zei Glenn voor de vijftigste keer.

‘Ik zweer het bij God. En jij gaat het niet aan de politie vertellen, oké?’

‘Ik zweer het. Ik ga weg, ik wil dit niet zien.’ Hij liet de sleutels in de zak van zijn wijde korte broek glijden en draaide zich om.

‘Bedankt.’ Ik keek hem na, en toen om me heen, om er zeker van te zijn dat niemand me zag. Het was uitgestorven, dus ging ik naar binnen en deed de deur achter me dicht.

De wetswinkel was opgezet zodat de studenten kantoortje konden spelen. Ik verwachtte half speelgoedkassa’s met Monopolygeld in wit, roze en het begeerde geel te zien. Er was een kleine receptie en ik liep erlangs naar de gang. Op de gang kwam een rij kantoren uit. Ze waren allemaal hetzelfde, met stalen bureaus tegen de muur en beklede stoelen ervoor, maar ik was op zoek naar de archiefkamer. Ik vond hem aan het eind van de gang en deed het licht aan.

De dossiers waren in alfabetische volgorde. Ik liep naar de J's en trok de la open. De dossiers werden netjes bewaard door de advocaten in spé en ik liep door de Jacksons, James', Jimenez en Jones'. Geen Jennings. Ik hield op, een moment in het nauw gedreven.

Renee was drie jaar geleden afgestudeerd en al haar dossiers waren waarschijnlijk opgeborgen. Waar bewaarden de rechtenjonkies de afgewerkte dossiers? Ik keek om me heen, maar er waren geen kartonnen dozen of archieven te bekennen. Misschien zaten ze in de archiefkasten, zonder etiket. Ik haalde diep adem en trok de ene na de andere la open, die alle gemakkelijk opengleden. Zonder succes. Het waren allemaal actuele dossiers, kredietaanvragen en evaluatieformulieren, klachten over vormfouten, antwoorden en andere zaken. Verdomme.

Ik knalde de laatste la dicht en stond daar te briesen, met mijn handen op mijn heupen. Er moest ergens een bergruimte zijn. Geen enkele advocaat gooit dossiers weg. Geen enkele advocaat gooit ook maar iets weg. Ik dacht aan mijn jonge vriend Glenn. Ik kwam tot andere gedachten over hem, hoe lang zou het duren voor hij over me zou praten? Zou hij me verraden? Hoeveel tijd had ik? Ik verliet de archiefkamer en liep snel door het kantoor op zoek naar de bergruimte.

Ik rende de gang in en controleerde de kasten in de kantoren. Jassen, paraplu's en rugzakken. Vruchteloos. Achter een van de kantoren was een koffiekamertje. Ik ging naar binnen. Naast een verwaarloosd koffiezetapparaat stond een blik Folger's en een reeks Celestial Seasonings dozen. Bedtijd Thee, mijn rug op. Ik zou niemand in dienst nemen die geen koffie dronk. Geen vuur in hun lijf. Ik schoof de kamille opzij en deed de kastdeur open.

BIERS ZAKENARCHIEVEN, stond er op de kartonnen dozen. Bingo. Dezelfde archieven die we bij Grun gebruikten.

Ik trok aan een touwtje waardoor het licht in de kast aanging, maar ik zag nog steeds niet voldoende. Ik voelde in mijn tas naar mijn zaklampje, stond op mijn tenen in mijn grove schoenen en doorzocht de eerste doos. Afgewerkte dossiers, maar slechts het eerste deel van het alfabet. Ik dachte dat ik buiten stemmen hoorde en wachtte. Niets. Mijn hart begon te bonzen toen ik in de middelste doos dook en de andere dozen met mijn schouder overeind hield.

Hilliard. Jacobs. Jensen. Een minuuscuul lichtcirkeltje viel op elke bruine envelop. Toen, uiteindelijk, Jennings. Mijn handen begonnen te trillen toen ik het dossier er uittrok, en er inkeek om te zien of het dat van Eileen was. ECHTSCHEIDING, stond er op de papieren. Het was een concept met als opschrift *Eileen Jennings versus Arthur Jennings.*

Hebbes! Ik knipte het zaklampje uit. Maar was het dezelfde Eileen Jennings? Ik bladerde naar het eind van de eerste schriftelijke uiteenzetting. Ze was in een net handschrift ondertekend met de naam van de toekomstige advocaat die haar had opgesteld:

Renee R. Butler, juridisch medewerker

Dus Renee was Eileens advocaat geweest. Ik vocht tegen de impuls het dossier te lezen en propte het in mijn tas zodat Glenn me het mee niet naar buiten zou zien nemen. Ik voelde me een ogenblik schuldig omdat ik mijn belofte aan hem verbrak, maar er was niets aan te doen. Ik stond op het punt te vertrekken toen er een krantenknipsel op de vloer gleed. Ik raapte het op. De krant was vergeeld en het drukwerk vlekkerig, als een buurtkrant:

MAN UIT YORK VERMOORD AANGETROFFEN

Een man uit York, Arthur "Zeke" Jennings, is van-

> ochtend dood aangetroffen in een steeg naast Bill's Taproom, op de kruising Eight- en Mainstreet. Hij overleed aan een aantal steekwonden. Politiecommissaris Jeffrey Danziger verklaarde dat de politie momenteel geen verdachten in de moordzaak heeft.

Wat? Het knipsel moest uit Eileens dossier zijn gevallen. Ik hield het vast en liet in gedachten het bandje van Eileen terugspoelen. Ze had gezegd dat haar man doodgeschoten was als gevolg van een jachtongeluk, niet neergestoken in een steeg. Hoe kwam dat? En had Renee er op de een of andere manier mee te maken? Dat moest wel.

Ik hoorde een geluid in de gang en toen iets krakends dat versleept werd. Mijn keel kneep zich samen. Er kwam iemand binnen. Ik had geen tijd om weg te rennen.

'Wie is daar?' riep een vrouwenstem uit de gang van de wetswinkel.

'Linda Frost,' antwoordde ik.

'Wie is Linda Frost?' vroeg ze, in beeld komend. Een korte dikke zwarte vrouw, minstens vijftig, in een T-shirt en spijkerbroek. Ze trok een oud schoonmaakkarretje waar een witte zak aanzat achter zich aan en keek me door halfdichtgeknepen ogen achterdochtig aan. 'Wat doet u hier?'

'Ik ben een partner bij Grun & Chase, een van de kantoren in de stad en ik heb wat informatie over een student nodig die voor de wetswinkel werkt. Ze hebben me binnengelaten om het op te halen.'

'Midden in de nacht?'

'We willen haar morgen een aanbod doen en ik had mijn aantekeningen laten liggen.'

'Nou, die liggen vast niet in die kast. Daar komen de studenten nooit. Daar liggen oude dossiers.'

'O. Ik dacht dat ze ze daarin gelegd zouden hebben. Weet u wel, om ze op te bergen. Na het sollicitatiegesprek.'

'Hebt u hier vandaag sollicitatiegesprekken gevoerd met studenten? In de zomer?'

'Ja. Dat klopt.'

Ze legde een sceptische hand op haar zachte heup. 'Hoe heet die student? Misschien ken ik hem. Ik ken alle studenten in de winkel.'

'Ik denk niet dat u deze kent. Ze is een paar jaar geleden afgestudeerd.'

'Ik ben hier in december tien jaar.' Ze rolde haar schoonmaakkarretje voor de deur, die daardoor geblokkeerd werd, en niet zonder opzet. 'Hoe heet die studente?'

Ik gaf het op. Ik wist geen leugens meer te verzinnen. 'Renee Butler.'

'O, Renee!' Haar brede gezicht ontspande zich in een zonnige grijns en haar wantrouwen smolt onmiddellijk in warmte. 'Ik ken Renee! Zo, zo, zo, bent u van plan Renee een baan aan te bieden? U zou geluk hebben met haar, zeker wel. Ze is slim, dat meisje, en lief ook. Ze heeft iedereen die hier kwam geholpen en er waren er genoeg die dat nodig hadden, geloof het maar.'

'Vast wel,' zei ik verbaasd.

'En het is ook geen snob, zeker weten. Niet verwaand omdat ze toevallig advocaat is. Onthoudt altijd mijn verjaardag, nu nog. Renee stuurt me altijd een kaart op twaalf augustus. Ze is apeslim. En sterk.'

'Sterk?'

'Heel sterk. Door het vuur gegaan.' Ze knikte nadrukkelijk. 'Ze heeft een slechte jeugd gehad, weet u. Haar papa, die heeft haar en haar moeder geslagen. Ze moest zichzelf opvoeden, dat kind, en dat heeft ze heel goed gedaan.'

Ik dacht aan Eileens man en dat ze op het bandje had gezegd

dat hij haar geslagen had. Misschien wist deze vrouw iets. 'Renee zei dat ze veel mishandelde vrouwen in deze wetswinkel heeft geholpen.'

'Dat klopt. Ze werkte hard, ging altijd tot het uiterste.' Ze knikte weer, en ik begon me af te vragen wat het uiterste inhield. Had Eileen haar man vermoord en had Renee het in de doofpot gestopt? En wat zou dat te maken kunnen hebben met Bill of Mark? De schoonmaakster zweeg en keek me afwachtend aan. Ik dacht niet dat ze nog meer wist, dus kwam ik stijf omhoog en deed de kastdeur dicht.

'Bedankt voor uw tijd. Ik denk dat ik haar zal aanbevelen. Ik moest maar eens opstappen.'

'En uw aantekeningen?' Ze rolde haar wagentje langzaam van de drempel, en ik glipte erlangs, waarbij ik een sterke walm ammoniak in mijn neus kreeg.

'Die heb ik niet meer nodig nu ik u gesproken heb. Tot ziens.' Ik liep zo snel als ik kon zonder opnieuw haar achterdocht te wekken door de gang.

'Als u Renee ziet, doe haar dan de groeten van Jessie Morgan, goed?' riep ze me achterna.

'Doe ik.'

'Zeg tegen haar dat ze met haar dikke kont naar de volgende bijeenkomst gaat! Ik sla nooit een bijeenkomst over. Ik ben veertien kilo in één jaar tijd kwijtgeraakt en er is geen ons bijgekomen!'

Ik was bij de deur van de wetswinkel. 'Bijeenkomst?' vroeg ik op de drempel.

'Van de Weight Watchers! Ze is vorige week maandag niet geweest!'

Maar ik kon geen nieuwe vraag stellen. Glenn kwam door de gang op me afrennen met in zijn kielzog Azzic en drie agenten in uniform.

38

R*en. Vlucht. Ga ervandoor!* Ik sprintte de gang door naar de uitgang.

'Staan blijven, Rosato!' schreeuwde Azzic. 'Je staat onder arrest!'

Ik stormde door de klapdeuren aan het eind van de gang en rende in volle vaart naar buiten. Mijn hart ging als een razende tekeer. Ik rende over de binnenplaats van de universiteit en door de ijzeren poort van het gebouw naar buiten. Ik zette het op een sprinten toen ik in Samson Street was. Mijn enige hoop was ze te vlug af te zijn. Ik was altijd de snelste van mijn team geweest.

'Blijf staan, Rosato!' bulderde Azzic niet ver achter me, maar ik vloog de straat door.

IEIEIEIEIEI! De sirene van een patrouillewagen loeide achter me, gevolgd door het eenstemmig kabaal van verscheidene andere. Shit. Zelfs ik rende niet sneller dan een achtcylinder. Ik moest ergens heen waar de patrouillewagens niet konden komen. Waar? Ik dacht terug aan mijn studententijd. Mijn benen bewogen sneller. Mijn hart pompte harder. Adrenaline joeg door mijn bloed als vliegtuigbrandstof.

'Rosato! Blijf staan! Nu!'

Ik schoot de hoek om en racete naar de overkant van Walnut Street, tussen taxi's en een Ford Explorer door, die kwaad toeterden. De agenten in uniform zaten me op de hielen, ik kon ze naar elkaar horen schreeuwen, toen ik de benen nam naar de grote campus. Studenten op het grasveld volgden de achtervolging met open mond. Ik rende ze met grote passen voorbij, onder het oorverdovend geluid van de sirenes, en ging rechtsaf Locust Walk in. De Walk was verboden voor auto's en afgesloten met betonnen paaltjes. Ik zou hier geen last hebben van de patrouillewagens.

'Rosato! Geef je over!'

Ik keek achterom. Geen patrouillewagens, maar hun sirenes krijsten vlakbij. Ze zouden Walnut Street opscheuren, parallel aan mij. De uniformen raakten achterop, maar Azzic haalde me in. Onder het rennen graaide hij in zijn colbert en trok met een geroutineerd gebaar zijn pistool.

Ik voelde de schok van pure angst. *Schiet alsjeblieft niet ik heb het niet gedaan.* Ik keek recht voor me uit en deed een beroep op mijn reserves.

'Blijf staan of ik schiet!' beval Azzic.

Een omstander gilde. In mijn verbeelding zag ik Azzic op zijn knieën zakken en met twee handen op mijn rug richten, dus zigzagde ik even en rende als een gek weg. Ik scheurde de Walk uit en over de betonnen voetgangersbrug van Thirty-eighth Street die flink helde. De heuvel op met al mijn kracht, spieren en ijskoude angst. Het was bijna een makkie na de trappen in het stadion. Ik negeerde de pijn in mijn dijen, mijn longen. Zelfs mijn schoenen hielpen mee, verend als sportschoenen.

Een, twee, drie, inademen. Een, twee, drie, inademen. Houd je knieën omhoog. Land op de bal van je voeten.

Ik was bij het hoogste punt van de brug en rende keihard naar beneden. De vaart gaf me een zetje. Ik versnelde mijn pas, stevig op de benen door de trappen van het stadion. Ik ademde gemakkelijk en vrij. Al snel kon ik Azzics stem niet langer horen. Ik voelde geen uitputting, ik voelde niets. Ik rende, ik bewoog, ik was weg. Kliefde door de duisternis als een skiff. Hardlopend, hard roeiend.

Niemand was sneller. Niemand roeide beter. Er woei een

koele avondbries. De wind blies in mijn rug. De stad was ver weg, evenals de politie. De stadsverlichting, de straatlantaarns, de koplampen waren speldenprikjes in de duisternis, op de oever van de rivier. Alles was ver weg. Alleen ik was er, mijn hart pompte of het op springen stond, deed waar het in getraind was. Zweet stroomde over mijn lichaam. Ik gooide er nog tien krachtslagen tegenaan.

Een, twee, drie slagen, om de skiff vooruit te krijgen. Het was een race en ik reed over de golven, een langbenige waterskiër, en voelde alleen de snelheid en het sproeien van water. Hoorde alleen de heldere slag waarmee de roeispanen keer op keer in het voortstromende water plonsden. Geen horten en stoten, gewoon de meest soepele race, en steeds harder aan de roeispaan trekken. *Vier, vijf, zes.* Steeds sneller roeien.

Ervandoor. Het gekraak van het tuig. De lucht van de rivier. Het natte sproeien. De agenten waren verdwenen. Azzic was verdwenen. *Zeven, acht, negen, tien.* Ik had eindelijk het ritme gevonden en er kon niets meer fout gaan.

In de middle of the river, in the middle of the night.

Ik zakte op de grond, naakt en uitgeput, achter de gesloten deur van mijn kamer in de kelder. Ik had mijn natte kleren uitgedaan, maar zweette nog van de hitte, de uitputting en de angst. De droge lucht in de kamer brandde in mijn longen. Ik was duizelig, misselijk. Ik kon niet helder denken, het was wazig in mijn hoofd. Ik knipperde zweet uit mijn ogen en probeerde niet op het dossier uit de wetswinkel te druppelen toen ik een bladzijde omsloeg.

Het was een gebruikelijk dossier, alleen netter. De correspondentie, in een aparte bruine envelop bovenop, bevatte alleen formele brieven van Renee, geen reacties van Eileen. Ik smeet het dossier opzij, onverschillig waar ze terechtkwamen.

Tussen de gerechtelijke uitspraken zaten verscheidene straatverboden, opgelegd aan Eileens man, en aangevraagd door Renee. Bij elkaar tien verboden, met citaten uit veroordelingen wegens het negeren van de verboden. Er waren boetes gevorderd maar hij was kennelijk immuun voor enig vonnis. Er waren ook arrestatiebevelen, maar hij was niet te vinden. Het verslag vertelde een verhaal als je tussen de regels door kon lezen. De rechtbanken konden Eileens man er niet van weerhouden haar te mishandelen. Ze zou nooit van hem af zijn, waar ze ook heen verhuisde, waar ze ook ging.

Tot zijn dood.

Had Eileen het recht in eigen hand genomen? Had Renee haar gedekt, of het zelfs voor haar uitgevoerd? Was dat mogelijk? Ik dacht aan Renees jeugd en dat ze mishandeld moest zijn. Vaders konden hun dochters meer aandoen dan ze in de steek laten. Renee zei dat ze begreep hoe kwaad ik was, misschien omdat ze zich van haar eigen woede bewust was. En misschien had Eileens woede dezelfde verkeerde snaar geraakt. Mijn hoofd bonkte. Denken deed pijn. Ik had slaap, rust en voedsel nodig, maar ik kon nu niet ophouden.

Ik klapte de map met veroordelingen dicht en zocht in het dossier met plooiband naar Renees aantekeningen. Bovengronds zouden de sirenes loeiend op me jagen. Azzic en de agenten zouden de stad doorzoeken. Ik dacht niet dat iemand me het gebouw in had zien glippen, maar misschien had ik het mis. Misschien waren ze op dit moment boven, in de hal, vonden ze de trap naar beneden. Naar mijn deur.

Nog niet. Nu niet. Ik was er bijna.

Renee was betrokken bij de moord op Eileens man, alleen wist ik niet wat Mark ermee te maken had. Had Mark de waarheid ontdekt en had Renee hem daarom vermoord? Beide mannen waren doodgestoken.

Mijn vochtige vingers vonden aantekeningen in een van de

mappen. Ik kneep mijn ogen tot spleetjes om ze te lezen maar ze kwamen niet in focus. Ik was wazig, gedesoriënteerd. De aantekeningen waren met balpen gekrabbeld op geel papier, blijkbaar tijdens een eerder gesprek met Eileen. Ik had het bijna te pakken. Ik kon het alleen niet lezen. Ik had verschrikkelijke hoofdpijn en het handschrift was vreselijk. Ik hield het papier omhoog. Renee had toch geen slordig handschrift? Ik worstelde met mijn geheugen, maar het werkte niet.

Ik gooide het papier opzij en nam het dossier als een razende door. Ik voelde me misselijk, gek, bijna krankzinnig. Waar was het? Wat was het? Er moest een antwoord zijn. Mark was dood. Bill was dood. Ik moest achter het antwoord komen, anders zou het mijn dood worden. Het moest hier zijn. De oorspronkelijke aanklacht staarde me vanaf mijn natte hand in het gezicht. Ik scheurde de ene na de andere bladzijde af, maakte niet uit waar ze neerkwamen, tot ik bij de laatste was. De handtekeningen.

Daar. Renee Butlers handtekening. Ze zwom voor mijn ogen, daagde me uit als een vis net onder het wateroppervlak. Ik hield de handtekening naast de slordige aantekeningen. Ik knipperde met mijn ogen. Ze waren totaal verschillend. Renee schreef zorgvuldig, maar de aantekeningen waren nonchalant. Wie had ze gemaakt? Wie had er nog meer aan Eileens zaak gewerkt? Een andere advocaat uit de wetswinkel? Wie?

Ik plunderde het dossier en gooide het op de gore betonnen vloer. Er kroop een waterwans maar ik negeerde hem en nam pagina na pagina door. Het dossier vloog alle kanten op. Ik werd langzaam gek. Ik vond het krantenknipsel, las het opnieuw en gooide het door de kamer.

Denk. Denk. *Denk.* Aangenomen dat Renee Eileens man vermoord had, wat had dat met Mark te maken? Waar was Renee de avond dat Mark vermoord was? Wat had de schoonmaakster gezegd net voor ik de agenten in het oog kreeg? En wat had Hattie gezegd, dat Renee een doos spullen bij mij had afgeleverd?

Ik kon nauwelijks ademhalen. Mijn hersenen gloeiden. Ik was aan het eind van mijn Latijn. Ik zakte voorover, dubbelgevouwen op de met papier bezaaide vloer, naakt als een krankzinnige vrouw in de isoleer. Ik kneep mijn ogen dicht en schreeuwde in stilte, elke zenuw, elke spier tot de uiterste grens van angst en vermoeidheid gespannen. Een stille oerschreeuw. Een geheime kreet van pure kwelling.

En toen werd het allemaal duidelijk. Mijn ogen vlogen open. Ik schoot overeind op mijn hurken.

Ik had het recht onder mijn neus gehad en ik had het niet gezien.

Verborgen in het volle zicht.

Nu hoefde ik het alleen nog te bewijzen zonder vermoord te worden.

39

'Goeiemorgen,' zei ik in mijn zaktelefoon. 'Spreek ik met Leo de Leeuw?'

'Rosato!' vroeg Azzic ongelovig. 'Wat godverdomme...'

'Ik ben in de federale rechtbank. Tiende verdieping. Zorg dat je er bent.' Ik hing op, zette de telefoon af en sprong uit de gele taxi. Het was gebeurd, de raderen waren in beweging gezet.

Ik stormde door de deuren van de rechtbank. Het politiebureau was maar een paar straten verderop en het verkeer zou geen probleem vormen. Azzic zou hierheen vliegen. Ik keek op mijn horloge: halftien. Volgens mijn berekening had ik tien minuten om het klaar te spelen, hoogstens. Ik haastte me naar de hal.

Leveranciers duwden karretjes over de geboende vloer. Advocaten waren in conclaaf met hun cliënten voor de zitting. Employés van de federale rechtbank slenterden langs op weg naar hun werk. Er waren geen agenten te bekennen, alleen een paar veiligheidsbeambten in blauwe jasjes die met elkaar stonden te praten. Ik hield me gedeisd en ging in de rij staan bij de metaaldetector. De rij was langer dan ik verwacht had. Mijn maag kromp ineen. Ik keek op mijn horloge: vijf over halftien.

Mijn blik viel op het krantje van een jonge vrouw voor me. *Gezocht wegens dubbele moord*! schreeuwde de kop. Ik had een vertraagde reactie. Mijn eigen gezicht nam de voorpagina in beslag. Een levensgrote potloodtekening, compleet met nieuw kapsel. Ik voelde een knoop van binnen. Als iemand me in de hal herkende was ik er geweest.

Ik boog mijn hoofd. Mijn hart bonkte in mijn borstkas. Kalm blijven, kind. Niemand zou een moordenaar in een rechtbank zoeken, vooral niet gekleed zoals ik, in een klassieke rode blazer over een zwartgebreide jurk, en met een dure zonnebril op. Het was de enige zakelijke kleding die de verkoopster van het warenhuis me had gezonden en ik zag er niet in uit als een voortvluchtige, maar als een advocaat. Ik trok mijn opgevulde schouders recht en keek fronsend op mijn horloge: zeven over halfnegen.

De vrouw legde haar tas en de krant op de transportband rechts van ons en de krant viel open zodat mijn portret zichtbaar werd. Ik bedwong de aandrang op de vlucht te slaan. Had iemand het gezien? Naast de band stond een veiligheidsbeambte maar hij keek naar de röntgenbeelden op het beeldscherm. Als hij opzij keek zou hij de voorpagina zien. Er was maar één blik nodig.

'Mevrouw? Loopt u maar,' zei een oudere gerechtsdienaar links van me. Ik had hem niet eens zien staan.

'Natuurlijk... sorry,' stamelde ik en rukte mijn blik los van de krant. Ik liep door de detector met de krant op de transportband aan mijn zij, de valse beschuldiging die me dwarszat. Ik keek naar de veiligheidsbeambte op de kruk maar die keek nog steeds strak naar het scherm. De vrouw pakte haar krant en andere spullen en liep door. Ik ademde uit en greep mijn tas op het moment dat hij van de transportband gleed.

'Wel wat donker voor een zonnebril, vindt u niet?' vroeg een veiligheidsbeambte met een brutale glimlach.

'Rode ogen,' zei ik. Ik haastte me langs hem heen en ging tussen de mensen staan die rusteloos bij de liften stonden te wachten. Ik keek zo onbewogen mogelijk op mijn horloge: tien over halftien. De seconden tikten bijna voelbaar voorbij.

Het duurde eeuwen voor de lift kwam. Christus. Ik had mezelf meer tijd moeten geven, met oponthoud rekening moeten houden. Buiten gilden de politiesirenes en iedereen negeerde ze behalve ik. *Geef me nog vijf minuten vrijheid.* Ik moest boven komen en het kruisverhoor van mijn leven afnemen. Voor mijn leven.

Waar bleef die verdomde lift? Twee advocaten begonnen luidkeels te klagen en ik dacht dat er een in een driedelig pak naar me keek, mijn blik probeerde te vangen. Herkende hij me uit de kranten? Van ergens anders? Ik draaide me om naar de grijze marmeren muur.

Ting! De lift arriveerde en ik schoof met de menigte naar binnen toen de deuren dichtgingen. De glanzende Rolex van de man die vlak naast me stond wees achttien voor tien. Het was de man in driedelig, die zich naast me had gemanoeuvreerd. Hij wierp me een voorzichtige glimlach toe maar ik staarde gefascineerd naar de liftknoppen. Het paneel was verlicht als kermislichtjes en ik zweette peentjes telkens als de lift op een andere verdieping dan de mijne stopte.

Zeventien voor tien. We waren op de negende verdieping, nog maar een te gaan.

De advocaat schoof dichterbij. 'Sorry,' zei hij, 'maar ik weet niet...'

Ting! Tiende verdieping! Ik sprong de lift uit, rende langs het bord waarop ZITTING GAANDE stond en glipte de rechtszaal binnen. Ik stond stil bij de deuren, zette mijn zonnebril af en nam het toneel in ogenschouw.

De tribune was voller dan de eerste dag. Bob Wingate zat er naast Renee Butler, zoals ik had gehoopt. De edelachtbare Edward J. Thompson was rechter en dr. Haupt zat stijf in de getuigenbank. Eve Eberlein stond naast een projector die vergelijkingen op een wit scherm voorin de rechtszaal te zien gaf. Ik had geen rekening met de projector gehouden. Des te beter.

Op de klok aan de muur was het zestien minuten voor tien. Tijd voor actie. Ik liep langs de balie en schoof mijn papier onder de overheadprojector voor Eve kon reageren. 'Edelachtbare,' zei ik, 'leden van de jury, wilt u alstublieft naar dit bewijsstuk kijken? Ik denk dat u zult vinden dat het de gerechtigheid zal dienen.'

'Bennie,' stamelde Eve. 'Ben jij het?'

'Kijk naar het scherm. Bewijsstuk A.'

Eve draaide zich om en keek naar het beeldscherm. Het was het krantenknipsel, levensgroot geprojecteerd voor de rechtszaal.

MAN UIT YORK VERMOORD AANGETROFFEN

Ik hoorde hoe ze haar adem inhield voor ze zich omdraaide en zei: 'Wat doe jij hier? Ik zit midden in een proces!'

Vanaf het podium zei een verbaasde rechter Thompson: 'Mevrouw? Mevrouw? Gaat u niet buiten uw boekje?'

'Integendeel, edelachtbare,' zei ik. 'Dit is mijn enige kans gehoord te worden en het moet voor de rechtbank om de politie te laten luisteren.'

'Politie? Welke politie?'

Ik keek om. Het was stil in de rechtszaal. De klok aan de muur tikte naar kwart voor tien. Geen politie. De jury staarde me aan, iedereen staarde me aan. Ik bloosde. Klereliften. 'Eh, die komt zo, edelachtbare.'

Plotseling stormde Azzic door de deuren van de rechtszaal, gevolgd door een horde uniformen, en holde het middenpad op.

'Jij hebt die man vermoord, hè, Eve?' riep ik. 'Jij en Renee Butler hebben hem vermoord, net zoals jullie Mark hebben vermoord!'

'Dat is schandalig!' Eves knappe gezicht was strak van ingehouden woede toen ze naar de politie keek. 'Jij hebt Mark vermoord, niet ik!'

Azzic bleef midden in het gangpad staan en hield zijn mannen met een vlezige hand tegen. De mensen op de tribune bogen zich in alle richtingen naar de commotie en advocaten stonden op om problemen te ontlopen.

'Jij en Renee,' zei ik. 'Jullie hebben samen de man van Eileen vermoord. Ontken het maar niet. Renee heeft bekend. Ze heeft me zelfs haar sleutel gegeven.' Ik stak mijn hand in de zak van mijn blazer en liet de sleutel van mijn kleedkamerkluis zien. Hij was te groot, maar zou het gewenste effect hebben.

Eves gezicht viel een ogenblik uit de plooi door de schok en ze keek naar Renee op de tribune.

'Nee, nee!' riep Renee overeind springend. 'Dat is niet waar! Die is niet van mij!' Haar handen vlogen naar de hals van haar jurk en ze frunnikte aan de diepe plooien van de stof.

Een groep veiligheidsbeambten kwam de rechtszaal binnengestormd. De mensen op de tribune haastten zich en masse naar de uitgangen. 'Wat *gebeurt* hier?' wilde rechter Thompson weten, maar niemand luisterde, ik helemaal niet.

'Ze liegt, Eve,' zei ik, ze tegen elkaar uitspelend. 'Ze heeft alles aan de politie verteld. Daarom zijn we hier, om je te arresteren. Jij hebt Eileens man doodgestoken en je hebt het moordwapen in een kluis verstopt. Renee draagt de sleutel aan een halsketting, jij bewaart die van jou aan die bedelarmband. Ik herinnerde me jouw regel uit die adviesbrief, "sleutels tot een schatkist". Ik heb Renee ermee geconfronteerd en zij heeft me het hele verhaal verteld.'

'Nee, nee, nee!' riep Renee. Ze raakte in paniek en graaide verwoed naar haar jurk om de sleutel. Azzic stond zonder een spier te vertrekken en keek in grimmig stilzwijgen toe.

'Orde! Orde!' riep rechter Thompson, en sloeg met zijn hamer. *Boem! Boem! Boem!*

'Dit is belachelijk!' blies Eve als een kat. 'Ik sleep je voor de rechter wegens smaad, laster!' Er verscheen een honend lachje op haar gestifte lippen. Ze was te slim om schuld te bekennen, wat ik ook niet verwacht had. Ik wist wie van hen beiden een hart had. Ik richtte me tot Renee.

'Vertel haar de waarheid, Renee! Eileens man was jouw idee, maar Mark was dat van Eve alleen. De politie heeft een verklaring van Jessie Morgan van de wetswinkel.'

'Jessie?' Renee bleef aan de grond genageld staan, met wijdopen ogen boordevol tranen. Haar handen bewogen niet meer en haar vingers rustten op haar nek, om haar keel. Ik voelde een opwelling van medelijden maar ging recht op mijn doel af. Ze had Mark vermoord en ze had mij verraden.

'Jij hebt de schaar in mijn huis gelegd toen je de boeken afgaf, Renee. Je presenteerde Eileen je rekening en liet haar mij erin luizen voor de moord op de president-directeur. Je liet Eileen Bill vermoorden omdat hij niet mee wou doen. Zeg het nu. Vertel de waarheid. Dit is je kans. Je hoeft het niet langer geheim te houden.'

'Nee, nee, nee!' riep Renee uit, met een vertrokken gezicht van angst. Ze schudde haar hoofd en barstte in snikken uit. 'Het was... Eves idee. Ik wilde Mark niet vermoorden. Hij had niets... gedaan. Zij zei dat ze het zou vertellen... over Eileen. Wat we gedaan hadden. Zij wilde het kantoor voor zichzelf. Het nieuwe kantoor, het geld.'

Ik zou de bekentenis hebben toegejuicht, als het niet zo kwaadaardig was geweest. Ik voelde een golf van uitputting over me heen komen en stond te trillen op mijn benen. Mijn ogen schoten vol tranen van opluchting. Het was voorbij. Bijna.

Plotseling rende Eve langs een verbijsterde jury naar de toegangsdeur van de rechter bij het podium. Azzic gaf de agenten in uniform een seintje en ze zetten de achtervolging in. Bewakers klommen over de leeglopende banken naar Renee die dubbelgebogen stond te huilen. Rechter Thompson sloeg vergeefs met zijn hamer. *Boem Boem Boem!*

Azzic baande zich een weg door het middenpad en staarde me aan, met in zijn ogen een greintje spijt, wat hij onmiddellijk maskeerde.

Ik wreef mijn ogen droog, wist geen raad met mijn figuur. 'Zeg dat het je spijt, Azzic. Dat is het minste wat je doen kunt.'

Toen ik opkeek was hij verdwenen.

40

De volgende ochtend werd ik lui wakker, genietend van de rust en vredigheid. Ik trok het dekbed tot aan mijn kin en nam op mijn gemak de inventaris op. Ik lag veilig in mijn eigen bed, Bear snurkte op haar lievelingsplek naast mij en in mijn keuken stommelde een advocaat rond. 'Hé daar,' riep ik.

'Hé terug.'

'Kom terug in bed.'

'Ik ben bezig.' Ik hoorde *kleng*, een koffiepot, en kastdeuren die open en dicht gingen.

'Wat ben je aan het doen?'

'Gaat je niets aan.'

'Wanneer kom je terug?'

'Als ik er klaar voor ben.' De kraan ging open en dicht.

'Maar *ik* ben er nu klaar voor.' Ik was gisteravond minder moe geweest dan ik verwacht had en vanmorgen voelde ik me nog minder moe. Kwam vast door het roeien. Een nuttige sport.

'Wees niet zo bazig!'

'Kan ik niets aan doen, ik ben de baas.'

'Nietwaar, maat.'

Ik glimlachte. 'Zijn we nu maten? Daar moet ik even over denken.'

'Rosato en Wells is prima wat mij betreft. Ik weet hoe verlegen je bent.'

Het volgende ogenblik hoorde ik het. Een geborrel dat ik in mijn slaap nog zou herkennen. Mijn hart sprong op van vreugde. Ik hoopte dat het waar was. 'De keukenrol ligt...'

'Ik heb hem gevonden,' zei hij en ik nestelde me in prettige afwachting onder de lakens. Het leven was goed. Een man met deze vaardigheden was moeilijk te vinden. Ik betwijfelde of ik verder zou zoeken. De aroma van perfecte koffie kwam tegelijk met hem de slaapkamer in.

'Hemel, wat ben jij grof!' zei Grady, naakt op zijn onderbroek na en de DEKHENGST-beker die ik bij de afdeling Moordzaken had gesnaaid toen ik hem had vrijgekregen. Mijn honorarium om als stoorzender te mogen fungeren. En nu was hij gevuld.

'Koffie!' Ik ging overeind zitten en strekte dorstig mijn hand uit. De eerste teug. Het was mijn derde orgasme in acht uur.

'Snel opdrinken. We hebben iets belangrijks te doen.' Grady ging op bed zitten en grijnsde naar me.

'Belangrijker dan koffie?'

'Zonder meer.'

'Wat zou er belangrijker dan koffie kunnen zijn?' Ik verviel weer in de rol van *Pretty Woman*, maar Grady fronste zijn wenkbrauwen.

'Denk je dat ik het over seks heb? Nee hoor.' Hij raapte zijn broek van de vloer en trok hem aan. 'Opdrinken en aankleden.'

'Wat?'

'Het is allemaal geregeld. Toen je sliep.' Hij zocht naar zijn overhemd. 'We moeten ergens naar toe.'

'Waarheen?'

'Dat zul je wel zien,' zei hij en zelfs Bear spitste geïntrigeerd haar oren.

Tien minuten later stond ik in een onstuimige, penetrant geurende omhelzing van Hattie geklemd en werd onhandig tegen de royal flush van glanzende speelkaarten op haar borst gedrukt. 'Ik ben zo blij dat ik je zie, zo blij,' zei ze. 'Goddank dat je thuis bent, goddank.'

'Het is allemaal goed, het is voorbij.' Ik drukte haar zo hard als ik kon tegen me aan. Ik was gisteravond te laat thuisgekomen om bij haar langs te gaan en was er trouwens op dat moment niet aan toe om mijn moeder te zien. Ik had me voorgenomen haar na een goede nachtrust te bezoeken, maar Grady had het anders gepland. Zonder mijn toestemming.

'Kom binnen,' zei Hattie en stapte naar achter terwijl ze met de mouw van haar sweatshirt haar ogen afveegde. 'Kom binnen, jullie allebei. Ze is in haar kamer.'

'Hoe gaat het met haar?'

'Dat zie je zo.' Hattie deed de voordeur dicht en wierp Grady zo'n veelbetekenende blik toe dat ik moest lachen.

'Spelen jullie onder één hoedje?'

Ze glimlachte. 'Grady en ik zijn oude makkers zo langzamerhand.'

Hij knikte. 'We zijn nog geen vijftien kilometer van elkaar opgegroeid, wist je dat, Bennie? Hattie is opgegroeid bij de grens van Georgia en ik ben in Murphy geboren, net over de grens.'

Hattie trok aan mijn arm. 'We hebben een leuk lang gesprek gehad over de telefoon. Zullen we nu naar je mama gaan? Ze is wakker.'

Grady nam mijn andere arm. 'Kom, Bennie, ik wil met haar kennis maken.'

Ik liet me slechts met tegenzin meevoeren. 'Moet dat nu? Wat moet ik tegen haar zeggen? Sorry dat ik je heb laten...'

'Zeg wat in je opkomt,' zei Hattie. Bear volgde haar op de hielen van haar sjofele pantoffels terwijl ze me door de woonkamer trokken. 'Wist je dat je mama het hele verhaal van Marks moord wist?'

'Echt?'

‘Ze zei dat je haar alles had verteld, ’s avonds.’ We waren bij mijn moeders deur, die op een kier stond, en Hattie duwde hem open.

‘Mijn god,’ hoorde ik mezelf zeggen, omdat wat ik aantrof zo onverwacht was.

Er woei een zachte ochtendbries door de open hor, die de gordijnen bol blies. De kamer was licht en rook fris, slechts een vage bloemengeur. Mijn moeder zat in een stoel bij het bed, stil als glad water, een krant te lezen. *Joint Venture* zei de kop boven de foto’s van Renee en Eve. Haar haar was in golven gekamd en ze droeg een lange broek en een gestreken witte blouse. Ze leek me niet te zien, terwijl ik verwonderd op de drempel stond.

‘Is ze *genezen*? fluisterde ik.

‘Nee, maar ze is op de goede weg,’ zei Hattie zacht. ‘Carmella, liefje,’ riep ze, ‘kijk eens wie er thuis is.’

Mijn moeder keek op van de krant en haar halfdichte ogen gingen van verbazing iets open. ‘Benedetta.’

Haar stem raakte een diepverborgen snaar. Alleen mijn moeder noemde me Benedetta en ik voelde het in me weergalmen. Weerklinken in mijn borst. Om me te roepen voor het eten, of te stoppen met spelen. Op haar schoot te klimmen. Benedetta.

‘Benedetta, je bent vrij,’ zei ze.

Mijn ogen prikten. Ik kreeg een brok in mijn keel. Ik fleurde op. Ze wist niet hoezeer ze het bij het rechte eind had, en ik ook niet.

Tot op dit moment.

41

Het enorme stille kantoor was aan alle kanten omgeven door mahoniehouten boekenplanken vol verslagen van het Hooggerechtshof. Zijn bureau was een Engelse commode, waar een enkele Waterfordkom met een zwerm witte veren op stond. Op de diverse geboende oppervlakken stonden drie telefoons die de hele ochtend niet waren overgegaan. Er was geen computer te bekennen, maar er stond een doos Godiva chocolaatjes op de koffietafel. Naast een klein katje.

'Het is een leuk beestje,' zei Grun. We zaten samen op een marineblauwe bank van damast.

'En hij is al zindelijk.' Ik zei niet dat hij instructies prefereerde. Ik waagde toch al een gok.

'Hij doet me aan mijn Tiger denken. Dezelfde kleur vacht.'

'Ik dacht dat Tiger gestreept was.'

'Onder de strepen was ze lichtbruin. Bruinachtig.'

'Nou, u mag hem hebben, als u wilt. Hij heeft een huis nodig nu zijn eigenaar op... vakantie is.' Ik had hem niet verteld dat Sam in een afkickcentrum zat, aangezien iedereen in het kantoor dacht dat hij naar Disneyland was, om vreemd te gaan met nieuwe tekenfilmfiguren.

'Denkt u dat hij me mag?' Hij kietelde Jamie 17 met een gerimpelde wijsvinger maar hij negeerde hem ten gunste van een zwarte Mont Blanc.

'Natuurlijk. Hoe zou hij anders kunnen?'

'Jij mocht me niet,' zei hij meer dan lichtelijk ontstemd.

'Dat heb ik u verteld, dat was voor ik u kende.' We hadden

de ochtend samen doorgebracht, ik had mijn list als Linda Frost opgebiecht en De Formidabele Machtige Grun had me vergeven, althans nadat ik had gezworen het kantoor de hoerenuitrusting en de tonijn te vergoeden.

'Volgens mij mag hij me niet. Hij schenkt me totaal geen aandacht.'

'Dat komt wel.'

'Ik ben tweeëntachtig, Bennie. Ik heb niet zoveel tijd.'

'Hou daarover op.' Daar wilde ik niet aan denken. Ik had mijn buik vol van de dood.

Hij keek hoe Jamie 17 voorover op de tafel plofte en een donzig pootje naar hem uitstak. 'Het is beslist een speels ding. Dat was Tiger ook. Die was zo klein toen we haar kregen.' Hij hield zijn handen vijftien centimeter van elkaar. 'Zij hield van roomkaas.'

'Dat weet ik, dat hebt u verteld.'

'Waar houdt dit katje van?'

'Eh, Snickers en Cola Light?'

'Dat meen je niet.'

'Natuurlijk niet.' Oeps. 'Hij houdt van zalm. Dit schatje krijgt alleen het beste.'

Hij was even stil. 'Ik moet bekennen, Bennie, dat ik niet wist hoe ik het moest opvatten toen ik je briefje las.' Hij bedoelde het briefje dat ik had achtergelaten toen hij in slaap viel in vergaderzaal D. Het lag verkreukt op de koffietafel voor ons, een velletje geel papier waarop ik zeven woorden had geschreven. *Ik sta bij u in het krijt.*

'Ik stond toch bij u in het krijt. Ik was u een verontschuldiging en een katje schuldig. Nu hebt u ze allebei.' 'Ik kan me de verontschuldiging niet herinneren. Misschien kun je het nog een keer zeggen. Ik ben heel oud en mijn geheugen is niet goed meer.' Hij glimlachte sluw.

'U weet het nog best, meneer Grun.'

'Misschien heb ik het niet gehoord. Mijn gehoor, vooral mijn rechteroor...'

'Oké, dan. Het spijt me dat ik dacht dat u een misselijke tiran was.'

'Ik accepteer je excuus.' Hij kietelde Jamie 17 die met een slap pootje naar hem sloeg. Hij kietelde weer, Jamie sloeg weer, en hij gaf uiteindelijk de pen op voor een van de meest prominente advocaten van zijn tijd.

'Ziet u, hij vindt u aardig, meneer Grun. U moet hem nemen, hij heeft geen huis.'

'Waarom kan jij hem niet houden?'

'Mijn hond mag hem niet. Ze is jaloers.' Weer een leugen, en zo gemakkelijk. Oefening baart kunst. 'Hij heeft geen huis. Hij heeft u nodig.'

'Nou, dan zal ik hem maar nemen.'

'Geweldig!' zei ik, wat ik maar half meende. We keken allebei naar de kat, ik voor de laatste keer, maar daar wilde ik niet aan denken. Misschien kon ik hem opzoeken. In Boca. In december.

'Bennie,' zei hij, 'Waar ga je nu aan de slag? Er is hier bij Grun een plaats voor je. Ik zou het zo regelen dat je een mooi kantoor kreeg, vlakbij dit.' Ik heb veel belangrijke cliënten waar naar gekeken moet worden en, gezien je ervaring zou je als maat veel gewicht in de schaal leggen.'

Ik was even stil. Een kantoor op de Goudkust? Een enorm salaris? Hooggeplaatste cliënten en Ivy League associés? Ik hoefde er niet over te denken. 'Nee, dank u. Ik begin een ander kantoor, met een maat.'

'Begrepen.' Hij knikte glimlachend en aaide Jamie 17 over zijn rug. 'Zei je dat het katje geen naam heeft?'

'Helemaal geen.'

'Een kat hoort een naam te hebben.'

'Waarom? Het is maar een kat.'

'Bennie! Dat had ik nooit van je verwacht.'

'Het is geen echt huisdier, zoals een hond. Ik wed dat je hem zelfs de hele dag in een auto kunt achterlaten.'

'Nooit! Katten zijn intelligente, gevoelige dieren!'

'Sorry.' We keken allebei naar Jamie 17 die naar de doos chocola was toe gehuppeld en er voorzichtig aan snoof. Zijn kattenhersens zeiden dat het Snickers was, maar het was slechts Godiva. 'En, hoe gaat u hem noemen, meneer Grun?'

'Ik beken dat ik geen goede namen weet.'

Ik deed of ik hard nadacht. 'Wat vind u van Jamie 17?'

'Dat is een afschuwelijke naam.'

'Sorry.'

'*Vreselijk.*' Hij rimpelde zijn gerimpelde neus.

'Gesnapt.'

'Ik zou hem Tiger kunnen noemen, net als mijn andere kat.'

'Nee, het is stom om al je katten dezelfde naam te geven.'

'Inderdaad. Ik geef toe dat ik het mis had.' Hij knikte. 'Zijn naam zou bij hem moeten passen.' Hij pauseerde. 'Ik weet een hele goeie.'

'Wat dan?'

'Denk na. Het is een bruin katje. Wat is er nog meer bruin?'

Stront? 'Ik geef het op.'

'Ik zal je helpen. We vinden het allebei heerlijk.'

'Koffie?'

'Nee, gebruik je verstand.'

Hij keek naar mij, ik keek naar hem.

En we glimlachten gelijktijdig.

Dankwoord

Hoewel ik te horen heb gekregen dat mijn dankwoorden te uitvoerig en sentimenteel zijn, vind ik dat dankwoorden juist uitvoerig en sentimenteel moeten zijn. Persoonlijk mijd ik mensen die niet uitvoerig en sentimenteel bedanken. Het leven is kort. Dankbaarheid moet worden geuit. Hier grijp ik mijn kans.

Mijn hartelijke dank aan Carolyn Marino voor het bewerken van mijn tekst. Aan haar is dit boek opgedragen. Haar professionele instelling en oordeel zijn me zo dierbaar dat ik haar onder het schrijven het liefst aan mijn stoel zou vastbinden. Ook Patricia Gatti, haar assistente, wil ik graag bedanken voor haar grote inzet.

Mijn agente Molly Friedrich ben ik erg dankbaar voor haar verbeteringen in het manuscript en haar behartiging van mijn belangen. Molly heeft me gekoesterd als een grizzly-moeder, maar is veel knapper dan een berin. Als berenjong heb ik reuze geboft. Ik wil ook Molly's medewerkers bedanken: De Verbazingwekkende Paul Cirone en schrijfster-in-spe Sheri Holman. Ook jij bedankt, Linda Hayes, voor alles wat je voor mij en mijn boeken hebt gedaan.

Ik wil iedereen bedanken bij uitgeverij Harper Collins, vooral Jack McKeown, Geoff Hannell en Gene Mydlowski. Zoals altijd bedank ik publiciteitsmedewerkster Laura Baker, publiciste en een heel bijzondere bruid. Ik wil ook de mensen van de afdeling verkoop en marketing bedanken, evenals de vertegenwoordigers die het land bestrijken. Sterkte onderweg en kom veilig thuis allemaal.

Mijn bijzondere dank aan Robin Schatz van het kabinet van de burgemeester van Philadelphia. Voor een reeks boeken heeft Robin allerlei lastige vragen beantwoord en voor dit boek heeft ze me binnengesmokkeld op de afdeling Moordzaken in het hoofdbureau van politie, waar ik de aardigste en bekwaamste groep rechercheurs heb ontmoet die je je kunt voorstellen. Zij hebben hun vakkennis op het gebied van wet en plot royaal over me uitgestort en me meer dan eens geholpen. Beter dan wie ook weten zij dat dit boek en alle personen die erin voorkomen fictief zijn. Heel hartelijk bedankt, heren.

Ook Joseph LaBar van het Openbaar Ministerie, een echte vakman, wil ik graag bedanken, en Susan Burt, een zeer bekwame raadsvrouw. Robert L. Freedman van Dechert, Price & Rhoads in Philadelphia ben ik erkentelijk voor zijn gouden adviezen op het gebied van het erfrecht.

De damesroeiploeg van de Universiteit van Pennsylvania wil ik bedanken omdat ik welkom was in hun clubhuis en me daar mocht gedragen alsof ik er nog iets te zoeken had. Dana Quattrone van Benjamin Lovell Shoes wil ik bedanken voor wat ik wijzer ben geworden over Doc Martens-schoenen.

De mensen van de technische dienst van Commerce Square wil ik heel hartelijk bedanken omdat ze niet in lachen zijn uitgebarsten toen ik door hun kelder kroop.

Een stevige omhelzing voor een zekere Frank Scottoline, een architect aan wie ik bijzonder veel steun heb gehad. Voor hulp bij de research en haar verrukkelijke aubergine met parmezaanse kaas krijgt Mary Scottoline een dikke kus. Wie beweert dat alle waar naar zijn geld is, kent mijn ouders niet. Ook Fayne en mijn vrienden en vriendinnen ben ik erg dankbaar, vooral Kiki en Peter.

Ten slotte mijn welgemeende dank aan Chuck Jones en een traan voor Mel Blanc.

Lisa Scottoline

Op de loop voor de wet

Rita Morrone is zowel een bekwaam pokerspeelster als een briljant advocate. Waar ze zich ook inzet, aan een kaarttafel of voor een jury, ze houdt ervan risico's te nemen, en ze heeft een hekel aan verliezen - een licht ontvlambare combinatie.

Rita Morrone neemt de verdediging op zich van een befaamde rechter, de edelachtbare Fiske Hamilton die ervan wordt beschuldigd dat hij zijn secretaresse heeft lastiggevallen. Plotseling bevindt Rita zich in het middelpunt van een moordzaak en raakt de zaak in een stroomversnelling. De rechter, de hoofdverdachte, komt met een alibi op de proppen dat op niets blijkt te berusten.

Rita Morrone graaft diep in de achtergronden van de moord. Ze ontdekt dat de achtenswaardige rechter een geheim leven leidde. Wanneer de moordenaar de inzet verhoogt, besluit Rita Morrone haar hoogste troefkaart uit te spelen: haar leven.

'... een geestige thriller met een geweldige vaart. Het was een genot om Rita Morrone, Lisa Scottolines goedgebekte, spijkerharde heldin, te volgen in deze behendig gecomponeerde misdaadroman.' - Phillip Margolin